LE TEMPS CONTRE NOUS

Tamara Ireland Stone

LE TEMPS CONTRE NOUS

Traduit de l'anglais (États-Unis)
par Corinne Julve

Photographie de couverture : Knape/Getty Images

Édition originale publiée en 2012 sous le titre *Time Between Us*
par Hyperion, une marque de Disney Book Group, New York.
© 2012, Tamara Ireland Stone
Tous droits réservés.

Pour la traduction française :
© Éditions de La Martinière Jeunesse,
une marque de La Martinière Groupe, Paris.
ISBN : 978-2-7324-5126-8

Conforme à la loi n° 49-956 du 16 juillet 1949
sur les publications destinées à la jeunesse.

À Michael, mon aventure audacieuse

*« Car le temps est la plus grande distance
entre deux endroits. »*

Tennessee Williams

Octobre 2011
San Francisco, Californie

Même à cette distance, il me paraît vraiment jeune. Plus encore que la première fois où je l'ai rencontré.

Après avoir passé les dernières heures à faire du skate au Lafayette Park, affalés dans l'herbe, lui et ses amis engloutissent des boissons énergétiques et font tourner un sachet de Doritos.

« Excusez-moi. »

Huit visages de seize ans se braquent sur moi, l'air perplexe puis curieux.

« Tu es bien Bennett ? » J'attends sa réponse, alors que je sais pertinemment qui il est. Je le reconnaîtrais n'importe où. « Je peux te parler un moment ? En tête à tête ? »

Il fronce les sourcils, se lève malgré tout et retourne son skate pour l'empêcher de dévaler la pente. Je le surprends jetant un dernier regard à ses copains en haussant les épaules, tandis qu'il me suit jusqu'au banc le plus proche et s'y installe à l'autre extrémité, aussi loin de moi que possible.

Tout est si ressemblant, si familier chez lui, que je me retiens de combler la distance qui nous sépare en me jetant sur lui, comme je l'aurais naturellement fait plus jeune… Mais seize années nous séparent désormais, mieux vaut que je me tienne tranquille, à l'autre bout du banc.

« Salut ! » Ma voix tremble, j'enroule une mèche bouclée autour de mon doigt avant de me reprendre et de laisser retomber mes mains, paumes pressées contre l'assise en bois.

« Humm… salut ! » hésite-t-il en m'étudiant, tandis que plane un silence gêné. « Désolé, mais on est censé se connaître, ou quelque chose ? »

J'ai envie de répondre oui, mais je me ravise, pince mes lèvres et secoue la tête. Il ne me connaît pas. Pas encore. « Je m'appelle Anna. Tiens. » Je plonge la main dans mon sac, en sors une enveloppe blanche scellée et la lui tends en souriant.

Il la prend et l'examine plusieurs fois, recto verso.

« J'ai pensé que ce serait mieux d'expliquer par écrit. » Les paroles que je prononce ensuite sont les plus importantes. J'ai beaucoup répété, je devrais maîtriser cette partie de mon discours à fond, mais je soupèse de nouveau chaque mot dans ma tête, histoire d'être sûre. « Il me serait si facile de me tromper aujourd'hui. Dans ce cas, nous risquerions de ne jamais nous revoir. »

Il relève brusquement la tête et me regarde fixement, les yeux écarquillés. Personne ne lui a encore tenu ce genre de propos. Sur la base de cette seule déclaration, il sait que je connais son secret.

« Je ferais mieux d'y aller, dis-je en me levant. Lis-la quand tu seras seul, d'accord ? » Je l'abandonne sur le banc et redescends la butte, le regard fixé sur un voilier monoplace dans la baie de San Francisco, pour éviter de me retourner. J'ai douloureusement imaginé ce moment pendant des années, je m'attendais à me sentir soulagée. Mais ce n'est pas le cas. Bennett recommence tout simplement à me manquer.

L'initiative que je viens de prendre peut tout changer, ou bien ne rien changer du tout. Mais il fallait que je la tente, je n'ai rien à perdre. Si mon plan ne fonctionne pas, ma vie suivra son cours. Sécurisante. Confortable. Parfaitement normale.

Ce n'est pas celle que j'avais choisie.

Mars 1995
Evanston, Illinois

1

Je remue les bras pour activer ma circulation sanguine, roule la tête d'avant en arrière jusqu'à ce que j'entende un petit « pop », puis inspire profondément l'air matinal, si glacial qu'il m'irrite la gorge. Je serre ma ceinture en Néoprène, y glisse mon baladeur et tourne le volume à fond : *Green Day* retentit dans mes oreilles. Et je démarre.

J'emprunte mon itinéraire habituel dans les rues du quartier jusqu'au chemin qui borde l'étendue lisse du lac Michigan. Dans le dernier virage, j'aperçois la piste de l'université Northwestern et repère le gars en doudoune sans manches. Nous courons l'un en face de l'autre, nos queues-de-cheval respectives – la sienne, poivre et sel, la mienne, ébouriffée – se balançant, et nous nous adressons un petit signe de la main. « B'jour », dis-je au moment où nous nous croisons.

Le soleil se lève lentement sur le lac alors que j'atteins le terrain de foot. Au milieu d'un virage, le CD embraye sur un nouveau morceau qui me ramène directement au concert génial de la veille au coffee house. Le groupe a dynamité la salle dès les premiers riffs de guitare, brouillant la traditionnelle frontière entre lycéens et étudiants : tout le monde sautait et secouait la tête à l'unisson. J'entame le premier tour de piste en hurlant le refrain, dans le silence du stade et des gradins métalliques enneigés.

J'accélère dans les virages, jambes et bras lancés à fond, cœur tambourinant. J'inhale de l'air arctique, exhale de la vapeur, savourant ces trente minutes de solitude où je ne suis plus qu'avec ma course, ma musique, mes pensées. Où je suis seule au monde.

Sauf que je réalise à l'instant que je ne le suis pas. Au troisième rang des gradins, enfoncé jusqu'aux hanches dans la poudreuse glacée, quelqu'un me regarde, emmitouflé dans une parka noire, le menton posé dans ses mains, un petit sourire aux lèvres.

Je jette quelques coups d'œil dans sa direction sans ralentir, l'air de ne pas attacher une importance démesurée à la présence d'un inconnu dans l'enceinte de mon sanctuaire. Même si, avec ses cheveux noirs en pétard et son air assez doux, il a davantage l'allure d'un étudiant de Northwestern que celle d'un tueur en série.

On ne sait jamais.

Je révise vite fait les cours de self-defense que mon père m'a obligée à prendre quand j'ai commencé à venir courir à l'aube. Coup de genou dans l'aine, paume plaquée contre le nez… Mais d'abord, tenter d'éviter la confrontation en prenant simplement en compte la présence de l'agresseur. Cela paraît beaucoup plus aisé.

À la sortie du virage, je lui adresse un léger signe de tête et un regard qui traduit sans doute un mélange de crainte et de ténacité. Mais, au moment où je lui passe devant, je vois son expression changer. Après le sourire, l'air défait. Comme si je lui avais effectivement flanqué un coup dans le ventre selon les préceptes de ma technique de self-defense.

Au tour suivant, je regarde franchement dans sa direction. Il me sourit de nouveau, de façon plus hésitante, cette fois, mais chaleureuse, comme si nous nous connaissions. En fait, il a une bouille sympa et je ne peux m'empêcher de lui sourire aussi.

Jusqu'au troisième tour où, sans même l'avoir anticipé, je me tourne vers lui au milieu d'une foulée.

Il n'est plus là.

Je pousse un sprint jusqu'aux gradins. Plantée en bas des marches, je commence à me demander si je n'ai pas rêvé, avant de me résoudre à grimper l'escalier d'un pas lourd.

Il n'y est plus, certes... mais il y était. La preuve : la neige est tassée à l'endroit où il se trouvait, et le gradin inférieur porte encore l'empreinte de ses boots.

Je remarque autre chose.

Mes traces de pas se découpent nettement dans la poudreuse, mais, alors que les siennes devraient également être visibles – allant vers les gradins et s'en éloignant –, il n'y a rien, sinon l'épais tapis de neige vierge.

2

Je me rue chez moi et grimpe les marches deux
à deux. J'ouvre le robinet de la douche, ôte
mes vêtements trempés de sueur et reste plantée là, toute nue, le temps que la salle de bains
se transforme en sauna. Mon reflet dans le miroir
du meuble à pharmacie s'estompe derrière l'épaisse
buée, mais quand mon image s'opacifie totalement,
j'efface la condensation avec ma paume. Et m'observe de nouveau : je n'ai rien d'une cinglée.

Sous la douche, je me demande si ce garçon
existe vraiment, à qui je pourrais en parler, et
comment faire de telles confidences sans être inter-
née. Son visage s'immisce dans mes pensées, tandis que je me prépare pour aller au lycée. Je fais
au mieux pour le chasser de mon esprit et me
convaincre que j'ai tout imaginé. Paradoxalement,
je me promets de ne plus aller courir sur cette

piste de la semaine. Au fond, je sais très bien ce que j'y ai vu.

Mais je ne veux pas me prendre la tête. Je me regarde une dernière fois dans le miroir tandis que j'enfile mes bottes, et tente de discipliner mes boucles en passant mes doigts dedans, avant de renoncer.

Sac à dos sur l'épaule, je m'attelle à mon rituel matinal : me planter devant le planisphère qui occupe le plus grand mur de ma chambre. Je ferme les yeux, l'index pointé devant moi et les rouvre : Callao, Pérou. Parfait. J'avais espéré un coin chaud.

Attentif à mes voyages imaginaires, mon père a fixé ce planisphère sur un fond en mousse et me l'a offert, l'été dernier. « Comme ça, tu pourras indiquer tous les endroits où tu vas », m'a-t-il proposé, en me tendant une boîte d'épingles à tête rouge. J'ai regardé fixement cette immense carte plastifiée, la topographie des chaînes de montagnes, les nuances de bleu indiquant la profondeur des mers et des océans. Et si j'ai bien vu là le vaste monde, j'ai vite compris que ce n'était pas le mien. Mon monde à moi est beaucoup, beaucoup plus restreint.

J'ai planté de petites épingles à tête rouge sur Springfield, la capitale de l'État, que j'ai visitée avec ma classe l'année dernière ; sur Boundary Waters, dans le nord-est du Minnesota, où nous sommes allés camper en famille ; sur Grand Rapids,

Michigan, où nous avons passé un 4-Juillet. Et enfin, sur le nord de l'Indiana, où nous rendons visite à ma tante deux fois pas an. Le compte était bon. Quatre épingles en tout et pour tout.

Au début, je trouvais pathétique ce petit amas de points rouges autour de l'Illinois. Ensuite, j'ai compris l'intention de mon père et commencé à voir le planisphère autrement, mon univers étriqué s'élargissant peu à peu, épingle après épingle.

Je jette un dernier coup d'œil à l'immensité du monde et dévale l'escalier, attirée par le délicieux arôme qui s'échappe de la cuisine. Pas besoin d'être devin pour savoir que mon père sert le café – noir pour lui, crème pour moi. Je prends la tasse qu'il me tend. « Salut, p'pa. Maman est déjà sortie ?

– Avant toi ; elle est de service du matin. » Il me regarde avaler ma première gorgée de café et jette un coup d'œil inquiet par la fenêtre. « Où es-tu allée courir ce matin ? Il fait encore presque nuit, dehors.

– Sur le campus, comme d'hab'. » Aucune chance que je laisse échapper la moindre info sur le gars des gradins. « Il gelait… Le premier kilomètre a été carrément rude. » Je me sers un grand bol de céréales au son et aux raisins secs et me perche sur un tabouret. « Tu pourrais venir, si tu veux ! » dis-je avec un grand sourire, connaissant d'avance la réponse.

« Tu ne me feras jamais quitter mon lit douillet pour subir ce genre de torture. »

C'est pourtant lui qui m'a transmis sa flamme pour le cross-country. Dans sa jeunesse, il a été finaliste de l'État de l'Illinois, avant de muter en ce drôle d'énergumène, en tenue de professeur de sport, qui m'applaudit à tout rompre en poussant des hurlements à déraciner les plus vieux chênes de la forêt.

Cela étant, même s'il m'embarrasse au plus haut point, il est réellement dévoué. Résultat, il est le seul être au monde que j'autorise encore à m'appeler Annie.

Mon père se replonge dans son journal. Contrairement à ma mère, qui a tendance à toujours vouloir meubler le silence, il est plutôt du genre à l'inviter à notre table. Bientôt, le Klaxon rauque d'Emma rompt le calme.

Il rabat un coin de son quotidien. « Voilà ta copine ! » annonce-t-il, avant que je lui colle un bisou sur la joue et me dirige vers la sortie.

La voiture ronronne dans l'allée, et je la rejoins aussi vite que cela est possible sans valdinguer sur le ciment verglacé. J'ouvre la portière de la Saab rutilante et je pousse un petit soupir d'aise en me laissant tomber sur le siège en cuir tiède.

« Salut, ma belle ! » lance joyeusement Emma Atkins, avec son incomparable accent british. Elle passe la marche arrière et sort de l'allée en trombe. « Tu es au courant ? » éructe-t-elle, comme si la question était restée coincée dans sa gorge jusque-là.

Je lève les yeux au ciel. « Comment veux-tu que je sache quoi que ce soit avant toi ?

— Il y a un nouveau qui débarque de *Californie* aujourd'hui. Trop cool, non ? » À ses yeux, la Californie est une étrangeté américaine exotique, à ranger avec la crème pâtissière glacée et les hot dogs panés.

« Toute nouveauté est bonne à prendre », dis-je, avant de remarquer qu'elle arbore une couche inhabituelle d'ombre à paupières et quantité d'accessoires. Elle a aussi repris l'ourlet de la jupe courte de son uniforme pour la rendre plus courte encore. Manifestement, le nouveau lui a occupé l'esprit dès le saut du lit. Au feu rouge, elle tend le cou vers le rétroviseur pour une dernière retouche, estompant son rouge à lèvres avec le doigt. Non qu'elle ait besoin d'artifices particuliers. Elle a beau être anglaise jusqu'au bout des ongles, ses pommettes saillantes et son regard noir langoureux la rapprochent davantage du top-modèle brésilien. Quant à moi, j'ai même zappé le brillant à lèvres ce matin. De toute façon, pomponnée ou pas, je sais très bien laquelle de nous deux fait tourner les têtes quand nous franchissons le portail du lycée.

Le fait qu'elle oublie de mettre de la musique, cependant, me paraît bien plus bizarre que son excès de coquetterie. Je farfouille dans sa boîte à gants et me mets à ranger les CD en vrac dans la pochette rose fluo que je lui ai offerte pour son anniversaire.

« Eh, cache ta joie, Anna ! On n'a pas eu de nouveau depuis… » Elle tambourine sur le volant, comme perdue dans ses calculs.

« Bibi. En quatrième : acné, appareil dentaire, tifs crépus. Et, cerise sur le gâteau, l'atroce gilet écossais de Westlake. » Le souvenir me fait encore blêmir. « La nouvelle, c'était moi.

— Vraiment ? » Elle regarde par la vitre, ressassant l'info, comme si j'avais des chances de me tromper. « Hum, tu as sans doute raison », poursuit-elle en me pinçant la joue. Et tu vois bien, ça s'est révélé une super journée ! Sans toi, je chanterais toute seule dans mon coin aujourd'hui. Justement, on va arriver avant que tu te sois décidée. Tiens. » Emma se penche pour attraper le premier CD qui lui tombe sous la main. « *Vitalogy,* parfait. »

On écoute le nouveau Pearl Jam quasiment en boucle depuis trois mois. Elle le glisse dans le lecteur, volume maximal avant distorsion des basses, et me sourit, en se dandinant sur *Corduroy.* Je m'enfonce dans mon siège et, dès la fin du dernier accord de l'intro — notre signal — nous échangeons un regard et entonnons, à fond :

The waiting drove me mad…
You're finally here and I'm a mess…

(Attendre m'a rendu dingue…
Tu as fini par arriver et je suis dévasté)

Nous chantons à tue-tête et faux. Comme si elle avait chorégraphié notre arrivée, Emma éteint le contact pile au moment où résonnent les dernières notes du morceau. « Pearl Jam repasse à Soldier Field cet été, tu le savais ? Tu devrais demander des billets à Poil-de-Carotte.

— Arrête, dis-je en gloussant, il s'appelle Justin. Et, oui, il pourra sans doute nous avoir des places… »

Elle me regarde de biais, sourcils arqués. « Sans doute ? Ce gars est totalement *in love*, il est prêt à tout pour toi.

— N'importe quoi, je le connais depuis que j'ai cinq ans. C'est juste un super ami.

— Il le sait ?

— Bien sûr. » Nos parents se fréquentent depuis toujours, enfants nous étions quasi siamois.

— D'accord. Alors pourrais-tu demander des billets pour Pearl Jam à ton *super ami* ? »

Nous traversons le campus jusqu'à l'entrée latérale du lycée. Et, pour la première fois de la matinée, une occasion se présente. Si je devais raconter ce qui m'est arrivé ce matin sur la piste de course, ce serait à Emma, et ce serait maintenant, mais je ne sais par où commencer. Comment expliquer à ma meilleure amie que j'ai vu un garçon se matérialiser, me sourire, puis se volatiliser sous mon nez, ne laissant que l'empreinte de ses fesses dans la neige et un mystère crispant à élucider ?

« Hum...

— Ouais ?

— Est-ce que je peux te confier un truc un peu... bizarre ? » Je regarde autour de moi. Partager une histoire épineuse avec sa meilleure amie est une chose, la crier sur les toits en est une autre.

« Bien sûr. » En chemin vers nos casiers, nous trouvons un petit coin à l'écart. Mais au moment où je m'apprête à lui parler, Alex Camarian surgit, tout sourires dans son blouson aux couleurs d'un club de basket, et prend Emma par le cou. Il glisse son visage entre nous et je l'entends lui murmurer à l'oreille : « Salut, beauté.

— Mince, Alex », proteste-t-elle, le repoussant légèrement tout en continuant à l'aguicher, « on est en pleine discussion, tu le vois bien, non ? Qu'est-ce que tu veux ? »

La première sonnerie retentit. « Je vais te le dire, ce que je veux... » commence-t-il en l'attirant contre lui, « si tu acceptes de faire le tour du

Donut avec moi. » Emma lorgne le couloir circulaire en forme de beignet, semble hésiter un instant et finit par me demander une permission silencieuse. Je me fends d'un sourire, tandis qu'Alex lui offre son bras. « Puis-je ? » Sa voix exagérément sexy et son expression pince-sans-rire lui donnent l'air d'auditionner pour le premier rôle d'une sitcom ringarde. Emma se retourne une dernière fois vers moi en haussant les épaules, comme si elle n'avait pas le choix, et mime les mots : « Plus tard ! D'accord ? »

L'intervention d'Alex est peut-être providentielle. Si je me mets à avoir des hallucinations, mieux vaut sans doute garder la chose pour moi. Agenouillée devant mon casier, je prends les manuels de mes trois prochains cours, plus un chewing-gum pour la route, et me relève.

Et c'est là que je le vois. Je me fige et le regarde comme l'apparition qu'il doit être. Un bras protecteur autour de ses épaules, le proviseur Parker le guide à l'écart d'un attroupement de lycéens vers le couloir. Il lui montre des portes du doigt, attire son attention sur quelques écriteaux et finit par l'accompagner jusqu'à la salle où se tient son premier cours, en ce premier jour dans son nouvel établissement.

Le nouveau venu de Californie à tignasse brune explosée n'est autre – cela ne fait aucun doute dans mon esprit – que le gars que j'ai aperçu un peu plus tôt sur la piste de course.

Ils passent à côté de moi sans un regard. Je reste là, hagarde et blême, tandis qu'ils disparaissent au bout du couloir.

3

En général, je suis la première à franchir la porte, mais aujourd'hui je n'entre en cours d'espagnol qu'à la quatrième sonnerie. Surpris, comme si j'étais la dernière à pouvoir arriver en retard, *señor* Argotta agite le carnet de billets jaune citron devant mes yeux. « ¡ *Hola, señorita Greene !* » Il essaie d'avoir l'air courroucé, mais se fend d'un grand sourire au bout d'une seconde.

« *Hola, señor.* » Tête baissée, j'esquisse un sourire d'excuse au moment où je m'effondre sur ma chaise. Puis je fouille dans mon sac à dos, sors mon cahier à spirale, sans cesser de méditer sur les mystères de la journée.

Il est réel. Et il est *là*.

Impossible de juguler le flot de questions qui m'assaillent. Primo : où a-t-il passé la matinée ? J'ai parcouru le Donut entre chaque cours sans l'apercevoir une seule fois. Deuxio : pourquoi un lycéen, fraîchement débarqué dans cette ville, irait-il zoner du côté du stade à six heures quarante-cinq un lundi matin ? Tertio : pourquoi a-t-il semblé me reconnaître là-bas, pour me traiter comme une illustre inconnue à peine deux heures plus tard ? À moins… qu'il ne m'ait pas encore vue.

Mais où est-il passé ?

Alex s'affaisse sur le siège à côté du mien, pendant qu'Argotta brandit le fameux billet jaune sous son nez. « Vous êtes en retard, *señor* Camarian, le rabroue-t-il, avant de le gratifier, lui aussi, d'un sourire indulgent.

« Désolé, *señor*. *¡ Hola, Anna !* » chuchote Alex, penché sur moi.

Il s'apprête à me dire autre chose, mais Argotta s'éclaircit la gorge.

« Votre attention, s'il vous plaît. Aujourd'hui, nous accueillons un nouvel élève. » Je lève les yeux et retiens ma respiration. « Voici Bennett Cooper ! » nous annonce-t-il, marquant un temps que le nouveau venu meuble en ajustant son sac sur l'épaule et en se balançant d'un pied sur l'autre. « Je demande à chacun d'accueillir chaleureusement notre nouvel *amigo* et de faire en sorte qu'il se sente chez lui. » Argotta lui indique un bureau non loin du mien et commence son cours. « Et maintenant, sortez vos documents, je vous prie ! »

Les vingt paires d'yeux qui ont suivi le trajet du nouveau venu louchent désormais sur leurs polycopiés relatant l'admission de l'Espagne au sein de l'Union européenne. Moi seule semble ne pas pouvoir m'en détacher.

Bennett. Il s'appelle Bennett.

Jouant un instant avec les pages de son manuel, comme gêné d'avoir été le centre de l'attention, il finit par relever lentement la tête. Son regard se pose sur la porte, contourne la pièce et s'arrête brusquement sur moi.

Je ne sais combien de temps dure mon état d'hypnose, mais je me mets à rougir jusqu'aux oreilles dès que je réalise qu'il m'a surprise en train de le scruter. Réduite à lui sourire, j'espère qu'il me retournera le même genre de sourire que sur la piste : chaleureux, accueillant et… curieux. Je dois cependant me contenter d'un petit rictus timide, comme on en adresse en général à de parfaits inconnus.

Je ne suis pourtant pas si différente en uniforme qu'en jogging. *Pourquoi fait-il semblant de ne pas me reconnaître ?* Quand je réalise que je n'ai pas cessé de le fixer, je me mets à farfouiller dans mon sac à dos, histoire de m'occuper les mains. Les joues en feu, les cheveux dans les yeux, je relève la tête brusquement et me confectionne à la hâte un vague chignon dans lequel je plante un crayon.

Vingt minutes plus tard, Argotta attire de nouveau mon attention : « Nous allons former quatre groupes aujourd'hui. Veuillez nous répartir, *señorita*. ¡ *Por favor* ! ajoute-t-il à l'attention de Courtney Breslin, assise au premier rang.

« *Uno…* » Le compte se poursuit en zigzag dans la classe, chacun annonçant son rang.

« *Quatro* », dis-je à mon tour, avant de dresser l'oreille. J'essaye de toutes mes forces de ne pas tourner la tête. Quelques minutes plus tard, j'entends ce que j'attendais : une voix dans mon dos annoncer « *uno* ».

Argotta incite chacun à prendre ses affaires et à gagner sa nouvelle place. Et me voilà dans le groupe Quatre tandis que Bennett rejoint le groupe Un, à l'autre bout de la salle et jusqu'à la fin du cours. J'aurai au moins le loisir de l'observer en paix.

Il porte le même uniforme que les autres : pantalon noir, chemise Oxford blanche sous un pull noir à col en V. Et sans doute des Doc Martens aux pieds, mais c'est difficile à dire d'ici. Une particularité saute aux yeux cependant : ses cheveux. La plupart des garçons arborent des coupes nettes, avec raie tracée au cordeau, souvent ultra courtes, ou encore avec quelques mèches en épi sur le dessus et côtés rasés. Personne n'est aussi hirsute que Bennett qui, pour tout peigne, ne doit connaître que les pieds de son réveil.

Quand la cloche sonne, une demi-heure plus tard, tout le monde se précipite vers la sortie. Je décide de l'aborder dans le couloir, mais sa tête se fond dans la masse de lycéens sitôt qu'il a franchi la porte.

Le revoilà quelques minutes plus tard, seul à une table, dos à la baie vitrée, dans un coin de la cafétéria. Je me dirige vers le self, prends une banane et me sers un grand Coca, sans cesser de le regarder à la dérobée. Plongé dans un bouquin, il picore son plat d'une main.

Avant de m'installer à notre table habituelle, où Danielle trône déjà, je jette un dernier coup d'œil dans sa direction et le vois prendre des cuillerées de Jell-O rouge, toujours absorbé par sa lecture. « Tu le dragues déjà ? »

Un peu déstabilisée, je me mets aussitôt sur la défensive. « Ça va pas la tête ! Où tu vas chercher un truc pareil ?

– Oh, allez, je t'ai observée. Je n'ai jamais vu quelqu'un garnir son plateau en regardant cinq mètres plus loin. Impressionnant, carrément balèze ! »

Le bout de mes oreilles se met à brûler.

Elle rit. « Tu es douée, Anna, mais pas très discrète. » Elle me donne une petite tape rassurante sur la main. « T'inquiète, il m'a l'air barré, il n'a pas levé une seule fois les yeux de son livre. »

Emma s'installe à son tour, hors d'haleine. « Et donc... vous en pensez quoi ? » demande-t-elle dans les aigus.

Danielle hausse les épaules et bascule sur sa chaise, observant Bennett à l'autre bout de la pièce sans la moindre discrétion. « Il est... dans sa bulle. Vous croyez qu'il sait qu'il y a des gens autour ?

– Il fait plus mûr, on dirait », piaille Emma. Feignant de balayer la salle du regard, je m'attarde encore une fois sur son visage. Pas si mûr que ça, plutôt enfantin en fait, mais Danielle a vu juste : il semble détaché, indifférent à ce qui l'entoure – ce qui le rend d'autant plus intéressant. Du moins à mes yeux.

Emma le dévisage sans réserve. « Humm... Je suis déçue. Rien à voir avec ce que j'avais espéré. On dirait n'importe quel gars de cette ville froide et déprimante. Le genre cachet d'aspirine, quoi. Le côté blond sexy, surfeur, c'est franchement râpé. » Elle mord dans ses gressins. « Je n'aurais pas dû mettre la barre si haut.

– Qu'est-ce que tu sais des cheveux des surfeurs, d'abord ? rétorque Danielle.

– Qu'ils sont longs. » Emma mime une chevelure frisottée avec ses doigts. « Et blonds, comme à la télé, et très cool. Pas comme... la touffe-serpillière qu'il se paye.

– Lâchez-le un peu ! » Elles se retournent vers moi, leurs sourcils parfaitement épilés relevés au

maximum, et me jettent le même regard inquisi-
teur. « Ben quoi, qu'est-ce que j'ai dit ? »

– Qu'est-ce qui te prend ?

– Rien, c'est juste que… juste que vous êtes vaches.

– On l'observe, c'est tout. Genre… scienti-
fiques. » Emma me gratifie de son sourire de petite
maligne et enfourne ses crudités.

Je pousse un soupir et mords dans mon sandwich. Elle a raison. En quoi devrais-je me sentir
concernée ? Je ne le connais même pas. Et comme,
visiblement, je ne lui évoque rien, je commence à
douter sérieusement de l'avoir jamais croisé ce matin
dans les gradins.

Emma et Danielle me sondent un instant avant
d'échanger un regard entendu sans cesser de manger.
Puis Emma ouvre de grands yeux de biche et fait
ce en quoi elle excelle : vous tirer les vers du nez
quand vous préféreriez garder vos secrets. « Anna ?
minaude-t-elle, qu'est-ce qui se passe, ma chérie ? »

Habituée à son petit numéro, je devrais être
immunisée contre ses pouvoirs d'ensorceleuse, mais
je finis par bredouiller : « C'est rien, c'est juste…
bizarre.

– Bizarre comment ? Attends un peu, percute-
t-elle, bizarre comme ce que tu voulais me raconter ce matin avant les cours ? »

Je pousse un soupir. « Bon, d'accord… Je faisais mon jogging sur la piste de Northwestern ce

matin, et j'ai vu un gars qui me reluquait des gradins. J'ai continué à courir mine de rien, et lui à me suivre du regard – mais quand je suis sortie du virage suivant… il n'y était plus. Je veux dire, plus du tout. Il avait juste… disparu. » Je fais sciemment l'impasse sur le sourire.

« Étrange, en effet, confirme Emma. Et ? »

Je désigne la table de Bennett du menton. « Et c'était *lui*. » L'éventualité me paraît encore plus farfelue une fois formulée.

Emma et Danielle pivotent à l'unisson sur leur siège et recommencent à le scruter. « Tu en es sûre ? » demande Emma sans le quitter des yeux.

Je l'étudie moi aussi. « Plutôt, oui. Même corpulence et surtout même tignasse. Le plus bizarre, c'est qu'il paraissait… me connaître. Alors qu'ici il ne semble pas me remettre du tout. » Elles continuent de l'observer. « Allez, arrêtez ! »

– Il n'est pas si moche, j'imagine, temporise Danielle.

– Ouais, abstraction faite des tifs affreux, il est même plutôt mignon. Mais l'histoire du stade est plutôt flippante », note Emma.

« J'ai une idée, s'exclame Danielle, tu n'as qu'à aller lui demander ! »

Je roule les yeux, mais Emma a déjà réagi. « Bonne idée ! Allons tirer tout ça au clair ! » ajoute-t-elle, emphatique, faisant claquer ses mains sur la table.

– Quoi ? Tu veux rire, là ? Je t'en supplie, Emma. Si tu y vas, je jure que je ne t'adresserai plus jamais la parole.

– Écoute, ce gars t'a matée sur la piste et t'a foutu la trouille, et là, il fait comme si de rien n'était. Je veux juste savoir ce qu'il a dans le ventre, rien de plus. » Je n'ai même pas le temps de songer à me carapater de ce maudit réfectoire qu'elle est déjà en train de lui sortir son baratin. Bennett corne la page de son bouquin qu'il fourre dans son sac, prend son plateau et suit Emma qui revient, radieuse, tandis que Danielle et moi les regardons arriver, piteuses et pétrifiées.

« Les filles, je vous présente notre invité surprise : Bennett Cooper ! »

Il nous sourit à toutes les deux.

« Et donc Bennett, enchaîne-t-elle, voici Danielle, et là – elle marque un temps pour un effet de manche ridicule – notre star du jogging ! » Bennett suit son geste jusqu'à moi. Et je rectifie :

« De cross-country.

– Enfin bref, peu importe », me rembarre-t-elle avant de reporter son attention sur lui. « C'est une coureuse. Mais tu es déjà au courant, je crois ? » assène-t-elle en le défiant du regard.

Oh… non… je n'y crois pas.

Il nous regarde à tour de rôle. « Je ne suis pas bien sûr de comprendre l'allusion.

– Vous ne vous êtes pas déjà croisés ce matin sur la piste de course de Northwestern ? » demande-t-elle sèchement, à la façon d'un avocat contre-interrogeant un témoin. Elle va courir là-bas à l'aube. Et elle t'a vu, tu la regardais. »

Emma va mourir, c'est certain.

« À Northwestern ? » Il fronce les sourcils et secoue la tête, comme s'il n'avait jamais entendu parler de l'université emblématique de la ville. « Désolé, c'est impossible, je suis arrivé ce week-end et j'ai à peine visité le campus, alors la fac… » Il me regarde droit dans les yeux et me gratifie d'un sourire assez proche de celui de ce matin pour renforcer ma suspicion. « Tu dois me confondre avec quelqu'un d'autre. »

Impossible. Je le dévisage nerveusement, en attendant qu'il avoue sa plaisanterie. Mais il continue de me regarder comme s'il me voyait réellement pour la première fois de sa vie.

Voire comme si j'étais dingue. « Tu es sûr ? Tu portais une parka… »

Il a vraiment l'air de tomber des nues mais semble chaleureux. Et vraiment mignon. *Identique.* « Désolé, je n'ai pas de parka, ce n'était pas moi. »

Je voudrais bien le croire, mais la moue dubitative d'Emma ne m'y aide pas.

« Dans ce cas, tu lui ressembles… comme deux gouttes d'eau. Je dois me tromper. » J'espère que ni mon mensonge ni mon embarras ne transparaissent quand je lui tends la main : « Moi, c'est Anna, en tout cas.

– Anna ? Tu t'appelles Anna ?

– Humm… jusqu'à preuve du contraire. » Mon intonation légèrement flirteuse me surprend.

« Et donc, maintenant, son *prénom* lui parle », lance Emma à Danielle, sans la moindre retenue. Elles échangent un regard entendu et observent Bennett qui me dévisage, avec une lueur similaire à celle de ce matin dans les yeux, avant de se décider enfin à me serrer la main.

« Ravi de faire ta connaissance, Anna. » Son ton est un peu guindé et sa poigne, raide. Il adresse un petit signe de tête à Danielle et Emma : « C'est cool de vous avoir rencontrées aussi. » Il s'éloigne pour aller vider son plateau. Je le regarde secouer la tête, franchir les doubles portes et disparaître dans le Donut.

« Ça frisait carrément le surnaturel, mais au moins c'est fait », soupire Emma en se frottant les mains, comme si elle venait de s'acquitter d'une corvée.

Je sais qu'elle voulait seulement me protéger, mais ça ne m'a pas empêchée de me sentir super nulle. *La honte, mortifiant,* et *pourquoi moi ?* se bousculent dans ma tête. Je voudrais pouvoir formuler des phrases cohérentes et percutantes, or je n'arrive pas à ordonner mes pensées. Mais Emma sait que je ne parle jamais dans le vide : je ne lui adresserai plus jamais la parole.

Je pousse la porte de la librairie et le carillon retentit, attirant l'attention de mon père derrière la caisse. Mon sac à dos atterrit avec un bruit sourd à ses pieds.

« Qu'est-ce qui t'arrive ? » me demande-t-il, l'air inquiet.

Je suis partie sans saluer Emma et j'ai parcouru trois kilomètres à pied dans la toundra glacée. Je claque encore des dents, j'ai le visage violacé et gercé par le vent, les cheveux totalement ébouriffés. « Rien. » Je tente de détourner son attention. « C'était calme comme ça toute la journée ? »

Il jette un œil dans la librairie que mon grand-père a achetée quand il a pris sa retraite de l'université de Northwestern, il y a quinze ans. « Comme tous les ans en mars. Ça reprendra après les partiels. »

Mon père me regarde sortir un tee-shirt de rechange de mon sac et empiler mes manuels sur le comptoir. « Doux Jésus ! Combien de livres peux-tu faire entrer là-dedans ? On dirait un chapeau de magicien ! » Il plaisante, mais je le sais perplexe concernant ma scolarité au Westlake Academy, si différent du collège communal d'Evanston.

« C'est toi qui as voulu m'envoyer dans un lycée aussi guindé », lui rappelé-je en soulevant l'un de mes livres les plus volumineux.

« Tu es solide comme un roc. » Il m'embrasse sur le front et se dirige vers la porte. « Il est censé neiger bientôt », dit-il, remontant la fermeture de sa parka et enroulant son écharpe d'un tour supplémentaire. « Appelle-moi si tu veux que je vienne te chercher, d'accord ?

— C'est juste à trois pâtés de maisons, papa.

— Et je sais que tu es intrépide et indestructible, mais appelle-moi si tu changes d'avis, OK ? »

Je lève les yeux au ciel.

Je réalise que le trajet de demain sera beaucoup plus long, et si possible plus glacial encore, au moment où il va pour pousser la porte.

« Hé, papa ! » Il se retourne, sans ôter la main de la poignée métallique. « Je veux bien que tu m'accompagnes demain matin au lycée… si ça ne te dérange pas.

— Emma a un rendez-vous chez un médecin ou autre chose ?

— Non. »

Il semble désireux d'en savoir un peu plus, mais se ravise : « Pas de souci. » Le carillon retentit derrière lui.

4

« Qu'est-ce que tu fabriques, ma fille ? »
Je me le demande à voix haute, tandis
que j'applique une deuxième couche de
gloss et du mascara en me regardant fixement dans
le miroir des toilettes pour filles. D'accord, il est
mignon. Cela justifie-t-il l'effort considérable que
j'ai fourni ce matin pour choisir ma paire de boucles
d'oreilles ? N'étant pas du genre à me pomponner dans ma salle de bains, j'ai comme l'impression
d'avoir disjoncté. Hier, je me croyais folle à cause
de mes visions. Mais je crois que je préfère cette
folie-là.

Je sors des toilettes pour aller prendre mon quatrième cours de la journée et commence à sentir
l'afflux d'adrénaline – en général, je l'associe aux
derniers cinq cents mètres d'une course. Je fais une
halte devant la classe pour reprendre mon souffle et

me souvenir d'entrer comme prévu, l'air cool, détachée ; j'inspire longuement une dernière fois avant
de franchir la porte.

Je repère tout de suite Bennett. Adossé à sa chaise,
il balance son crayon entre ses doigts. Quand nos
regards se croisent, je m'attends à ce qu'il détourne
le sien, mais il n'en fait rien. Son visage semble,
au contraire, s'éclairer comme s'il était content, ou
presque. Ensuite, il se met à gribouiller dans son
calepin, sourire aux lèvres, sans plus relever la tête.

Je m'installe à mon bureau en expirant longuement – je ne m'étais pas rendu compte que j'avais
retenu mon souffle tout ce temps – et, l'air très affai-
rée, sors tout un tas de choses de mon sac à dos.

Quand la sonnerie retentit, Argotta lance ses bras
en l'air et annonce : « Pop quiz ! » Heureusement,
le chorus de grognements mêlé au bruit de feuilles
arrachées à leurs blocs couvrent le tapage de mon
cœur dans ma cage thoracique.

Les paumes moites, je relève machinalement mes
cheveux au sommet de mon crâne, tout en cherchant une pince dans mon sac. Livres, emballages
de chewing-gum, rouleau de Mentos, boîtier de
CD, voilà tout ce que je parviens à sentir sous mes
doigts. Je lorgne mon crayon, qui fait souvent office
de barrette, mais je vais en avoir besoin pour le
contrôle. Mon bras commence à s'ankyloser quand
j'entends un bruit derrière moi.

« Pssst. »

Je me retourne brusquement sans lâcher mes cheveux.

Peut-être cela tient-il à sa proximité, mais il me paraît franchement plus accessible qu'hier. À moins que ce ne soit son expression. Ses yeux ne sont pas vides comme quand je l'observais pendant le cours d'espagnol, ni troublés comme quand ma meilleure amie a sous-entendu qu'il était un voyeur dégoûtant. Ils sont doux, et j'en remarque l'intéressante nuance de bleu fumée parsemée de pépites dorées qui reflètent la lumière. Quand je me rends compte que je le fixe, genre gogol azimutée, je laisse glisser mon regard jusqu'à sa bouche pour découvrir que ses lèvres sourient aussi. Comme si quelque chose l'amusait ou qu'il se moquait de moi. J'ai dû rater un épisode.

Il relève le menton, tentant de rediriger mon attention vers le crayon qu'il me tend depuis le début. Je murmure « merci », me retourne face au tableau, et plante le crayon dans mes cheveux.

Je prends une profonde inspiration et décide de me concentrer sur le quiz sans pouvoir m'empêcher de sourire moi aussi.

Il s'est forcément intéressé à moi hier puisqu'il a remarqué ma façon approximative de me coiffer.

Ce n'est sans doute qu'un simple crayon jaune Dixon Ticonderoga numéro 2 – exactement le même que celui que j'utilise pour remplir ce quiz ridicule – mais, ainsi planté dans mes cheveux pour rassembler mes mèches rebelles, il ressemble fort à ce que nous avons eu hier sur la piste de course : une connexion.

À la fin de la journée, je réalise que je me suis débrouillée pour éviter Emma jusque-là.

En sortant des vestiaires avec mes coéquipières après l'entraînement, je l'aperçois sur le campus. Elle retourne à sa voiture en balançant sa crosse de hockey. Je présume qu'elle a dû se dépenser à un moment donné, même s'il n'en paraît rien : son maquillage est parfait, ses gants et son bonnet en laine sont assortis au passepoil de son jogging. Rien à voir avec mon survêt' râpé et mes cheveux séchés à la va-vite, enfouis sous une casquette de base-ball pour qu'ils ne gèlent pas en chemin.

« Je fais tourner le moteur ! » me lance-t-elle dès qu'elle me voit. Elle allume le contact et ressort m'attendre, nonchalamment appuyée contre le capot. Je jette un coup d'œil rapide à l'amas de nuages qui annonce des tonnes de neige drue. Ma volonté flanche une fraction de seconde, tandis qu'Emma me fait signe en souriant, mais il n'y a aucune chance, aucune, pour que je la laisse s'en tirer à si bon compte.

Je reste avec ma bande et dépasse sa voiture.

« Anna, attends, tu veux ? » Le désarroi perce dans sa voix. Le bruit de ses tennis, qui m'emboîtent prudemment le pas, se rapproche, et j'accélère sensiblement. « Sérieusement, Anna, tu veux bien qu'on discute ? J'essaie de m'excuser, là, tu ne vois pas ? » Je fais signe aux filles intriguées de continuer et ralentis pour qu'elle puisse me rattraper.

Elle me prend par les épaules. « Je suis vraiment désolée. » Ses remords semblent sincères, et son accent britannique leur donne une telle note d'authenticité que j'ai envie de lui pardonner sans rien ajouter. Mais je n'ai pas oublié l'état de mortification dans lequel j'étais la veille, ni le ridicule dont elle m'a couverte, et je me contente de la fixer.

« Je suis désolée », répète-t-elle, en me prenant dans ses bras.

Elle relâche son étreinte, et je vois qu'elle semble réellement affectée. Son expression s'est adoucie. « J'ai été nulle. Je t'en prie, arrête de m'en vouloir. C'est trop insupportable. »

Je laisse échapper un soupir. « C'était vraiment pas cool.

– Je sais, mais tu m'aimes quand même, hein ? » Elle me pince encore un peu les joues. « Hein ? Rien qu'un peu, au moins. » Et il ne m'en faut pas plus. En essayant de réprimer un sourire, mes lèvres doivent se tordre encore plus. Emma pousse un grognement, et nous éclatons toutes les deux de rire.

« Je suis sincèrement désolée, gémit-elle en gardant mon visage entre ses mains, je me suis laissée emporter. Je ne cherchais pas à te mettre mal à l'aise. »

Je me mords la lèvre.

« Ne me refais plus jamais un plan pareil, Emma !

— Jamais ! » m'assure-t-elle en secouant énergiquement la tête. On peut monter dans la voiture, maintenant ? » Elle claque des dents et frissonne en même temps.

« Qu'est-ce qu'on fait ? Tu veux qu'on aille prendre un café ?

— Impossible, on est mardi.

— Ah oui, le repas familial. » Elle manœuvre sur le parking presque vide. Comme nous restons silencieuses un moment, j'imagine qu'elle va mettre un CD ; à la place, elle se tourne vers moi. « Et donc, est-ce que tu crois toujours que c'est le gars qui te reluquait sur la piste ? »

Je hausse les épaules. « Je n'en sais rien.

— Tu veux avoir mon avis ?

— J'ai le choix ?

— Non. Garde tes distances. Je ne saurais dire quoi, mais ce gars a quelque chose… d'étrange.

— Oh, arrête, c'est juste à cause de cette histoire de stade. Il nous a clairement signifié qu'il n'y avait pas mis les pieds. J'ai dû me gourer, voilà tout. » J'ignore pourquoi je le défends, d'autant que je reste persuadée du contraire, mais j'espère paraître convaincante.

« Et la façon dont il a réagi à ton prénom ? »

– Hum, un peu exagérée, c'est vrai.

– Regarde-toi ! Tu craques pour lui », me provoque-t-elle en étirant chaque mot tandis que son accent s'intensifie.

Je lui jette un regard noir et secoue la tête. « Il m'intrigue, c'est tout. » Si j'étais complètement honnête, je devrais reconnaître qu'elle n'est pas loin de la vérité. Je n'ai fait qu'échanger quelques regards et un crayon avec lui, mais, d'une certaine manière, ce garçon s'est inscrit de façon indélébile dans mon esprit.

Emma s'arrête net devant ma maison et se tourne vers moi : « Au fait… tu m'as manqué ce matin.

– Toi aussi. » Je la prends dans mes bras, puis sors de la voiture et claque la portière. Elle démarre aussi sec, projetant un gros nuage de neige sale.

« Prends un couteau ! » lance ma mère par-dessus la voix de ténor de Pavarotti. Je suis l'odeur de poivrons et d'oignons grillés jusqu'à la cuisine et mesure l'ampleur des travaux qu'elle a entrepris. Elle me sourit : « Salut, ma chérie ! », avant de retourner à ses casseroles. Tablier noir sur sa blouse d'infirmière, boucles brunes – dont j'ai hérité – retenues par une pince au sommet de sa tête, excepté les quelques mèches qui lui encadrent le visage, elle fredonne en tranchant des tomates mûres. « Comment s'est passée ta journée ? »

Elle laisse mijoter la sauce tomate et vient s'installer sur un tabouret en face de moi. Accoudée au comptoir, elle attend mon compte-rendu hebdomadaire. On est mardi, le jour où nous cuisinons ensemble et où je lui raconte par le menu ce qui s'est passé au lycée : qui est sorti avec qui, qui s'est disputé avec qui, pourquoi, etc. Ensuite, je l'interroge à mon tour. Même si je ne trouve pas les hôpitaux très réjouissants comme lieux de vie, elle se débrouille toujours pour en rapporter des tas d'anecdotes palpitantes, comme si elle venait de jouer dans un épisode d'*Urgences* : malades sauvés *in extremis*, médecins qui flirtent avec les infirmières, patientes qui flirtent avec les médecins… Je suis heureuse qu'elle aime son métier, d'autant qu'elle s'y est remise en partie pour participer à mes frais de scolarité. Mes parents tenaient à m'envoyer à Westlake, mais un salaire ne suffisait plus pour boucler les fins de mois.

Elle ouvre de grands yeux. « Alors ? Raconte. Comment s'est passée ta semaine ? Des nouvelles croustillantes ? »

Je m'entends répondre. « Tout va bien. Et toi ? Comment s'est passée la tienne ? » Ma voix trop aiguë sonne faux.

Du coin de l'œil, je la vois se dandiner sur son tabouret, un peu décontenancée, pour revenir à la charge quelques secondes plus tard.

« Oh, allez, gémit-elle, ça ne peut pas déjà être mon tour. Il s'est forcément passé quelque chose d'intéressant. »

Je voudrais tellement lui dire la vérité. Hier, quelqu'un a disparu sous mes yeux. J'ai failli avoir un billet de retard pour la première fois de ma vie. Je suis rentrée à pied du lycée parce que, jusqu'à cette dernière demi-heure, ma meilleure amie et moi avions cessé de nous parler. Il y a un crayon dans mon sac à dos auquel j'attache une importance démesurée. Je voudrais ajouter que, jusqu'ici, rien ne s'est déroulé normalement durant cette semaine, ce qui n'est pas inintéressant en soi. Mais, surtout, qu'il y a un garçon au centre de toute cette ébullition, pour qu'elle puisse à son tour me demander s'il est mignon et que je puisse rougir en acquiesçant. Au lieu de quoi, je dis : « J'ai eu un A au devoir d'anatomie que tu m'as aidée à rédiger la semaine dernière.

– Oh. Bien… c'est bien », commente-t-elle avec un petit sourire contraint. Je sens qu'elle voudrait en savoir davantage. Au bout de quelques minutes, je l'entends marteler le comptoir du bout des doigts. Et quand elle ne supporte plus le silence, elle se redresse, le dos bien droit et déclare : « D'accord, à mon tour ! », avant de se lancer dans une longue histoire d'infirmière prise en train de flirter avec un secouriste derrière une ambulance.

Quinze minutes plus tard, j'entends la porte d'entrée s'ouvrir et se refermer. « Je suis là ! » lance mon père du vestibule. Ma mère et moi terminons de superposer sauce bolognaise, lasagnes et béchamel dans un plat à gratin, quand il débarque dans la cuisine.

Il m'embrasse sur le front.

Avant qu'il ait pu faire un pas, ma mère lui prend le visage entre ses mains pleines de sauce. « Bonsoir, mon chéri. »

Le visage marbré de traces de doigts, il recule, abasourdi, tandis que nous restons à le regarder, éberluées. « Je crois que je vais aller faire un brin de toilette, finit-il par proposer en gratifiant ma mère d'une petite caresse sur le nez.

– Bonne idée », l'encourage-t-elle, et nous partons toutes les deux d'un fou rire irrépressible, avant de parfaire notre création culinaire d'une poignée de fromage râpé et l'enfourner. Maman rejoint mon père, et je monte faire mes devoirs dans ma chambre en traînant les pieds.

Je m'écroule sur le tapis, ouvre mon sac à dos et, dans la petite poche frontale zippée où je l'avais rangé, je repère le crayon désormais enfoui sous les papiers de chewing-gum. Je le prends et me mets à le balancer entre mes doigts, exactement comme Bennett le faisait ce matin quand j'ai débarqué en cours. Je ferme les yeux, revois son sourire au moment où il m'a tendu le crayon, et m'attelle à un plan pour le lui rendre.

5

Gagner du temps.

Voici en gros en quoi consiste mon plan, par ailleurs assez élaboré, pour rendre son crayon à Bennett : gagner du temps. J'ai l'intention d'arriver en cours d'espagnol à la dernière minute pour ne pas risquer de le croiser avant. Et quand l'heure du déjeuner aura sonné, je me lèverai, lui bloquerai le passage et lui rendrai le crayon à ce moment-là. Si tout a bien fonctionné jusque-là, je pourrai discuter avec lui en chemin vers la cafétéria.

La cloche retentit quand j'arrive devant la porte. Le cœur tambourinant, j'entre dans la classe et passe devant *señor* Argotta, qui frappe dans ses mains de façon solennelle et annonce : « Groupes de conversation, tout le monde en place ! »

Non. Pas la conversation ! C'est le pire des petits exercices de groupe qu'il nous réserve habituellement.

Moi qui avais si bien programmé mon entrée ! Bennett risque encore une fois de se retrouver à l'autre bout de la classe.

Argotta nous réunit en binômes en distribuant de vieilles fiches où sont décrites des situations impossibles que personne ne rencontrerait jamais au cours d'un voyage en Espagne, ni nulle part ailleurs. Il me tend la mienne et je ferme les yeux, redoutant le pire. En les rouvrant, je lis : *Partenaire numéro un : vous passez un entretien d'embauche pour un poste de serveur/serveuse dans l'un des restaurants les plus sélects de Madrid. Partenaire numéro deux : vous êtes le/la propriétaire du restaurant.* Alex, avec qui je me retrouve généralement, me fait un clin d'œil.

Mais *señor* Argotta s'arrête et se tourne vers moi. « *Señorita* Greene, en binôme avec *señor* Cooper, *por favor.* »

Quoi ? Non, désolée, *señor.* Pas Bennett Cooper. J'ai passé la nuit à mettre au point un plan pour lui restituer son crayon. J'avais même prévu de lui redemander, à l'insu d'Emma et de Danielle, s'il ne se trouvait pas réellement sur la piste lundi. Et pourquoi il a paru me reconnaître à ce moment-là. J'avais envisagé les moindres circonvolutions de cette discussion, mais je n'avais pas anticipé que je lui ferais la conversation *en espagnol* sur un sujet imposé.

Je songe à m'enfuir, à simuler un malaise. Voire à traverser la classe pour aller m'installer sur la chaise libre en face de *señor* Kestler, comme si de rien n'était. Trop tard. Bennett me décoche un regard « t'inquiète-je-mords-pas », et, d'un geste du menton, m'invite à me lever pour pouvoir tourner mon bureau en face du sien.

« Salut, dis-je, une fois que nous avons tous les deux pris nos marques.

– Salut. Anna, c'est ça ? » Bennett a l'air totalement détendu, et mon prénom ne semble plus le paniquer comme il avait semblé le faire l'avant-veille à la cafétéria.

– Mouais. » Je baisse les yeux pour éviter de me laisser de nouveau piéger dans les siens. « Bennett, c'est ça ? »

Il acquiesce.

« Merci pour le prêt. » Au moment où je lui rends son crayon, je sens tout un tas de questions se bousculer dans ma tête, mais je reste sans voix.

« Pas de souci. Et donc, quelle est la consigne ? demande-t-il en se rapprochant de moi pendant que je la lis.

– Un peu rude, j'en ai peur », dis-je en la lui tendant.

– Oh, on devrait pouvoir s'en tirer, sourit-il après avoir parcouru l'énoncé à son tour. J'ai déjà passé plusieurs entretiens pour un poste de serveur à Madrid, ajoute-t-il sur le ton de la confidence en se rapprochant de moi.

– Sérieusement ?

– Non, je plaisante. »

Je ris un peu trop fort, puis inspire profondément pour calmer mes nerfs et presse mes paumes sur le bureau pour limiter la tremblote. Je me penche à mon tour vers lui et murmure : « Je n'ai pas la moindre idée de la façon dont on embauche dans ce pays, ni dans un autre du reste. »

Je reprends la fiche et m'appuie contre le dossier de ma chaise, feignant la décontraction. « Et donc, dis-je avec mon intonation hispanisante la mieux rodée, parlez-moi de votre expérience en tant que serveur, *señor* Cooper ! »

Bennett se lance dans une description détaillée des postes successifs qu'il aurait occupés aux quatre coins de l'Espagne. Et vante son expertise dans le manie-ment du ramasse-miettes ; sa capacité à convaincre la plupart des clients de commander un plat plus cher que celui qu'ils avaient initialement choisi. Sans négliger de préciser qu'il peut servir dix tables à la fois, et qu'il partage toujours une partie de ses pour-boires avec le personnel de cuisine. Tout cela avec beaucoup de sérieux et un infime éclat de lumière dans les yeux.

Je comprends son espagnol, mais je dois faire des efforts pour rester concentrée. Son vocabulaire est châtié, sa voix, posée, sa diction, bien rythmée : je suis totalement sous le charme. Il enchaîne sur le poste qu'il a occupé dans un restaurant de Séville appelé El Mesero Mejor. Le Meilleur Serveur.

Il parvient à me faire rire, émerveillée, avant de conclure dans une langue parfaitement maîtrisée : « Comme vous le voyez, je suis le serveur parfait pour votre établissement. » Je ne sais combien de temps s'écoule entre la fin de sa phrase et le début de sa question. « Alors ? » s'enquiert-il, attendant le verdict, les sourcils relevés.

Quand je réalise qu'il m'a de nouveau surprise en train de le regarder fixement, je me mords la lèvre et m'imagine rougir jusqu'aux oreilles. À la place, je hausse les épaules et lui souris : « Vous êtes engagé.

— Waouh, comme ça ? demande-t-il en anglais. Vous êtes plutôt cool, comme restauratrice. »

Je tente de trouver une repartie intelligente, mais j'ai l'esprit vide. « Tu as un super niveau d'espagnol, dis-je à la place.

— Je suis parti en séjour linguistique à Barcelone, l'année dernière. Ça aide pas mal. Et toi, tu es déjà allée en Espagne ? m'interroge-t-il, les coudes plantés sur son bureau.

— Non, dis-je tout bas. En fait, je ne suis jamais allée… nulle part. Je travaille dans la librairie de mes parents. Je passe un temps fou dans le rayon Voyages, mais c'est à peu près tout ce que j'ai accompli en matière de découverte du monde.

– Ça m'étonne, chuchote-t-il, se penchant vers moi comme s'il allait me confier un secret. Je ne suis là que depuis trois jours, mais les gens que j'ai croisés m'ont l'air d'avoir plutôt bourlingué.

– C'est le cas. » Je hausse de nouveau les épaules. « Mais c'est juste que… je ne fais pas vraiment partie de la bande.

– Et donc tu bosses dans une librairie. » C'est un constat plus qu'une question. « Et tu lis des guides de voyages. » J'essaie de formuler ma réponse. Ça fait bien longtemps que je n'ai plus honte d'être la plus pauvre de ce lycée incroyablement huppé, mais je n'ai pas non plus envie d'épiloguer sur le sujet. « Quelque chose comme ça. J'imagine que tu dois voyager beaucoup de ton côté.

– Moi ? Si on veut, oui… » s'interrompt-il, réprimant un sourire. J'adore ça. » Je dois avoir l'air troublée car il s'empresse de préciser très sérieusement : « Enfin, je bouge souvent… autant que je le peux.

– Tu as de la chance ! » Je regrette aussitôt ma remarque, qui me semble amère.

« Désolé, je ne voulais pas te blesser ni quoi que ce soit. »

Ce n'est pas de sa faute si je n'ai jamais mis les pieds hors des États-Unis. « Pas de souci.

– Écoute, quand on a la passion des voyages, on arrive toujours à se débrouiller. Il faut juste un peu d'imagination. » Comme *señor* Argotta bifurque soudain dans notre allée, Bennett repasse à l'espagnol, me regardant droit dans les yeux. « Tu sais ce qu'on dit : *"La vida es une aventura atrevida o no es nada"*. » Il réfléchit un instant. « Même si je ne sais plus qui l'a dit... »

Je ris sous cape.

« Quoi ? fait-il, intrigué par mon hilarité.

– C'est Helen Keller, dis-je tout bas.

– Alors elle ne l'a probablement pas dit en espagnol. »

J'essaie d'étouffer mon rire, sans succès. « Non, probablement pas. » Nous continuons à nous sourire, mais je romps la connexion en levant les yeux pour m'assurer qu'Argotta ne nous entend pas. C'est bon, il est reparti à l'autre bout de la classe, il est agenouillé à côté d'un élève et l'aide à traduire une phrase. Quand je me retourne vers Bennett, je découvre que lui ne m'a pas quittée des yeux.

« Bon, quelle que soit la langue, je suis d'accord, dis-je. En ce qui me concerne, je suis prête à vivre beaucoup plus d'aventures et beaucoup moins de rien. »

Son expression change comme s'il allait ajouter un commentaire sérieux, mais il pince ses lèvres.

« Tu voulais dire quelque chose ? » finis-je par lui demander.

« Ouais... en fait... » entame-t-il avec un petit sourire. Mais la cloche retentit à ce moment-là.

« Laisse tomber, conclut-il en se dirigeant vers la porte. À plus tard, d'accord ? »

Je le regarde traverser la salle et sortir dans le couloir. Et quand je baisse les yeux vers le bureau, je découvre que le crayon est toujours là, dans le sillon, exactement où il l'avait posé. J'enroule mes cheveux et le plante dedans pour faire un chignon.

« À plus tard », voilà ce qu'il m'a dit il y a trois jours. « À plus tard », sauf que je ne l'ai pas revu ce jour-là. Ni au réfectoire, ni dans le Donut, ni au foyer du lycée.

En revanche, il était en cours d'espagnol jeudi et vendredi – je suis sûre qu'il guettait mon arrivée parce qu'à la seconde où j'ai franchi la porte il a baissé les yeux. Mais il n'a pas souri quand il m'a vue, il s'est juste mis à gribouiller sur son bloc-notes, sans lever une seule fois les yeux vers moi. J'ai de nouveau tenté de lui rendre son crayon, mais il s'est précipité vers la sortie, parfaitement synchrone avec la sonnerie. Comme si nous n'avions jamais eu cette conversation.

6

L'orage qui éclate samedi matin inonde la piste de course, me tient éveillée toute la nuit suivante et la pluie ne cesse que le lendemain après-midi. Je marche dans le brouillard jusqu'à la librairie et m'accorde un *latte*[1] pour me récompenser d'être arrivée entière. Et comme il me reste un quart d'heure à tuer avant mon service, je fais un saut dans la boutique de disques.

« Anna ! » s'écrie Justin par-dessus les basses puissantes et régulières de la musique qui provient du plafond. Il sort de derrière le comptoir et vient me prendre dans ses bras. « J'espérais te voir avant le week-end.

– Salut, mon pote », dis-je avant de me réprimander intérieurement. C'est sûrement pire que

---

1. Sorte de capuccino très crémeux.

Poil-de-Carotte. Mais des termes comme « mon pote » ou « mon gars », ou d'autres encore, plus ou moins issus du registre fraternel, jaillissent de ma bouche dès que je l'aperçois. Il me regarde et, l'espace d'un bref instant, c'est là. Une crispation, comme si je venais de l'insulter.

« Qu'est-ce que c'est ? » Je lève le doigt vers la musique.

« Un truc que j'ai piraté », chuchote-t-il en s'assurant que personne ne nous entende. Le batteur de Nirvana vient d'enregistrer une démo qu'Elliot m'a laissé emprunter. » J'ignore qui est Elliot, mais j'imagine qu'il doit être relativement important au sein de la station de radio de Northwestern où Justin officie comme bénévole depuis trois mois. Tandis que je rêve de faire le tour du monde, il n'aspire qu'à passer son diplôme de journaliste radio et à valider son cursus universitaire en tant que DJ dans leur célèbre émission : *The Rock Show.*

« Tu veux l'emprunter ? me demande-t-il, se rapprochant encore d'un pas.

– Non, c'est vraiment... » Je secoue la tête, mais peu importe. Il plonge derrière le comptoir, la musique s'arrête, et voilà qu'il me tend le CD piraté. « Tu me diras ce que tu en penses. Essaie juste de me le rapporter dans la semaine, si tu peux, c'est tout.

– Merci, trop cool, dis-je en serrant le disque contre ma poitrine.

– Je pense que ça va te plaire.

– J'en suis sûre. Tu as mon entière confiance. » Il me regarde d'un air bizarre et je sens le truc venir : il voudrait m'embrasser.

Je l'attire vers le présentoir en fer. « Tu as d'autres nouveautés ?

– Pas là-dessus. » Il me décoche un grand sourire et me fait signe de le suivre : retour à la case comptoir, derrière lequel il replonge. Et voici un nouveau CD qu'il pose entre nous. La pochette couverte de spirales bleues, vertes et rouges peintes à l'aquarelle est unique et néanmoins raccord avec toutes celles qui ornent déjà l'étagère de ma chambre.

« Une nouvelle compil' pour courir !

– Super, je cours toujours tellement mieux sur tes CD, j'en ai marre des miens », dis-je en parcourant rapidement les titres qu'il a notés au verso.

– Je dois dire que je me suis surpassé, ce coup-ci », dit-il en piquant un fard qui unifie ses taches de rousseur.

C'est le plus gentil de tous les garçons que je connaisse. L'espace d'un instant, je regrette de ne le considérer que comme un ami.

« Je n'en doute pas une seconde. » Et le revoilà, dans son esprit, le moment du film où je saute par-dessus le comptoir et lui arrache les boutons de sa chemise. Je jette un œil à ma montre. Quinze heures cinquante-neuf. « Faut que je file, dis-je en esquissant un geste vers la librairie, je dois relayer mon père. Tu as besoin de bouquins ? » J'agite mon nouveau CD en l'air. « Tu connais le deal, un contre un. »

Il secoue la tête. « En fait, j'allais te demander… » Justin s'interrompt. Nous tournons tous les deux la tête : une fille de mon lycée franchit la porte, fonce droit sur le comptoir et se plante à côté de moi. Justin m'adresse un sourire gêné. « Pas grave, j'essaierai de passer un peu plus tard. »

Dès que je tourne le dos, je pousse un soupir de soulagement.

Le temps semble être au ralenti, pour ne pas dire au point mort. Les étudiants de Northwestern entrent, font un tour dans la librairie et repartent. Les mères viennent feuilleter le catalogue du club de lecture pendant que leurs gosses détruisent la section des illustrés.

Je scanne des cartes de crédit, aligne quelques livres, expose les dernières parutions, tout en épluchant un guide Michelin sur la Côte d'Azur. À vingt heures cinquante, j'additionne les ventes, range l'argent liquide dans le coffre situé dans l'arrière-boutique et retourne l'écriteau sur « Fermé » avant de verrouiller la porte.

Le café est déjà bondé. La semaine des partiels à Northwestern vient de se terminer. Ce soir, c'est relâche. En fait, la plupart des étudiants ont l'air hagards et sonnés, comme s'ils faisaient la fête depuis vendredi après-midi.

Je jette un œil par la vitre pour tenter, sans succès, de repérer Justin et ses amis de la radio, ne l'ayant finalement pas vu à la boutique alors qu'il semblait si désireux de me parler.

Je poursuis mon chemin, débouchant peu après dans mon quartier paisible et peu éclairé. Assez tout de même pour me permettre de voir quelque chose bouger dans le parc, de l'autre côté de la rue. Je ralentis le pas et plisse les yeux, distinguant vaguement une personne penchée en avant sur le banc. Je fais un pas dans l'herbe et reste pétrifiée car, même à cette distance, je pense pouvoir l'identifier sans me tromper.

Quand je suis assez près de lui pour qu'il puisse m'entendre, je murmure : « Bennett ? C'est toi ? » Je n'obtiens pas de réponse mais entends un râle. « Bennett ? » Je m'approche à petits pas. « Est-ce que ça va ?

– Va-t'en », grogne-t-il. Il tente de soulever sa tête sans succès, puis se frotte les tempes. Et se remet à produire le même son guttural. Je suppose qu'il essaie de dire quelque chose. Je me rapproche encore un peu. « Je ne peux pas partir, gémit-il à

71

plusieurs reprises sans cesser de se balancer d'avant en arrière. Pas avant de l'avoir retrouvée. » Je le regarde, sidérée, proche du pétage de plombs.

Il cesse de se balancer et finit par poser les yeux sur moi. Il a l'air surpris de me voir. « Anna ?

— Ouais, c'est moi. Je vais aller chercher de l'aide. Reste là, je reviens tout de suite.

— Non », réplique-t-il fermement, sans pouvoir tout à fait dissimuler sa souffrance.

« Bennett, tu as besoin d'aide », dis-je.

Il me retient par le poignet.

« S'il te plaît. N'y va pas. » Je pivote brusquement. Il semble fournir un effort considérable pour lever la tête. « C'est… » Il inspire profondément. « Ça s'arrange, là. » Je n'en crois rien. En dépit du froid glacial, son visage ruisselle de sueur. On dirait moi après un sprint. « S'il te plaît. Assieds-toi, c'est tout. »

Je scrute la nuit noire qui enveloppe le parc, pose mon sac à dos à ses pieds, et m'agenouille sans me résoudre à m'asseoir sur ce banc gelé.

« Ça va aller. » Il se frotte de nouveau les tempes et parvient à relever lentement la tête. Sa voix semble un peu plus assurée. « C'est une migraine, halète-t-il entre deux inspirations. Ça me prend quand… » Il s'interrompt. « Assieds-toi à côté de moi, Anna, s'il te plaît ! »

Je commence à me pencher vers lui pour lui frotter le dos comme ma mère ou une amie qui serait plus intime avec lui le feraient, mais je me retiens. Pendant cinq minutes, nous n'entendons plus que sa respiration laborieuse.

Il finit par se redresser un peu, toutefois. « Rends-moi un service... N'en parle à personne.

– Promis. » Je regarde les gouttes de sueur qui continuent de rouler de son front à ses joues. « Mais laisse-moi aller te chercher de l'eau, s'il te plaît. Je serai rapide. »

Il ne dit pas oui mais ne m'en dissuade pas, cette fois, et je fonce au café avant qu'il ne change d'avis. La barmaid me donne un verre d'eau glacée, et je regagne le banc en courant.

« Tiens... » dis-je, mais mes paroles restent suspendues. Mon sac à dos est toujours posé sur le sol enneigé, mais Bennett a disparu.

7

Bennett n'est pas en cours d'espagnol lundi. Ni mardi. Je commence à me faire un sang d'encre. Cela ne semble pas être le cas de madame Dawson, au bureau de la scolarité.

« Pourrais-je simplement avoir son téléphone ? Je voudrais juste m'assurer qu'il est en forme. » J'emploie mon ton le plus raisonnable, sans pour autant obtenir l'effet désiré.

Je ne sais pas exactement quels éléments il voulait que je garde pour moi, mais j'espère que la migraine n'en faisait pas partie. Sinon, comment aurais-je pu justifier mon besoin de l'appeler ?

« Je sais que vos intentions sont louables, mademoiselle Greene, mais je ne peux pas communiquer les coordonnées personnelles de nos étudiants, désolée. Je suis certaine qu'il sera là demain. »

Je marmonne un succinct « merci », avant de sortir, abattue, de son bureau. Je n'aurais jamais dû le laisser. Il voulait que je reste à côté de lui et, comme une imbécile, je l'ai laissé poireauter seul sur ce banc glacial dans un parc désertique alors qu'il suait à grosses gouttes et s'étouffait.

Bennett ne revient pas au lycée mercredi. Ni jeudi. Et tandis que je parcours le Donut avant le dernier cours vendredi après-midi, totalement déprimée à l'idée de devoir passer tout le week-end sans nouvelles, la solution jaillit de nulle part dans mon esprit. Mon seul recours.

Dès la fin des cours, je file jusqu'au casier d'Emma où je la retrouve. « J'ai besoin de ton aide, Em, lui dis-je à brûle-pourpoint. Tu crois que tu pourrais soutirer une info à la scolarité pour moi ?

— Probablement.

— Il me faut le téléphone de Bennett Cooper. Dawson a refusé de me le donner, mais comme elle adore discuter de la prochaine vente aux enchères avec toi, peut-être qu'elle serait plus disposée à te le donner. » Elle va pour me poser des questions, mais je lève une main. « S'il te plaît, ne me demande pas pourquoi, il me le faut, c'est tout. »

Emma serre les lèvres et sort son atout magique *dis-moi-tout* en me regardant fixement, les sourcils levés, me contraignant à lui donner un minimum d'explications.

« Écoute, je suis tombée sur lui par hasard, dimanche dernier, et il était… malade. Et là, il n'est pas venu de toute la semaine. Je veux juste m'assurer qu'il va bien. » Appuyée contre son casier, je me prépare à l'inquisition, quand elle se fend d'un grand sourire.

– J'y suis, tu veux sortir avec boule de tifs ! » me chambre-t-elle. Je regarde nerveusement autour de nous pour m'assurer que personne ne nous entend. « Allez, avoue, tu en pinces pour lui, hein ? Dis-le, au moins… » insiste-t-elle, voyant que je ne réponds rien.

« Je m'inquiète pour lui, c'est tout, Em. »

Elle se fend d'un large sourire. « Tu vois, la première étape est franchie : reconnaître sa vulnérabilité », ironise-t-elle en parodiant la première des douze étapes de la cure des Alcooliques anonymes[1]. « Laisse-moi voir ce que je peux faire. On se retrouve à la voiture après les cours, OK ? »

Une heure plus tard, dans la Saab bien chauffée, Emma vante ses talents de manipulatrice.

« Je n'y suis pour rien, en fait. C'est un coup de bol incroyable », nuance-t-elle, faussement modeste, en manœuvrant dans le parking. « Écoute ça : j'entre dans le bureau, Dawson est au téléphone,

---

1. Leurs soins thérapeutiques sont censés se dérouler en douze étapes prédéfinies.

avec Argotta, je présume, et réclame les cours de la semaine pour les déposer chez Bennett Cooper le soir même. » Mon ventre se met à gargouiller rien qu'en entendant son nom. C'est grave, docteur ? « J'ai donc proposé de les lui apporter moi-même.

— Elle a été d'accord ?

— Non, elle a dit qu'elle ne pouvait pas accepter, que ce n'était pas autorisé. "Pas même pour vous, miss Atkins". » Elle imite Dawson à merveille.

« Et donc, tu n'as rien ?

— Bien sûr que si, j'ai dit quelque chose ! Et donc je commence à la baratiner à propos des ventes aux enchères — genre, pour qu'elle croit que je suis venue pour ça, tu vois ? —, et elle se met à me parler du super chalet des Allen dans le Wisconsin…

— Oh, s'il te plaît, Emma, va droit au but.

— D'accord, d'accord. Alors on est là à discuter enchères quand *señor* Argotta débarque avec une pile de documents qu'il dépose sur le comptoir. Elle le remercie puis continue de me parler d'un lot de photos anciennes qu'untel compte donner pour la vente — tout en notant une adresse sur un Post-it qu'elle vient coller sur la pile de documents.

— Et ? »

Elle marque un temps pour l'effet théâtral. « 282 Greenwood, déclare-t-elle.

— Et le téléphone ? »

Elle se tourne brusquement vers moi. « Quoi, mais tu veux rire, là ? Même pas de "merci, Emma" ni de "trop géniale, Emma" ? Rien, *nada* ? » Elle ramène son attention sur la route en secouant la tête, dépitée.

« Je voulais juste appeler…

— Eh bien, elle n'a pas noté son téléphone. Mais l'adresse, c'est encore mieux, non ?

— Sauf que maintenant, il va falloir que j'y aille », dis-je, soudain très angoissée par l'idée.

Elle me décoche ce sourire satisfait qu'elle arbore quand tout se déroule comme elle l'entend. « Exactement ! »

Je n'arrive pas à croire que je me sois fourrée dans un tel guêpier.

Je jette un nouveau coup d'œil à la maison, probablement de style Tudor, à travers la haute haie. Impressionnante. Deux ou trois étages, et une sorte d'abri à carrosses derrière. Du moins, d'après ce que j'arrive à distinguer de si loin, accroupie dans le massif d'arbustes où je me suis réfugiée après avoir fait trois allers-retours devant le portail.

Je pousse un long soupir avant de m'engager d'un pas ferme dans l'allée fraîchement ratissée. Qu'est-ce que je suis venue faire dans cette galère ? Il n'est que dix-sept heures trente, mais il fait presque nuit. Je grimpe l'escalier en tremblant et, quand j'arrive devant la porte, j'actionne le heurtoir en forme de tête de lion, non sans avoir inspiré profondément.

Pas de réponse.

Je frappe de nouveau et resserre mon manteau sur moi pour lutter contre le vent, soulagée d'avoir troqué ma jupe et mes collants contre un jean.

Au moment où je m'apprête à repartir, j'entends des pas. « Qui est là ? demande une voix de femme qui semble âgée.

– Désolée, veuillez m'excuser. J'ai dû me tromper », dis-je en commençant à m'éloigner.

Le verrou tourne et la porte s'ouvre lentement. Arborant une écharpe en soie rouge sur d'amples vêtements noirs, une très belle femme mûre, mais pas si âgée, aux longs cheveux gris et aux yeux bleu fumée, me sourit, intriguée.

« Entrez ! » m'accueille-t-elle, en ouvrant la porte en grand.

– Bonjour, madame, je cherche un ami qui s'appelle Bennett. Je suis vraiment désolée, je crois que je n'ai pas la bonne adresse, dis-je en recommençant à m'éloigner.

– Vous ne vous trompez pas. Bennett habite bien là, entrez vous réchauffer un peu. »

Elle se recule pour me laisser passer.

« Maggie », se présente-t-elle sans plus de détails.

Nous nous serrons la main.

« Enchantée, moi c'est Anna.

– Vous devez être une amie étudiante.

– Oui. » Je ne suis pas sûre de sa pertinence, mais c'est la réponse la plus facile à donner. Elle m'indique une pièce derrière une très large porte voûtée d'un signe de tête. « Allez donc vous installer un moment, je vais aller le chercher. » Dès qu'elle tourne les talons, je gagne le magnifique salon, avec ses grandes fenêtres et son mobilier foncé qui le rendent plus chaleureux que ce que j'avais imaginé, le feu de cheminée répandant un doux halo de lumière.

J'examine la pièce. Les murs qui jouxtent la cheminée sont entièrement recouverts d'étagères en hêtre remplies de classiques à faire pâlir de jalousie notre librairie. À l'exception d'un grand portrait en noir et blanc de Maggie et son mari le jour de leurs noces, les photos d'une petite fille brune avec une frange tapissent presque tout l'espace restant. Dans certains cadres, on la voit avec sa mère, dans d'autres, avec ses deux parents. Mais on ne peut rater celle qui trône sur la tablette de cheminée : elle sourit, assise dans un grand fauteuil avec un tout petit bébé aux cheveux noirs ébouriffés sur les genoux.

« Ce sont mes grands enfants », dit posément une voix derrière moi. Je sursaute néanmoins. « Voici Brooke, elle a deux ans. Et voilà mon nouveau petit-fils. » Elle prend le cadre et fait glisser ses doigts sur la vitre.

« Ils sont vraiment mignons », dis-je.

Elle repose la photo et en choisit une autre. « Et voici ma fille. » La jeune femme tient la petite Brooke sur ses genoux.

« Ils sont ici, dans l'Illinois ?

— Non, à San Francisco, soupire-t-elle. J'essaie de les faire revenir par chez nous, mais le travail de mon gendre les maintient en Californie. Je n'ai même pas encore vu leur nouveau bébé. »

Sentant tout à coup que nous ne sommes plus seules, je tourne la tête et vois Bennett, sur le pas de la porte, qui nous observe. Il a les cheveux en bataille, les joues couvertes d'un duvet irrégulier. Des cernes noirs, sous ses yeux injectés de sang, lui donnent l'air de ne pas avoir dormi depuis des jours.

« Qu'est-ce que tu fais là ? » demande-t-il, crispé, en clignant des yeux, comme s'il s'adaptait à l'éclairage de la pièce.

— Je montrais des photos de mon nouveau petit-fils à ton amie, Bennett », intervient Maggie avant que j'aie pu prononcer un mot. Puis elle se tourne vers moi. « Pouvez-vous le croire ? Je n'avais encore jamais rencontré de personnes prénommées Bennett jusque-là, et maintenant, j'en connais deux », s'étonne-t-elle en secouant la tête, vraiment perplexe.

Je les observe à tour de rôle, un peu troublée. Bennett frémit.

« Voulez-vous du thé ? propose gentiment Maggie, inconsciente de la tension ambiante.

– Non, merci, madame… »

Elle pose ses mains sur mes épaules. « Appelle-moi Maggie, ma chérie. »

Je lui retourne son sourire. « Merci, Maggie. »

Bennett me fait signe de le suivre, nous la laissons préparer son thé, grimpons l'escalier en silence et longeons un couloir sombre également tapissé de photos, mais plus anciennes que celles du salon.

Dans la chambre de Bennett, une loupiote éclaire tout juste le bureau. Gobelets de café, bouteilles d'eau vides, livres et documents jonchent le sol et le lit une place. Les meubles anciens, magnifiques, ne reflètent pas les goûts d'un lycéen normalement constitué.

Il étend le bras au-dessus de mon épaule pour refermer la porte. Cette proximité me fait battre le cœur, jusqu'à ce que je perçoive une odeur âcre de transpiration et de chaussettes sales mêlées. Il doit lire un certain dégoût sur mon visage, car il s'écarte aussitôt de moi.

« Je n'attendais pas de visite, grommelle-t-il, les yeux baissés.

– Ça va… Je vais juste… Désolée, je te dérange… »

Il ne m'envoie aucun signal indiquant qu'il accepte mes excuses, pas plus qu'il ne déblaie un coin quelconque de son bazar pour m'inviter à m'asseoir. Je reste contre l'encadrement de la porte, aussi gênée que stressée.

« Désolé pour ma grand-mère », murmure-t-il si bas que je dois faire un effort pour l'entendre.

— Ta grand-mère ? Maggie est ta grand-mère ? demandé-je, un peu décontenancée.

— Elle est Alzheimer. » Son regard se fixe sur la porte au-dessus de moi comme s'il cherchait ses mots. « Pour elle, je suis… je suis encore un bébé.

— Vraiment ? » Je me repasse l'échange que je viens d'avoir avec elle dans ma tête. « Mais… les photos s'arrêtent il y a dix-sept ans… »

Son hochement de tête est suivi d'un long silence inconfortable et je culpabilise d'avoir abordé le sujet. « Les photos la rendaient tristes. Il a fallu qu'on les retire.

— Pour qui te prend-elle alors ?

— Après la mort de mon grand-père, comme elle ne roulait pas sur l'or, elle a commencé à louer cette chambre à des étudiants de Northwestern. » Il fait un geste de déni et fixe le sol. « J'imagine qu'elle me prend pour l'un d'eux… » Il s'interrompt et la pièce retombe dans le silence.

Il a très mauvaise mine, avec sa peau jaunâtre et ses yeux rouges mi-clos. « Est-ce que ça va ? Tu as l'air épuisé. »

Il me regarde fixement. Quand il se met enfin à parler, il élude ma question. « Qu'est-ce que

tu fais là, d'abord ? » me demande-t-il, les sourcils froncés.

La façon dont il me pose la question me met
encore plus mal à l'aise.

« Je ne t'ai pas revu depuis dimanche soir, dans
le parc. Quand tu étais… tu sais… » J'attends en
vain qu'il complète ma phrase. « Tu n'es pas venu
au lycée de toute la semaine et j'imagine que je
me suis inquiétée, et je… je voulais juste m'assurer
que tu allais bien. » Je tends la main dans mon dos
pour attraper la poignée. « Maintenant que je sais
que tu es vivant, ce qui est génial, je peux filer. »
Je réalise soudain qu'un coup de fil aurait été nettement plus approprié et j'ai, encore une fois, envie
de tuer Emma. Qu'est-ce qui m'a pris de débarquer chez lui comme ça, comme si nous étions des
amis intimes ?

— Dimanche, répète-t-il en clignant des yeux,
c'est vrai, j'avais oublié. »

Je lâche la poignée. Oublié ? Comment est-ce
possible ?

« Tu es sûr que tout baigne, Bennett ?

— Oui, oui. J'ai juste… » Il a l'air inquiet. Non,
paniqué. « Comment m'as-tu trouvé, en fait ? »

Mes mains commencent à trembler. « J'ai obtenu
ton adresse au bureau de la scolarité. » C'est vrai,
quoi, pas la peine de mêler Emma à tout ça si je
peux l'éviter.

« Et ils t'ont donné mon adresse, comme ça ?

– Non, elle était notée sur un Post-it. » Ce qui est toujours vrai.

Il me regarde, l'air dubitatif, et ouvre la bouche pour dire quelque chose. Mais il devient blême et se met à vaciller, avant de s'appuyer contre le mur. Je le soutiens. « Tout va bien ? »

Il essaie de parler, sans succès, inspire péniblement.

« Je vais aller chercher ta grand-mère », dis-je en m'éloignant, mais il m'attrape par le poignet, exactement comme dans le parc.

« Non, ne fais pas ça ! » On dirait qu'il essaie de crier, mais sa voix n'est qu'un râle.

« Je veux dire... tout va bien. » Il inspire lentement et profondément. « Il faut juste que j'aille m'allonger.

– Tu es sûr ? »

Il ouvre la porte. « Tu dois partir. » Sa respiration est toujours aussi heurtée. « Maintenant.

– Mais je peux...

– Non, s'il te plaît. »

Je croise les bras. « Tu ne peux pas m'obliger à te laisser dans cet état... pas cette fois. »

Il plonge son regard froid et dérangeant dans le mien. « Tu es chez moi, et je t'ordonne de partir sur-le-champ. »

Sitôt que je suis dans le couloir, la porte claque si fort derrière moi que je me demande si Bennett ne s'est pas écroulé. Je fais quelques pas et reste là un moment, à la regarder, à deux doigts de retourner frapper. Mais je m'oblige à faire demi-tour et gagne l'escalier.

Je récupère mon manteau dans l'entrée et, tout en le boutonnant, réfléchis à ce que je vais bien pouvoir dire à sa grand-mère : « Je pense qu'il est retombé malade. » Ou : « Je crois que vous devriez l'envoyer chez un médecin. » Ensuite, je repense à la fermeté de son interdiction et décide de garder son secret encore un moment. Je jette un œil dans la cuisine, lance à Maggie que j'ai été heureuse de faire sa connaissance et l'assure qu'elle n'a pas besoin de se lever. Je peux sortir toute seule, comme une grande.

8

« Oh, te voilà, formidable ! » Comme le carillon qui vient d'annoncer mon arrivée, la voix de mon père est beaucoup trop guillerette pour mon état d'esprit actuel.

« Ça t'ennuie si je fonce ?

— Je suis là pour ça », dis-je, tentant d'imiter sa légèreté de ton.

— Merci. Ta mère m'a déjà appelé deux fois pour savoir quand je rentrais. Elle se réjouit peut-être un peu trop de ce petit pince-fesses. »

Il est très beau. J'ajuste sa cravate.

« C'est au musée d'Histoire de Chicago. Nous devrions être de retour vers minuit, mais ne nous attends pas. Tu sais comment elle est quand elle se met à papoter avec ses copines.

— Va t'amuser. » Je l'attrape par les épaules et le fais pivoter vers la sortie. Il se retourne au bout de

quelques pas. « Merci encore de travailler un vendredi soir. Ça ne gâche pas tes propres plans, au
moins, hein ?

— Malheureusement, non. »

À peine est-il parti que je fais le tour de la boutique pour arranger quelques livres ici et là, et surtout réfléchir à l'état où se trouvait Bennett quand
je l'ai quitté. Je suis tentée à la fois d'afficher l'écriteau « De retour dans dix minutes » et de pousser
un sprint jusqu'à chez lui ; d'appeler Emma pour
tout lui raconter ; et de foncer jusqu'à la voiture de
police garée devant le café, pour les supplier de se
rendre au 282 Greenwood en urgence. À la place,
je vais chercher le fauteuil sacco en jean dans le
coin des enfants, et je le traîne jusqu'à la section
Voyages, avant de m'affaler dedans avec un *Lonely
Planet* sur Moscou.

Je suis en train d'ouvrir le coffre dans l'arrière-
boutique quand le carillon retentit. En me penchant en arrière, en appui sur mes mains, j'aperçois
un client en bonnet de laine et manteau noir dans
le magasin.

« Désolée… nous fermons ! » Le dernier chiffre
composé, je tire la lourde poignée métallique et
fourre la recette à l'intérieur.

Après un coup d'œil à ma montre, je regagne la
caisse. « Désolée, nous fermons à… »

Bennett se retourne, esquissant un pâle sourire.

Je dissimule mal ma surprise. « Salut ! » dis-je, à court de mots. Il a l'air bien plus en forme qu'il y a trois heures. Les cernes noirs ont disparu, et ses yeux ne sont plus injectés de sang. En chino marron et sweat-shirt bleu pâle, qui produit un effet assez magique sur ses yeux, il semble différent, plus détendu. Et je ne peux m'empêcher de humer l'arôme frais de son gel douche.

« Salut, Anna !

– Tu vas bien ? » Je suis tellement soulagée que j'aimerais le prendre dans mes bras.

« Pas mal, merci. C'est donc ici… que tu bosses ? » me demande-t-il en balayant le magasin du regard.

J'acquiesce.

« C'est chouette. » Il fait quelques pas et s'appuie contre le comptoir. « Je suis content de te voir, je ne savais pas si tu travaillais le vendredi.

– Normalement, non. Mais mes parents sont de sortie, ce soir. » Ne sachant que dire, je vais me poster en face de lui, de l'autre côté du comptoir.

« Hé, je voulais m'excuser. Je n'avais pas l'intention d'être aussi brutal tout à l'heure. C'était vraiment sympa que tu passes. » Son expression et sa voix sont douces, et son regard est dénué de toute trace d'agacement.

« J'aurais dû appeler avant, te prévenir d'une manière ou d'une autre.

– C'est moi qui n'aurais pas dû me carapater comme ça du parc, dimanche soir. J'avais oublié que tu étais là jusqu'à ce que tu me le rappelles, tout à l'heure. » Il me regarde comme s'il essayait de lire dans mes pensées, pour savoir comment enchaîner. « Bref, désolé de ne pas te l'avoir dit plus tôt, mais merci pour ton aide en tout cas.

– Y a pas de quoi. »

Ses yeux restent fixés sur les miens. « Est-ce que je peux me racheter ?

– Te racheter ?

– Si on allait prendre un café ? À moins que tu sois débordée ? » ajoute-t-il, après avoir balayé le magasin vide du regard.

Je sens mon front se plisser. « Tu es sûr d'être assez en forme ?

– La caféine m'aide pour les maux de tête. Allez, viens, c'est le moins que je puisse faire après t'avoir chassée de chez moi. »

Je repense à la remarque d'Emma dans le Donut. *Allez, avoue, tu en pinces pour lui…* Même si j'ai le sentiment de ne pas le connaître assez, c'est effectivement le cas.

« D'accord, allons-y ! » Peut-être que j'en saurai un peu plus sur lui après un café. Peut-être même que j'aurai les réponses à toutes les questions que je me pose depuis que je l'ai rencontré. Je fais le tour du magasin pour éteindre les lumières, retourne l'écriteau sur « Fermé ». Pendant que je verrouille la porte, Bennett prend mon sac et le superpose au sien sur son épaule.

Dès que nous entrons dans le café, je repère un groupe qui se lève, dans le fond. Nous jouons des coudes dans la salle bondée pour aller prendre leur place. Nous nous laissons choir sur la banquette en velours.

« Qu'est-ce que je peux t'offrir ?

— Des tas d'explications, dis-je en me baissant pour prendre mon porte-monnaie dans mon sac. Et un *latte*, s'il te plaît.

— C'est bon. » Il frôle ma main avant de s'éloigner et je réprime un frisson. Il revient quelques minutes plus tard avec deux tasses en verre surmontées de mousse et un biscuit italien au chocolat en équilibre sur chacune.

Il les dépose sur la table et reprend sa place sur la banquette. « Les grandes conversations nécessitent des *biscotti* », dit-il, m'extorquant mon premier sourire.

Il prend sa tasse et s'amuse à rompre l'épaisse mousse avec son biscuit. Je m'oblige à me concentrer sur mon propre *latte* chaud et réconfortant quand je découvre que je suis encore une fois en train de le fixer, comme hypnotisée.

« Par où devrais-je commencer ? » demande-t-il, trempant son gâteau dans le café sans cesser de me regarder, lui aussi. « Dimanche soir, j'imagine. Le parc ? Je dois admettre que mes souvenirs sont flous, mais je crois t'avoir parlé de mes migraines. »

Je sens mon expression se radoucir et hoche la tête.

« Honnêtement, je ne sais pas ce qui s'est passé. Je me promenais dans le centre, quand j'ai senti le mal de crâne me terrasser… » Il croque encore une fois dans son biscuit et avale une autre gorgée de *latte* avant de poursuivre. « Bref, je ne sais pas exactement combien de temps j'ai passé sur ce banc avant que tu m'y trouves. Je me souviens juste d'avoir cherché désespérément à rentrer chez moi.

– Je t'aurais aidé. Pourquoi ne m'as-tu pas attendue ? » À mon tour de boire une gorgée de café, les yeux plongés dans ma tasse, pour découvrir, quand je les relève, que les siens me fixent.

« Je suis parti dès que je me suis senti capable de marcher. » Il marque un silence, scrute l'air, puis replonge ses yeux dans les miens. « Je suis désolé, je ne sais plus pourquoi tu t'étais éloignée.

– Pour aller te chercher un verre d'eau fraîche au café. »

Il acquiesce comme si tout lui revenait à l'esprit. « Je regrette. Je n'avais aucune intention de te planter. C'est juste que je n'arrivais plus à penser clairement, ce soir-là. » Il secoue la tête comme pour chasser la scène de son esprit.

« Je n'ai jamais été à côté de mes pompes à ce point, mais j'imagine que ça doit perturber. Tu as été malade toute la semaine ?

– Plus ou moins. J'avais prévu de revenir en cours jeudi, mais j'ai eu une autre crise au réveil, et j'ai eu peur que ça recommence au lycée. M'évanouir dès ma deuxième semaine de cours, ça aurait fait désordre. » Je suis surprise qu'il se préoccupe de l'opinion des autres. « Du coup, j'ai une tonne de travail à rattraper ce week-end. Juste après ton départ, une bonne femme du lycée est venue m'apporter mes devoirs.

– Madame Dawson.

– Je croyais que c'était elle quand tu as débarqué. C'est sans doute pour ça que j'ai été si surpris.

– Surpris ? » Je relève les sourcils. « C'est ce que tu appelles surpris ? »

Il étend ses bras sur le dossier de la banquette. « Je suis vraiment désolé de t'avoir chassée tout à l'heure. »

Il sourit, se penche vers moi, et je me sens faire la même chose, en parfaite symétrie.

– C'est juste que tu m'as... perturbé, en fait.

– À ce point ? »

Il baisse les yeux avant de me gratifier d'un beau sourire embarrassé. « J'étais dans un état pitoyable. Une fille splendide rapplique chez moi, et je suis là, en nage, à puer la transpiration avec une tête de déterré. » Il plonge son regard dans le mien. « Je n'aurais pas dû être aussi impoli.

– Pas de souci, dis-je avec un grand sourire.

– Merci de ne rien avoir dit à Maggie. Je ne voudrais pas qu'elle s'inquiète pour moi.

– C'est normal. » Il continue de me dévisager avec une telle intensité que je change de sujet. « Ta grand-mère a l'air chouette…

– Ouais, elle est géniale, s'illumine-t-il.

– Tu as quitté San Francisco pour vivre avec elle ?

– Juste un mois, pendant que mes parents sont en Europe.

– Ah bon ? » dis-je, l'estomac soudain complètement noué.

Voilà pourquoi il ne fait pas l'effort de rencontrer les gens.

« Ben… Je sens que je peux me confier à toi. Tu peux garder un secret ? » Il attend que j'acquiesce. « Ça n'est pas seulement lié au voyage de mes parents…

– Ah ? » Je croque un autre morceau de biscuit. Je prends le temps de mastiquer, espérant l'encourager à poursuivre.

« J'étais censé partir avec eux, mais j'ai fait un truc pas cool du tout. Ils se sont montrés assez compréhensifs, mais il valait mieux que je vienne prendre un peu l'air à Evanston. Je préfère mille fois m'occuper de Maggie que voyager avec eux et, surtout, que la correctionnelle. » L'immense sourire qui se dessine sur son visage laisse entendre qu'il s'agit d'une blague.

« Et ?

– Quoi ?

– Tu ne comptes pas me dire ce qui te vaut de séjourner dans l'enfer arctique ? »

Il secoue la tête avec un petit rire désabusé. « Mieux vaut que tu ne le saches pas, crois-moi.

– Oh, allez, c'est sûrement pas si grave. Il n'y a pas eu mort d'homme... » dis-je, avant d'ajouter, plus gravement : « N'est-ce pas ? »

Il fait pivoter sa tasse. Il scrute le fond comme si elle contenait du marc de café. « Non, mais par ma faute quelqu'un a... disparu. »

Je le revois se balançant d'avant en arrière sur ce banc gelé en train de marmonner et m'apprête à lui demander des précisions sur son charabia, mais son expression m'en dissuade. Avant que le silence ne s'installe complètement, je tente de lui soutirer d'autres informations. « Pas terrible comme secret. C'est tout ce que tu avais l'intention de me raconter ?

– Pour le moment. » Son visage s'éclaire quand il demande : « Et toi, tu as vécu combien de temps à Evanston ?

– On change de sujet, là ?

– On dirait. »

Je le laisse botter en touche pour l'instant, mais lui adresse un regard suggérant que la partie est loin d'être terminée. Je pousse un grand soupir. « Toute ma vie, dans la maison où mon père et mon grand-père ont grandi.

– Waouh ! » Il me regarde, ébahi, comme si j'étais un Hobbit qui n'avait jamais pointé le nez hors de sa forêt.

Il se rapproche encore un peu, comblant le peu d'espace qui nous sépare, l'air sincèrement intéressé par ma vie pathétiquement simple. « Et tu n'as jamais eu le sentiment d'être... coincée ? »

Je voudrais lui parler de mon planisphère et de mes projets, mais les mots qui se forment dans ma tête me paraissent soudain aussi pitoyables que le regard qu'il pose sur moi. Oui, je suis coincée pour l'instant, mais je ne le resterai pas toute ma vie. Enfin, a priori. En réalité, j'ai beau m'éreinter à la refouler, l'idée de me retrouver un jour en vieille dame tricotant sur son perron dans son fauteuil à bascule, ou gérant sa librairie avec l'aide de ses petits-enfants qui la croiront folle car elle refusera de s'approcher du rayon Voyages, affleure régulière-ment dans mon esprit. *Coincée* n'exprime même pas la première touche du tableau.

« Tous les jours.

– Je ne peux pas m'imaginer rester aussi long-temps au même endroit. » Je me sens rapetisser sous ses yeux et m'écarte de lui, mais il pose la tête dans sa main et comble encore une fois l'espace que je viens de créer entre nous. « J'ai voyagé partout… J'ai sans doute vu plus de choses que la plupart des gens en une vie. » Voilà qui ne m'aide pas beaucoup. Il doit le sentir parce qu'il ajoute doucement, l'air presque triste : « Mais tu as quelque chose que je n'ai jamais eu, Anna, des racines profondes. L'histoire d'un lieu. Tu connais tes copains depuis la garderie. Moi, en dehors de mes parents et de ma sœur, j'ai l'impression que toutes mes relations sont… "temporaires" », dit-il après avoir cherché le terme exact.

À mon tour de me montrer compatissante. Je connais Justin depuis plus longtemps que mes autres amis, mais aucune de mes relations n'est temporaire à mes yeux.

« Ne me dis pas que tu vas aller à Northwestern.

– J'espère que non ! Enfin, je m'inscrirai quand même, comme tout le monde, mais en dernière option. »

Il continue de sourire et je me mets à parler, comme si on venait de m'injecter un sérum de vérité.

Je lui raconte la course et mes projets de bourse. J'ignore pourquoi, mais il ouvre de grands yeux, comme si mes confidences suscitaient tout son intérêt, et je me sens libre de lui parler de mon planisphère. « J'ai aussi un autre projet que mes parents ignorent encore. »

Il sourit, tout excité. « Alors, moi aussi, j'ai droit à un secret ?

— Ouais, sauf que moi je vais t'en confier l'intégralité. J'ai l'intention de prendre une année sabbatique après mon diplôme et de voyager. Je sais que j'irai à l'université plus tard, mais je sens qu'il faut que je saisisse cette occasion pour voir le monde. Mais, bien sûr, je n'ai pas encore l'aval de mes parents.

— Et pourquoi ne pas voyager après la fac ? »

Évidemment, il fallait qu'il me pose la question. « Je vais devoir travailler pour rembourser mon emprunt. Même si je reçois une bourse sportive et une aide financière de l'État, ça ne sera pas suffisant. » Son sourire m'encourage à poursuivre. « Je crains de ne jamais partir si je laisse passer ma chance. Et j'ai trop besoin… de le faire. »

Il me regarde fixement. Je ne sais ce qu'il pense. « Quoi ?

— Tu es une fille intéressante. » Sa bouche s'incurve en un demi-sourire. « Je le sentais depuis le début. » Il me regarde, et j'espère de tout mon cœur qu'il n'entend pas les maudits gargouillis que produit mon estomac.

En une heure, j'ai oublié toutes les petites et grandes questions que je me pose depuis deux semaines. Comment s'est-il volatilisé dans les gradins, pourquoi a-t-il nié y être allé ? Pourquoi cette réaction bizarre en entendant mon prénom ? Que faisait-il dans le parc l'autre soir ? Jusqu'à son attitude troublante chez sa grand-mère, quelques heures auparavant. Je me sens un rien trop fascinée par tout ce que j'ignore à son sujet. Je voudrais seulement compléter le puzzle, mais les pièces cruciales ne cessent de se mêler et de m'échapper.

De nouveau, les questions se volatilisent. Il trace doucement une ligne de ma pommette à mon menton du bout de ses doigts. Je ferme les yeux tandis que son pouce glisse jusqu'à ma bouche et frôle ma lèvre inférieure. Je sens que je me rapproche de lui comme si j'étais attirée par une force gravitationnelle. Il commence à m'embrasser, j'inspire légèrement en attendant le contact de ses lèvres contre les miennes, les yeux toujours fermés.

Mais le baiser ne vient pas. À la place, je sens Bennett se raidir et son haleine effleurer ma joue tandis qu'il murmure « je suis désolé » dans mon oreille.

« À quel sujet ?

— Celui-là, soupire-t-il. Je suis désolé, je ne peux pas…

— Et l'aventure alors ? » J'espère qu'il entend l'ironie.

Je le sens étouffer un rire dans mon cou, puis de nouveau soupirer. « J'ai bien peur d'en vivre déjà une, Anna. D'une autre nature. » Il me frotte la joue avec son pouce, l'air accablé, et regarde sa montre. « Il faut vraiment que je rentre chez Maggie. Je peux te raccompagner chez toi ? »

Je m'enfonce de nouveau dans la banquette, troublée, rejetée. « C'est bon, c'est juste à quelques pâtés de maisons d'ici.

– Je me sentirais vraiment mal s'il t'arrivait quelque chose.

– Si je disparaissais, dis-je sarcastiquement. C'est l'effet que tu as sur ton entourage, on dirait. » Je vois son visage se durcir, puis se fermer.

« Je reviens tout de suite », me prévient-il en s'éloignant vers les toilettes, pendant que je culpabilise dans mon coin.

« Bennett, je suis vraiment désolée, dis-je dès son retour. J'essayais d'être drôle. »

Il ramasse mon sac à dos. « Pas de problème, allons-y ! » Nous enfilons nos manteaux, slalomons en silence entre tables et banquettes jusqu'à la sortie. Nous entamons notre marche côte à côte, mais clairement séparés. C'est à peine si nous échangeons quelques mots pendant le trajet. Je ne peux m'empêcher de noter que le Bennett avec lequel je viens de passer la dernière heure n'a rien à voir avec celui qui me ramène chez moi.

« C'est ici », dis-je tandis qu'il observe notre maison du dix-neuvième siècle, son crépi ocre et son perron circulaire. La cuisine est éclairée, mais mes parents ne vont pas rentrer de sitôt. « Est-ce que tu veux...

– Non », m'interrompt-il sèchement. Il dépose mon sac à mes pieds. « Écoute, tu avais raison... tout à l'heure. » Il s'efforce d'adoucir sa voix.

« Oh, arrête, je plaisantais. » Je tente de l'égayer un peu, mais il enfonce ses mains dans ses poches. Je ne pensais pas que ma remarque serait aussi blessante. Or elle semble l'avoir été suffisamment pour qu'il ressorte des toilettes métamorphosé. Le premier Bennett était sur le point de m'embrasser. Le second brûle de me planter là et de déguerpir.

« Tu ne sais rien de moi. »

Je m'approche de lui et lui adresse un sourire séducteur, espérant retrouver le garçon de tout à l'heure. « Je connais deux de tes secrets. » Notre ébauche de baiser me donne assez de courage pour m'accrocher aux deux extrémités de son col en laine. « Ça compte un peu, non ? »

Il se rapproche de moi, comme sur la banquette, mais cette fois il a l'air contracté et s'arrête bien trop loin de mes lèvres. Il m'attrape par les poignets pour m'obliger à le lâcher, l'air plus mauvais encore.

Je n'avais pas imaginé que ma remarque l'offenserait à ce point. « Qu'est-ce qui cloche avec toi ?

– Écoute, Anna, on ne va pas remettre ça, assène-t-il en faisant un geste de la main allant de lui à moi. Pas cette fois.

– Je ne comprends rien au film ! Qu'est-ce que tu veux dire par là ?

– Rien. Je reste encore une quinzaine de jours, et seulement parce que je n'ai pas le choix. Ensuite, je repartirai et tu n'entendras plus jamais parler de moi. Alors, s'il te plaît, reprends le cours de ta vie. »

Sur ce, il tourne les talons et je le regarde s'éloigner sur le chemin enneigé.

Avril

9

Trente-cinq jours. Cela fait trente-cinq jours que Bennett a emménagé dans cette ville. Autrement dit, si l'on s'en tient au calendrier, il aurait dû en repartir il y a quatre ou cinq jours. Pourtant, je le vois à chaque cours d'espagnol. Nous ne nous sommes pratiquement plus parlé depuis la soirée du café, il y a trois semaines. Si d'aventure nos regards se croisent, il m'adresse un petit sourire contraint, et je détourne aussitôt la tête. Pourtant, ce qui s'est passé entre nous, ce soir-là, continue de me hanter. Je ne sais comment il s'est débrouillé pour chambouler autant ma vie tout en la laissant exactement au même point.

« J'ai une nouvelle à vous communiquer », claironne Argotta, large sourire aux lèvres et bras en croix. Il balaie la salle du regard, nous laissant suspendus à ses lèvres, et repart s'asseoir sur le coin de son bureau. « Combien d'entre vous ont entendu parler de mon concours du Grand Voyageur ? »

Nous sommes quelques-uns à lever la main. « Bien, mais vous risquez d'être surpris, précise-t-il, car le prix est particulièrement excitant cette année. »

Il saute de son bureau et déroule une carte du Mexique géante. « Laissez-moi tout d'abord vous donner le règlement. Vous aurez à planifier un fabuleux séjour de deux semaines au Mexique et à concevoir l'itinéraire qui vous permettra de visiter le maximum de lieux dans ce laps de temps. La personne qui réalisera le voyage le plus cohérent, le plus intéressant et pour le moindre coût raflera le prix. Ça vous tente ? » Vingt têtes acquiescent à l'unisson. « Formidable. Les projets sont à rendre lundi prochain », nous informe-t-il avant d'effacer le tableau.

Tout le monde se regarde, bouche bée. « Ah… vous voulez connaître la nature du premier prix, n'est-ce pas ? » commence-t-il très lentement, en détachant bien ses mots.

« Bien sûr… bien sûr, scande-t-il de façon à produire une certaine tension. Il se trouve que j'ai un ami qui travaille à la communication d'une grande compagnie aérienne. » J'imagine qu'il a dû répéter son speech le matin en face du miroir de sa salle de bains. « Et quand je lui ai confié mon projet, il était si enthousiasmé qu'il s'est arrangé avec sa direction pour offrir un bon de cinq cents dollars au vainqueur. »

Nous échangeons des regards un peu hébétés, et je ne peux éviter celui de Bennett qui m'adresse un petit sourire forcé avant de tourner la tête vers la fenêtre.

« Alors qu'en pensez-vous ? demande Argotta à la classe. Saurez-vous faire bon usage de cinq cents dollars ? »

Chacun de nous le devrait, en effet. Mais je suis la seule à penser qu'il pourrait changer ma vie.

Je m'assois en tailleur sur la moquette devant l'étagère libellée Mexique et parcours le dos des ouvrages. La boutique est déserte et, vu les trombes d'eau qui sont tombées tout l'après-midi, elle va probablement le rester. Cela me laisse le temps d'élaborer mon projet en paix.

Je prends le *Let's go, Mexico* puis trois autres pavés sur le sujet et feuillette le *Guide vert Michelin* dont j'extrais un mince livret qui se déploie en une gigantesque carte routière. J'évalue un instant la somme de lecture qu'il me reste et décide de m'offrir un *latte* avant de m'atteler à la tâche.

J'enfile mon manteau, accroche l'écriteau « De retour dans dix minutes » à la porte que je verrouille et cours au café. Il n'est que dix-huit heures, mais il fait nuit noire et personne ne pourrait imaginer, si ce n'est en consultant un calendrier, que le sol devrait être couvert d'herbe verte et les branches garnies de bourgeons. Nous sommes à deux mois des vacances d'été, mais il neige dru. Pour changer.

À mon retour au magasin, je sépare les livres en plusieurs piles. Je sais ce que je veux : un itinéraire équilibré entre sites archéologiques et plages où je pourrai courir sur le sable avant de piquer une tête dans l'océan. La page divisée en deux colonnes, je commence à rédiger mes listes.

À gauche, les sites archéologiques : ruines mayas à Tulum, Chichén Itzá et Uxmal. À droite, le choix est moins évident. Cancún et le grand récif maya doivent y figurer, mais j'ajoute un point d'interrogation en face des destinations plus courues comme Los Cabos, Acapulco ou Cozumel.

La neige frappe contre la vitre et la branche d'un énorme chêne frotte constamment contre le carreau. J'ai appris à ne plus sursauter, depuis le temps, mais ça continue de m'énerver. J'essaie de l'ignorer, laissant les adorables places du village de Mazatlán et les céramistes de Guadalajara m'emmener loin de la neige et du vent.

Comme le bruit s'amplifie, je vais jeter un œil par la fenêtre. La tempête secoue toujours l'arbre dans tous les sens, et la branche en question gît désormais sur le trottoir. J'entends un autre bruit derrière moi, en provenance de l'arrière-boutique, et ça n'est pas la tempête, mais une voix. Je retiens mon souffle et dresse l'oreille.

Mon cœur s'emballe tandis que je m'approche sur la pointe des pieds du téléphone posé sur la caisse. « Il y a quelqu'un ? » crié-je, avant de composer le 911 en tremblant de la tête aux pieds.

À cet instant, la porte de devant s'ouvre brusque-ment. Je raccroche et me rue sur le client. « Bon-soir », dis-je d'une voix chevrotante, main sur la poitrine pour calmer les battements de mon cœur et tenter de me comporter naturellement. « Vous désirez ? »

Il scrute le magasin, jette un œil dans la rue et, tandis que je m'apprête à lui parler des bruits bizarres que je viens d'entendre, il referme la porte derrière lui, dans un nouveau tintement de carillon, et déroule sa cagoule sur son visage, avant d'en-clencher le verrou.

« Le fric. » Sa voix est profonde à travers son écharpe en laine, mais je me concentre sur la lame luisante qu'il sort de son baggy et pointe sur moi. « Grouille-toi ! »

La peur me paralyse tellement que je peine à esquisser un geste vers la caisse et bredouille : « Par là, elle n'est pas fermée. Prenez tout. »

Avant que j'aie pu m'éloigner, il m'attire contre lui et me pousse jusqu'au comptoir, la lame sur ma gorge. Après avoir vidé le tiroir-caisse dans son sac, il me serre de plus belle et beugle « le coffre ! ».

« Là, derrière… », dis-je, ainsi que mon père me l'avait recommandé quand j'ai commencé à travailler ici. « La combinaison est neuf-quinze-trente-neuf. Nous n'avons pas d'alarme. Je n'appellerai pas la police. Prenez l'argent et allez-vous-en. »

Je sens la nausée me gagner.

Je louche du côté des rayons, persuadée d'avoir vu quelque chose bouger alors que c'est parfaitement impossible. Le magasin était vide et la porte, verrouillée. Je jette tout de même un autre coup d'œil par-dessus les étagères et crois apercevoir une sorte de plumeau noir gagner l'aile de la boutique. Je plisse les yeux et tourne de nouveau la tête, mais la lame métallique contre ma gorge bride mon élan de curiosité. Quand nous nous retrouvons dans l'arrière-salle, le braqueur éloigne enfin son arme et me pousse vers le coffre au pied duquel j'atterris brutalement.

« Ouvre-le », aboie-t-il. J'actionne le verrou vers la droite, vers la gauche, puis vers la droite de nouveau et appuie sur la lourde poignée. Dès que la porte est ouverte, il m'écarte violemment. Je crois percevoir de nouveau un mouvement dans la pénombre.

Sidérée, je reconnais Bennett qui pose l'index sur sa bouche.

Du coin de l'œil, je le vois se rapprocher de moi à pas de loup.

Tout va très vite tandis que le cambrioleur vide le coffre. Bennett disparaît et réapparaît agenouillé à mes côtés, il me prend les mains et ferme les yeux, comme je dois le faire aussi. En les rouvrant, je constate que nous sommes loin : du magasin, du braqueur et de sa lame. Sans que notre position ait bougé d'un iota, et nous tenant toujours les mains, nous voilà propulsés dans le parc du bout de la rue, au pied d'un arbre, avec le vent balayant vigoureusement la neige autour de nous.

10

Bennett me lâche les mains et me prend le visage. Je l'entends parler, mais ses paroles étouffées semblent venir de très loin. « Ça va, Anna ? Respire et ne parle pas. Écoute attentivement, OK ? Je vais tout t'expliquer. Mais d'abord, il faut que tu fasses quelque chose. »

J'acquiesce, les yeux écarquillés, hagarde.

« Pour commencer, je voudrais que tu coures au café me commander un expresso, deux grands verres d'eau sans glaçon et que tu m'attendes là-bas. » Il me regarde dans les yeux. « Tu peux faire ça, Anna ? J'ai besoin de toi. Peux-tu me faire confiance ? »

Je hoche de nouveau la tête.

« Bon, alors vas-y vite ! Tu commandes et tu vas t'installer en salle sans parler à personne. »

Je me précipite au café et tremble tellement que je parviens à peine à articuler trois mots. Je tombe heureusement sur un barman sympa qui me propose de m'aider à porter mes boissons à ma table, près de la fenêtre. Après quoi, comme une marionnette à laquelle on aurait coupé les fils, je m'effondre sur la banquette.

Les sirènes retentissent de plus en plus fort, deux voitures de police se garent devant la librairie. De cet angle, je ne distingue que le reflet de leurs gyrophares sur la vitrine. Puis je vois les flics s'approcher discrètement de la porte d'entrée, pistolet en main. Je les perds bientôt de vue et presse le front contre la vitre pour essayer de suivre la scène. J'attends qu'ils réapparaissent quand je sens un poids à côté de moi.

Coudes sur les genoux, Bennett se penche en avant, en se frottant les tempes. Il laisse échapper un râle entre deux inspirations laborieuses, exactement comme l'autre soir dans le parc.

Avant même de le questionner, je me mets à lui frotter le dos, cette fois. « Qu'est-ce que je peux faire ?

— De l'eau... »

Sans cesser de le masser, je lui tends un verre qu'il vide en trois lampées.

« Encore... »

Sa respiration s'apaise au bout du deuxième verre.

Il lève les yeux vers moi et me sourit. « Hé, t'es toujours là ? » Il avale une gorgée de son café brûlant. Je le regarde fixement et tente de dire quelque chose, mais chaque fois que j'essaie d'inspirer, mon corps semble rejeter l'air aussitôt. J'essaie d'inhaler plus profondément pour apaiser mon rythme cardiaque et mes tremblements, mais mes poumons refusent de coopérer. *Qu'est-ce qui m'arrive ?*

« Tu es sous le choc, Anna », affirme-t-il, avant de faire un signe au barman pour qu'il m'apporte aussi un verre d'eau.

« Bois ça. » Je prends le verre à deux mains, ne pouvant me fier à mes muscles tremblants pour accomplir une tâche aussi ardue que de le porter à mes lèvres. « Il faut que tu m'écoutes, Anna, reprend-il en respirant régulièrement. Dans quelques minutes, nous allons devoir parler à la police. Les flics ont probablement prévenu tes parents qui ne vont pas tarder à débouler. Je promets de t'expliquer tout ce qui vient de se passer mais, pour l'instant, j'ai besoin que tu t'en tiennes à ma version des faits. C'est possible ? »

Je termine mon verre et opine.

« OK. Tu racontes la première partie telle quelle – le gars qui est entré en trombe dans le magasin et t'a forcée à ouvrir le coffre. Ensuite, tu enchaînes comme ça : tu as profité d'un moment d'inattention de sa part pour t'esquiver par la porte de derrière. Et je t'ai trouvée dans l'allée où je me suis arrêté pour t'aider. Nous avons attendu un moment au bout de la rue et sommes revenus sur nos pas quand nous avons vu que la police était arrivée. » Il soulève mon menton. « Tu pourras dire ça ? »

J'acquiesce en ouvrant de grands yeux.

« Ne t'inquiète pas, je me charge de la discussion. Tu n'auras qu'à te limiter au compte-rendu. » Tout ce que je semble capable de faire, c'est hocher bêtement la tête.

Nous retournons à la librairie, devant laquelle stationnent les deux voitures de police. Je reste muette pendant que Bennett revient point par point sur les faits. L'officier note scrupuleusement tous les détails. J'écoute et continue d'opiner, alors que je sais que Bennett ment. Je suis consciente de ce qui s'est passé. Je ne suis pas tombée sur lui dans l'allée. *Comment a-t-il pu entrer dans la boutique ? Comment sommes-nous parvenus à en sortir ?*

Dix minutes plus tard, l'agent de police relit ses notes. « Restez là, je reviens tout de suite. »

Je suis surprise de m'entendre l'interpeller : « Monsieur l'agent ? » Et de le voir se retourner. « L'avez-vous attrapé ?

– Mouais, nous l'avons coincé pendant qu'il bataillait avec le verrou de la porte de derrière. On dirait que cet hiver interminable pousse les gens à se comporter de façon assez désespérée. Ne t'inquiète pas, ce gars n'aura plus l'occasion de se promener avant un bon bout de temps, précise-t-il avant de repartir.

– Monsieur l'agent ? » Il se retourne de nouveau. « Comment avez-vous fait pour arriver à temps ? » Bennett me presse les épaules tandis que le policier feuillette les pages de son carnet.

« On dirait que l'appel est resté anonyme. Quelqu'un nous a signalé un cambriolage au téléphone. » Il m'adresse un sourire sympathique. « L'un de vos voisins a dû le voir entrer. Un ange gardien veille sur vous, jeune fille. »

Mon père entre en trombe, suivi de ma mère, et tous deux m'étreignent affectueusement. « Je suis tellement désolé », murmure mon père en boucle, en nous frottant le dos à toutes les deux.

L'agent s'éclaircit la gorge, et nous levons tous les trois les yeux. « Pardon de vous interrompre, mais il faudra que vous veniez faire une déposition au commissariat avec votre fille. » Le dernier endroit où j'ai envie de passer la soirée. Ce que j'aimerais vraiment, c'est une tasse de café chaud et une heure en tête à tête avec Bennett, que je montre du doigt à mon père.

« On pourrait avoir une minute d'abord ? » Mes parents viennent seulement de remarquer sa présence et lui accordent soudain toute leur attention.

« Monsieur Greene, madame Greene. » Bennett commence par serrer la main de mon père.

« Bennett est un… ami… du lycée. Il m'a aidée… » Je m'interromps, voyant le visage de ma mère se crisper. Mais une fois qu'elle connaît tous les détails de la version autorisée, elle sourit, rassurée.

« Eh bien, mille mercis, Bennett », finit-elle par dire, lui serrant enfin la main qu'il lui tendait depuis le début, sans retirer l'autre bras de mes épaules. « J'ignore ce qui t'a poussé à te promener sous une tempête de neige, mais j'imagine que c'est une coïncidence heureuse », lui dit-elle en me jetant un regard légèrement circonspect. Je me contente de hausser les épaules.

« Je peux alors ?

— Cinq minutes », dit mon père en jetant un coup d'œil à sa montre.

J'emmène Bennett vers le rayon du développement personnel où nous sommes enfin seuls de nouveau.

« Alors… » Je le regarde gravement. « J'imagine que tout ça touche au grand secret ?

— En quelque sorte », dit-il. Il prend mes mains dans les siennes, qui sont chaudes et douces. « J'ai pas mal de choses à te raconter.

— Super !

— Tu es sûre de vouloir les entendre ? »

Comme d'habitude, j'acquiesce.

« Je passerai te prendre chez toi à dix heures. On ira dans un endroit où on pourra discuter tranquillement. »

Je ne pourrai pas attendre jusqu'à demain.

« Tu as peur de ce que je peux faire ? »

Je regarde l'agent, mes parents, et reporte mon attention sur lui. Même si je le devrais, peut-être, je n'éprouve pas une once d'appréhension à son égard. Pour l'instant, je suis juste heureuse d'être en vie. Et de voir que les pièces du puzzle Bennett commencent à s'emboîter pour former une image que je pourrai sans doute décrypter plus tard. « Non, pas le moins du monde. »

11

Ma chambre baigne encore dans l'obscurité. Je m'étire et jette un œil au radio-réveil posé sur ma table de nuit. Neuf heures et quart. Impossible de me souvenir de la dernière fois où j'ai dormi au-delà de sept heures. Ensuite, tout ce qui s'est passé la veille au soir me revient d'un seul coup. Et Bennett qui débarque dans trois quarts d'heure. Je m'éjecte du lit, enfile un jogging et dévale l'escalier. N'ayant rien avalé depuis le déjeuner d'hier, j'ai les crocs. Un mot trône à côté du toaster.

> *A.*
> *Heureuse que tu sois encore en train de dormir. Papa est parti à la librairie et moi à l'hôpital. Appelle-nous si tu as besoin <u>de quoi que ce soit</u>. Nous serons de retour tous les deux vers dix-sept heures.*

*En attendant, détends-toi et, s'il te plaît, pas de jog-
ging aujourd'hui.*

Bisous,

Maman

Je remplis un bol à ras bord et engloutis mes
céréales si vite que je n'en distingue pas vraiment
le goût. Bientôt, la nausée me reprend : j'avais un
couteau sous la gorge à un moment, j'étais hors de
danger celui d'après.

Bennett peut disparaître. Et réapparaître. Il peut
faire apparaître et disparaître les autres. Il est doté
d'un talent secret que je suis la seule à connaître,
et aujourd'hui il va tout me raconter.

Je prends une douche, me lave les cheveux et
me tartine le corps d'huile à la vanille. J'applique
un brin de mascara, du brillant à lèvres et cours
jusqu'à ma penderie.

On sonne. Je m'habille en cinq secondes et dévale
l'escalier, atterris avec un bruit sourd dans l'entrée
et inspire profondément avant d'ouvrir la porte en
grand. « Salut ! » Je suis sur un petit nuage.

« Salut ! » Il semble troublé. « Tu as l'air… super
en forme. Tu te souviens de ce qui s'est passé hier
soir, quand même ? »

Je lui souris. « Tu m'as sauvé la vie. Et aujourd'hui
je vais découvrir comment. » Il continue d'avoir l'air
embarrassé. « C'est le cas, non ?

– Et je dois te le dire sur le perron ? demande-
t-il, les sourcils relevés.

– Oh, mince, désolée, bien sûr que non, entre ! »
Je le laisse passer, referme la porte, suspends son
manteau. Il me suit dans la cuisine, toujours souriant. « Café ? » Sans attendre sa réponse, je lui
sers une grande tasse et nous nous perchons sur
les tabourets, l'un en face de l'autre. On pourrait
entendre une mouche voler pendant qu'il boit son
café à petites gorgées, tandis que, sachant qu'il
peut se volatiliser à tout moment, je le tiens sous
haute surveillance. Mais il n'a pas l'air de vouloir s'en aller, au contraire, il reste là, l'air un
peu timoré.

« Ça va ? » Je n'ai pas encore avalé la moindre
gorgée de café, ce n'est donc pas la faute à la caféine
si je suis autant à cran, sur le point d'exploser.

« Ouais. » Il se dandine sur le tabouret, tripotant
nerveusement l'anse de sa tasse. « C'est juste que je
ne sais pas par où commencer.

– Par le commencement, dis-je en lui lançant un
regard encourageant.

– Il faut que tu saches que tu es la première à
qui je vais en *parler*… » Il semble attendre une réaction de ma part. « Mes parents sont au courant, ma
sœur l'est aussi, mais je ne leur ai jamais *dit*. Ils l'ont
plus ou moins découvert par hasard. C'est tout : ma
famille, et toi maintenant. » J'opine en attendant la

suite. « Honnêtement, sans l'incident d'hier soir, je ne raconterais pas tout ça...

— Tu peux me faire confiance. C'est ton secret, pas le mien. Je ne vais pas aller le crier sur les toits, crois-moi.

— Je sais, marmonne-t-il, avant d'observer un nouveau silence. Ce truc est... énorme, tu vois, tu ne peux pas t'imaginer à quel point, et je ne voudrais pas te faire griller les circuits. »

Je m'accoude au comptoir et le regarde bien en face. « Je te promets qu'ils ne grilleront pas. Du moins, j'essaierai de l'empêcher de toutes mes forces. »

Ses yeux bleu fumée sont d'autant plus magnifiques qu'ils contrastent avec sa peau et ses cheveux. Et sa fébrilité le rend vraiment craquant.

« Écoute, Anna, entame-t-il, coudes plantés sur le comptoir, c'est... c'est vraiment une mauvaise idée.

— Probablement. »

Il rit et secoue la tête, comme à regret. « Je vais passer un marché avec toi. Quand je t'aurai tout raconté, tu pourras être juge : si tu trouves ça insupportable, je redeviendrai le mec qui ne fait que passer, et toi tu retourneras à tes amis et à ta vie.

— Sinon ?

— Sinon... ça risque de te passionner. Et peut-être même que tu me trouveras moins largué.

— Tu es loin de l'être. Et je suis encore sidérée par tes prouesses. À ce stade, je ne vois pas ce qui

pourrait modifier ce que j'éprouve déjà pour toi. »
Mince, cette dernière phrase m'a échappé. J'essaie
de lire son expression en reculant un peu. Loin
de paraître décontenancé, il semble plutôt touché.
« Ça fait plaisir à entendre, mais tu n'en connais
qu'une partie. »

Il me regarde fixement, avant de se lever pour
aller remplir sa tasse de café, auquel il ajoute deux
glaçons de la machine fixée au congélateur. « Où
ranges-tu tes verres ? demande-t-il, affairé, tel un
représentant de commerce sur le point de démontrer
l'efficacité miraculeuse d'un détachant pour tapis.

« Dans le placard, là-bas, à droite de l'évier. »

Il sort deux verres identiques et les remplit d'eau
froide au robinet. Il installe les trois récipients sur
le comptoir et revient s'asseoir sur le tabouret.

Il inspire profondément. « D'accord, alors viens
t'asseoir et regarde attentivement. Je vais m'en aller
mais je serai de retour dans une minute. » Il jette
un œil à sa montre. « Prête ? »

J'acquiesce, tentant de dissimuler ma panique.

Il me sourit un instant avant de fermer les yeux.

Et je le vois devenir transparent.

Je peux même apercevoir une photo – de mes
parents et moi-même – accrochée au mur, à travers sa carrure translucide. En moins d'une seconde,
il n'est plus là. Son tabouret est vide. J'en effleure
l'assise.

Il a totalement disparu.

Je sens mes poumons tourner à vide et garde les yeux rivés sur le tabouret. Il réapparaît soudainement, opaque et compact, au bout d'un laps de temps qui semble effectivement avoir duré une minute. Au même endroit exactement, comme si de rien n'était.

Il avale les deux verres d'eau d'affilée, puis le café.

« Tu as besoin de quelque chose ? »

Il secoue la tête, les yeux toujours baissés vers le carrelage.

« Où es-tu allé ?

— Dans ma chambre. J'ai compté soixante secondes et je suis revenu. » Il vérifie le temps écoulé sur sa montre avant de me regarder, comme pour jauger ma réaction.

« C'est quoi le truc avec l'eau et le café ? » Je me souviens de sa requête précise l'autre soir dans le café, mais aussi des bouteilles d'eau et des gobelets qui jonchaient le sol et son lit, dans sa chambre.

« Voyager me déshydrate et la caféine atténue mes maux de tête. En général, je n'en souffre pas quand je me rends quelque part. C'est le retour qui me tue.

— Comme l'autre soir dans le parc.

— Exactement.

— OK, donc tu peux apparaître et disparaître. C'est tout ?

— Ça ne te suffit pas ?

– Bien sûr que si, je voulais juste dire…

– Je plaisante, m'interrompt-il avant de redevenir sérieux. En fait, c'est seulement la première étape. »

Je le regarde dans les yeux. « Il y en a combien ?

– Deux. » Il hausse les épaules. « De plus.

– Tu veux dire que disparaître n'est que la première des trois.

– Je t'avais dit que je ne pourrais pas tout t'expliquer aujourd'hui, mais je vais t'en dire… beaucoup.

– Tu ne me crois pas capable de tout encaisser ?

– Si quelqu'un est capable de le faire, c'est bien toi. N'empêche qu'il reste pas mal d'éléments à intégrer. » Il me regarde comme s'il s'attendait à ce que je me mette à argumenter. « Écoute, je vais commencer par te dire comment je t'ai fait sortir de la librairie, hier soir. Et le reste suivra. Fais-moi confiance, d'accord ? »

Son air déterminé m'incite à ne pas tergiverser. « D'accord. Je suis prête, commence par le commencement. »

Bennett adopte la même posture que moi, droit comme un i sur son tabouret, comme si nous avions tous les deux découvert là le remède contre notre immense nervosité. Il inspire profondément plusieurs fois et se lance :

« Un soir, quand j'avais dix ans, je lisais un livre sur la mythologie grecque dans mon lit – j'adorais les mythes et les divinités – et je me disais que ça serait trop cool si je pouvais me retrouver, là-bas, en Grèce. Assis sur mon lit, j'ai essayé de me "contraindre" à y aller. J'ai fermé les yeux et imaginé l'Acropole de toutes mes forces. Bien sûr, sans résultat. Mais ensuite, j'ai revu mon rêve à la baisse, et repensé au rayon mythologie de la bibliothèque de mon école. Les yeux fermés, hyper concentré, j'ai visualisé le lieu. Et soudain la pièce où je me trouvais m'a semblé froide, bien plus que ma chambre, et quand j'ai rouvert les yeux, j'étais devant un rayonnage métallique rempli de livres. Je n'en menais pas large. Il faisait nuit noire, tout le monde était parti, et je me suis rué vers l'énorme portail en fer de la cour. Ensuite, je me suis obligé à me calmer. J'ai fermé les yeux, imaginé ma chambre de toutes mes forces. Et quand je les ai rouverts, j'étais de retour chez moi. »

Il avale une grande gorgée de café, et je reste suspendue à ses paroles, obnubilée par la forme de sa bouche sur le rebord de la tasse, et par sa façon de lécher les résidus de café sur ses lèvres.

Quand il repose sa tasse, je m'oblige à le regarder dans les yeux. « Attends un peu. Tu veux dire que tu es réellement allé dans ton école ? Au milieu de la nuit ? »

Il acquiesce. « J'ai renouvelé l'opération plusieurs fois la même semaine, sans jamais tellement m'éloigner de chez moi – parc, cinéma, supérette – ni m'attarder plus d'une minute. Ensuite, j'ai commencé à interagir avec les gens pour m'assurer qu'ils me voyaient et m'entendaient, ce qui était le cas. J'étais *vraiment* ailleurs.

– Et les maux de tête ?

– Je n'en avais pas au début. Mon grand problème, à l'époque, c'est que j'ignorais comment présenter la chose à mes parents. J'étais terrorisé à l'idée qu'ils m'emmènent direct à l'hosto, pour ne pas dire à l'asile.

À seize ans, il m'aurait été impossible d'envisager de cacher une chose pareille à mes propres parents, alors à dix !

Au bout de deux ans, j'ai cherché à en savoir plus sur ce qui m'arrivait quand je m'absentais. J'ai installé notre caméra vidéo sur un trépied, appuyé sur *record,* et me suis concentré sur l'image d'un siège au dernier rang d'une salle de cinéma au bout de ma rue. Là, j'ai attendu dix minutes montre en main avant de rebrousser chemin. La vidéo me montre assis dans ma chambre les yeux fermés, puis je sors du cadre – il ne reste que la chaise – et ne réapparais qu'au bout de dix minutes. »

Il me regarde, un peu inquiet, et reprend son récit. « Quelques semaines plus tard, mes parents ont découvert le pot aux roses. Au milieu de la nuit, ma mère a trouvé mon lit vide, et alerté les flics après avoir fouillé la maison de fond en comble. Elle venait de composer le 9 et le 1 lorsque je me suis matérialisé sous ses yeux. Je lui ai flanqué la trouille de sa vie. » Le souvenir lui arrache un sourire. « Je leur ai tout raconté ce soir-là. Et je leur ai montré la vidéo. »

Il s'interrompt encore une fois. « Tu tiens le coup jusque-là ?

– Ça rentre tout doucement. » Enfin, il me semble. « Et comment ont réagi tes parents ?

– Ma mère a piqué une crise. Elle n'a toujours pas digéré l'affaire et insiste pour que j'aille consulter un neurologue, un psychiatre, n'importe quel docteur miracle capable de me "réparer", mais surtout sans révéler ce qui ne "tourne pas rond" chez moi. Quant à mon père... il adore ça. Il me voit en héros de BD ou un truc dans le genre. Et comme il sait que je contrôle parfaitement la situation, il ne s'en fait pas. Au contraire, il est même devenu un peu... accro. » Il baisse les yeux vers le comptoir. « Bref, chacun réagit à sa façon, et quand ils ne sont pas en train de se disputer avec moi à propos de mon "don", ils se bagarrent entre eux à ce sujet. »

Je me sens triste pour lui. « Tu m'as sauvé la vie hier soir, dis-le à tes parents.

– Hier soir, c'était... marrant, entame-t-il, les yeux brillants d'excitation. J'ai enchaîné plusieurs déplacements sans avoir de migraine avant le tout dernier, ce que je ne fais pas d'habitude. Je pense que c'est lié à l'adrénaline… » Il s'interrompt brusquement et secoue rageusement la tête. « Mais c'était tellement stupide. Si la migraine m'avait pris au moment où je m'éloignais de l'aile du magasin pour me retrouver près de toi, ce type aurait pu te tuer.

– Mais ça n'est pas ce qui s'est passé. »

Il ferme les yeux avec force avant de les rouvrir et de me regarder, sincèrement inquiet. « Au départ, je n'ai rien calculé, Anna. J'ai juste vu que tu étais en danger et j'ai foncé. Normalement, je ne peux pas faire ça, je dois réfléchir et planifier pour ne pas… faire tout foirer. »

Je lui souris. « Bon, même si tu t'en moques, je te serai reconnaissante de toute façon. »

Il me regarde dans les yeux en souriant, sans que je sache vraiment ce qu'il attend.

« Quoi ?

– Et si on poursuivait cette conversation ailleurs ?

– Tu veux sortir par ce temps ? » Je lui montre la fenêtre du doigt et la neige qui continue de tomber dru, épaississant la couche de quelques centimètres tombée la veille au soir et recouvrant l'allée.

Il secoue la tête. « J'imaginais un coin plus chaud… tropical. » Je dois avoir l'air de me décomposer car il s'empresse de me demander sans détour : « Ça te tente ?

– Je peux venir avec toi ? » J'aurais sans doute dû rassembler les pièces du puzzle plus vite ; l'intensité de la situation ne m'apparaît qu'au moment de poser la question.

Il se fend d'un immense sourire. « Si c'est trop tôt, je comprendrai totalement.

– Non, non… je suis juste… Est-ce que ça va faire mal ?

– Ma sœur a mal au cœur. Ma mère n'a jamais essayé, mais mon père n'a aucun problème. Techniquement parlant, tu as été la troisième personne à voyager avec moi. » Je me souviens du parc hier soir et de l'état nauséeux dans lequel je me suis retrouvée, mais je n'ai pas envie qu'il change d'avis. « Ça risque d'être un peu expérimental.

– Je crois pouvoir le supporter, dis-je avant de partir d'un petit rire nerveux. On s'absente combien de temps ? Et si mon père rentrait avant ? »

Bennett m'explique qu'il prévoit de nous ramener à l'endroit précis où nous nous trouvons une minute seulement après notre départ. « Mais pendant que nous serons partis, précise-t-il, le temps va continuer à s'écouler comme d'habitude ici. Mieux vaut peut-être le prévenir pour qu'il ne s'inquiète pas si effectivement on rentrait après lui. » Je ne suis pas sûre de tout comprendre, mais je compose le numéro de la librairie, explique à mon père, qui semble soulagé de m'entendre, que je me suis

réveillée en forme, que je vais bien… tout en observant Bennett qui virevolte dans la cuisine et remplit verres d'eau et tasses de café.

« Prête ? » me demande-t-il après que j'ai raccro-
ché. J'acquiesce et lui souris, avant tout pour me
convaincre que je le suis. Il me rejoint à côté de
la fenêtre et prends mes mains dans les siennes qui
sont chaudes et fortes. J'ignore pourquoi, mais je
me sens terrifiée et en sécurité à la fois.

« Ferme tes yeux », m'ordonne-t-il, ce que je fais
en souriant quelques secondes avant que mon estomac ne se noue terriblement. J'ai l'impression que
mes intestins sont malaxés et pétris de l'intérieur ;
si ça n'est pas douloureux, je n'irais pas jusqu'à
prétendre que c'est agréable. Juste au moment où
je me sens prise d'un violent haut-le-cœur, une
lumière vive traverse mes paupières, m'obligeant à
les fermer encore plus fort. Ensuite, je sens de la
chaleur parcourir mon visage et un vent brûlant
balayer mes cheveux.

Il me serre les mains. « Tu peux ouvrir les yeux,
on est arrivés. »

12

Nous nous retrouvons exactement dans la même position que dans la cuisine, face à face, mains dans les mains, sauf que j'ai les pieds dans le sable.

Les yeux plissés face au soleil, je contemple l'eau turquoise scintillante qui s'étend à l'infini derrière lui. La petite crique est cernée de gros rochers irréguliers qui retiennent le sable blanc de la baie, tels des serre-livres pointant vers le ciel. Je tourne lentement sur moi-même, éblouie par la flore incroyablement variée, et ne vois aucune trace de présence humaine.

Bennett me regarde, sans me lâcher les mains, ce qui est une bonne chose parce que je pense avoir cessé de respirer. « Je sais que c'est un cliché minable, l'île déserte au bout du monde…, se justifie-t-il avant de s'interrompre. Anna ? Tu vas bien ?

– Où sommes-nous ? »

Je ne peux détourner mes yeux du paysage hallucinant, cependant qu'une force mystérieuse m'attire vers la mer.

« Dans l'un de mes endroits préférés… Koh Tao ! lance-t-il dans mon dos, une île minuscule de Thaïlande. Accessible seulement par bateau, sauf qu'il n'y a pas d'embarcadère. En fait, il faut patauger jusque-là…

– Je rêve ! dis-je en me retournant vers lui. On est en Thaïlande ? Tu veux dire en Thaïlande ?

– Bienvenue ! » me sourit-il en ouvrant grands les bras.

« Je suis en Thaïlande. » Le répéter va peut-être m'aider à le croire. Mes pieds avancent vers la mer scintillante. C'est comme un mirage dans un dessin animé où le personnage se penche, tout excité par l'idée de pouvoir enfin se désaltérer, et où l'eau se transforme en sable quand il va pour la toucher. Je suis tellement prête à cette éventualité que je n'en reviens pas de sentir l'écume des vagues sous mes doigts tandis que je m'agenouille devant l'océan.

Je sens le regard de Bennett posé sur moi pendant que j'examine l'île à la loupe : chaque palmier et rocher, chaque vague et coquillage. Yeux écarquillés, bouche grande ouverte et front plissé, je dois avoir l'air d'une parfaite ahurie, mais quand je regarde Bennett, je ne vois que son sourire, comme s'il était le plus émerveillé de nous deux. Alors je ferme les yeux et inspire tout le paysage.

« Tu vas bien ? »

J'opine.

« Bon, allez, viens ! » Il me prend par la main et nous longeons la mer sur le sable mouillé jusqu'aux immenses rochers, au-delà desquels un petit sentier escarpé nous permet d'accéder à une minuscule plage encore plus isolée. Il n'y a plus que l'épaisseur de mon tee-shirt pour séparer ma peau du sable brûlant où je m'allonge et me laisse fondre.

« C'est plutôt mieux que ma cuisine », dis-je, les yeux rivés sur le ciel.

Allongé sur le côté, en appui sur un coude, Bennett m'observe, un sourire béat aux lèvres. Comme je roule sur le côté moi aussi, adoptant la même position que lui, nous avons tous les deux une main occupée à soutenir notre tête. Que faire avec l'autre ? Ni lui ni moi ne semblons le savoir. Peut-être est-ce dû à la chaleur du sable, ou tout simplement à son physique irrésistible, j'aimerais poser la mienne sur le petit carré de peau dénudée entre son jean et son tee-shirt en coton fin. De là, je l'imagine me prenant dans ses bras et m'embrassant tandis que nous roulerions dans le sable, comme parachutés sur le tournage d'une pub pour un parfum ringard. Soudain, je me souviens du soir où j'ai eu le culot de le prendre par le col de son manteau pour l'embrasser avant de finir dépitée et lamentablement seule dans la neige. Alors je préfère m'abstenir et me limiter à dessiner de petits cercles dans le sable. « Et donc, dis-je… la Thaïlande, hein ? »

Il me gratifie d'un sourire confiant, et je le dévisage un instant, tentant de comprendre sa réticence préalable. Qui refuserait une aubaine pareille ? Une infime parcelle d'un rêve aussi improbable ? Aussi magique ?

Quand il me sourit de nouveau, je sais que je viens de réussir le test me permettant d'accéder au prochain niveau, comme s'il venait de cocher mentalement la case « Téléportée sur île déserte/Sans paniquer ».

Je sais qu'il a d'autres révélations à me faire. Je devrais probablement me détendre, profiter du somptueux décor et de l'instant présent, mais j'ai besoin de réponses.

« Comment as-tu su que j'étais en danger hier soir ?

– Je n'en savais rien. J'étais venu chercher un livre sur le Mexique pour le devoir. »

Bien des éléments de la soirée de la veille m'ont échappé, mais je suis sûre et certaine qu'il n'y avait personne quand le débile au couteau a fait irruption dans la boutique. « Arrête, j'étais toute seule dans la boutique. »

Il tend la main vers moi et mon cœur commence à s'emballer à l'idée qu'il va me toucher, au lieu de quoi il prend une poignée de sable qu'il laisse s'écouler entre ses doigts.

« Le cambriolage ne s'est pas exactement passé comme tu le crois. » Quand tout le sable s'est écoulé, il frotte sa paume contre son jean et m'étudie pour évaluer ma réaction.

Je me contente de lever les sourcils et d'attendre.

« Du moins pas la première fois.

— La première fois ?

— J'étais passé te voir et nous discutions de nos projets de voyage pour le devoir quand la porte s'est ouverte brutalement. Tu t'es levée pour aller servir ce type que tu as pris pour un client, et il t'a sauté dessus. Mais il ne m'a pas vu, ce qui m'a laissé le temps de disparaître. »

Je revois en un éclair le tour de passe-passe qu'il vient de me montrer : assis sur un tabouret de ma cuisine à un moment, volatilisé celui d'après, pour se matérialiser exactement au même endroit encore une minute plus tard. Admettons qu'il ait disparu la nuit dernière, comment ai-je pu, moi, me retrouver en pleine tempête sous un orme alors que j'étais dans la boutique sous la menace d'une arme quelques minutes auparavant ?

« J'ai disparu de la librairie, pour revenir cinq minutes plus tôt et appeler le 911 de ton téléphone. »

La voix. Les bruits en provenance de l'arrière-boutique. « Je t'ai entendu. » Des bribes me reviennent, qui demeurent néanmoins incohérentes. Que veut-il dire par « la première fois » ? « Eh, attends un peu, tu ne viens pas de dire que tu es revenu… cinq minutes plus *tôt* ? »

Il opine. « Ouais, je suis retourné.

— Dans le temps ? »

Il esquisse un sourire timide. « Je… ça m'arrive aussi.

— Tu veux dire que tu es *remonté* dans le temps et que tu as changé le cours des événements ?

— Ben, c'est comme une seconde prise, si tu veux, se justifie-t-il sans cesser de sourire.

— Dans ce cas, pourquoi ne pas m'avoir prévenue ? Ou avoir verrouillé la porte, par exemple ? » Je ne voudrais pas paraître ingrate, mais, quitte à revenir en arrière, je ne peux m'empêcher de penser qu'il aurait été chouette d'éviter la lame sous la gorge.

« Je ne veux pas faire ce genre de trucs, je ne suis même pas sûr d'en être capable, parce que les conséquences pourraient être plus graves. Ce gars aurait pu agresser une autre personne sans être pris ou te suivre jusqu'à chez toi… » La perspective semble réellement l'inquiéter. « En revanche, je peux modifier certains détails qui peuvent affecter le résultat. » Il se tait un moment. « Et j'ai pour règle d'or de ne jamais intervenir au niveau des événements majeurs.

– Tu ne pouvais pas *empêcher* le cambriolage, mais tu pouvais revenir cinq minutes plus *tôt* ? »

Il opine. « Techniquement parlant, je n'aurais même pas dû le faire, mais ouais, c'est à peu près ça.

– Et appeler le 911 de l'arrière-boutique ? »

Il acquiesce de nouveau.

« Alors pourquoi la police n'a-t-elle pas rappliqué plus tôt ?

– Ils sont venus, mais pas assez vite, tu vois. Après mon appel, je suis allé me planquer derrière un rayon de livres dans la boutique, mais quand le gars t'a jetée à terre devant le coffre, j'ai décidé d'intervenir tout seul, je ne pouvais pas prendre le risque d'attendre les flics. »

Tout s'éclaire : Bennett ne se contente pas d'apparaître et de disparaître dans divers endroits, il peut aussi remonter le *temps* ! Je voudrais avoir l'air courageuse, stoïque et digne d'entendre la suite du récit, mais ça rame un peu dans ma tête.

« J'imagine qu'il s'agit de la deuxième étape ?

– En partie, opine-t-il.

– En *partie* ? » Je m'allonge dans le sable et fixe le ciel, hallucinée.

« Tout va bien ? » s'enquiert-il. Je sens l'arrière de mon crâne faire un petit trou dans le sable tandis que j'acquiesce. Cela dit, il avait raison, c'est effarant. Nous restons allongés quelques minutes. Je me protège les yeux du soleil derrière un bras, laissant l'autre retomber entre nous. De minuscules particules chatouillent ma paume et quand j'ouvre les yeux, je vois Bennett qui fait glisser du sable de sa main dans la mienne, penché au-dessus de moi. « Tu vois, me sourit-il, je t'avais dit que tu risquais de flipper sérieux.

– Moi ? Absolument pas !

– D'accord, fait-il avant de partir d'un petit rire nerveux. Tu flippes *sérieux*. »

Je prends appui sur mes coudes, détruisant son petit monticule de sable et le regarde dans les yeux. Puis je contemple ce magnifique paysage – palmiers, sable blanc, mer turquoise –, une carte postale dans laquelle il nous a magiquement insérés, et je commence à mesurer l'incongruité de la situation. En partant de Chicago, on aurait dû prendre au moins deux avions et un bateau pour échouer ici trente heures plus tard. En réalité, je devrais me trouver à de nombreux méridiens de là, il devrait faire nuit et je devrais me plaindre du vent et du froid, et non me régaler de ce délicieux filet d'air chaud sur ma peau. Mais surtout, je devrais être en cours d'histoire. J'adresse un sourire sincère à mon compagnon de voyage.

« Merci de m'avoir emmenée ici. »

Il a l'air soulagé. « Pas de quoi.

– Ce que tu parviens à faire est… » Je cherche le terme adéquat : « Fantastique.

– Merci. » Je devine que la suite ne saurait tarder.

« Écoute, je sais que je ne peux pas te donner autant d'explications que tu en attends, mais, du moins pour aujourd'hui, je peux t'offrir une "aventure audacieuse". » Il se lève, brosse le sable de son jean et me tend la main.

« Tu sais, je n'étais encore jamais allée au bord de l'océan », dis-je sur un ton que je souhaite badin et charmeur, comme si tout cela n'avait rien de terriblement extravagant.

« Je sais, tu me l'as dit hier soir à propos du devoir. Tu essayais de sélectionner des plages pour courir dans le sable le matin, et nager dans l'océan ensuite. »

C'est trop bizarre. « Je présume que tu avais un nom à me suggérer.

– La Paz », me répond-il platement. D'accord, c'est carrément étrange. Et je ne flippe pas du tout de savoir que nous avons eu une conversation que j'ai totalement occultée. Mais je n'ai pas le temps de me prendre la tête, parce que tout d'un coup, il retire son tee-shirt. Ses bras sont plus musclés que prévu, son torse est parfait et je crois bien que je reste bouche bée.

Il trace une ligne avec son gros orteil devant nous.

« Ça n'est pas La Paz, mais il y a du sable et de l'eau. » Il sourit de toutes ses dents et se penche en avant comme pour un départ de course. « À vos marques, Greene ! » J'ignore s'il espérait me voir en sous-vêtements, mais cette simple éventualité me fait rougir, et ce n'est pas un coup de soleil. Je reluque mes pieds nus, mon jean, me demandant quel degré de transparence mon tee-shirt gris atteindra une fois mouillé. Puis je regarde l'eau, écrase le sable entre mes doigts de pieds et décide de m'en moquer. Je ris et me mets moi aussi en position.

« Prêt ? » Il me lance un petit sourire rusé. « Partez ! » Nous démarrons en trombe, jusqu'à ce que le sable devienne plus sombre, plus froid et plus humide, et que les vagues finissent par nous emmener au large de la plage ensoleillée.

Je nage dans le courant, pique du nez, reviens à la surface. Bennett crawle à côté de moi, plonge à son tour. Je le suis sous l'eau, laissant le sel me brûler les yeux et son goût emplir ma bouche. J'adore chaque minute de cette baignade inattendue et voudrais qu'elle ne se termine jamais.

Quatre heures plus tard, nous rentrons à la maison où il ne s'est écoulé qu'une minute. Nos tasses de café fument encore. L'eau est toujours glacée et je suis terrassée par la nausée.

« Tu n'as pas l'air très en forme », remarque Bennett qui m'accompagne dans le salon pour m'aider à m'allonger sur le canapé. « Je vais te chercher des crackers. » Sa voix me parvient de très loin. J'entends confusément des placards s'ouvrir et se refermer. Puis il revient avec une grande boîte de biscuits salés et s'assoit à l'extrémité du canapé, sans me quitter des yeux. « Intéressant. » Il a l'air fasciné, comme si j'étais une motte de graisse non identifiable dans un plat à pétrir. « Alors, toi aussi, tu as mal au cœur. »

Je vois un cracker blanc flotter dans ma direction sans parvenir à le prendre. Une main sur la bouche, je ferme les yeux pour empêcher que la pièce ne se mette à tanguer. Surtout ne pas vomir devant lui, c'est tout ce que je demande. Je ne sais si c'est l'effet du temps ou celui d'une instance supérieure mais, au bout de quelques horribles minutes, la sensation s'atténue et je peux rouvrir les yeux. Il est encore là, l'air toujours aussi coupable, alors qu'il continue de me tendre le biscuit salé que je grignote avant de mordre plus franchement dedans.

« Je suis tellement désolé », dit-il. Je secoue violemment la tête pour protester, tentant d'exprimer ma pensée la bouche pleine. « Qu'est-ce que tu dis ? » demande-t-il, encore plus inquiet.

J'avale difficilement. « Chavalait le coup. » Je lui adresse un pâle sourire et engloutis d'autres crackers avant de pouvoir me redresser pour prendre le verre d'eau qu'il me conseille de boire à petites gorgées. Les contours de la pièce se précisent.

Je gratte mon jean avec mes ongles et observe le sable mouillé incrusté dans le tissu. Nous sommes de retour dans la neige et le froid alors que je suis encore mouillée et couverte de sable d'une île thaïlandaise.

« Inimaginable ! » Je retrouve un peu d'énergie et me mets à rire en secouant la tête, plus que perplexe. « C'était vraiment cool ! » Le jean de Bennett est dans le même état que le mien.

Je me lève, me sentant vaguement dégrisée, et nous gagnons la chambre de mes parents, à l'étage, où je déniche un vieux jogging et un tee-shirt dans l'armoire de mon père. Je les lui donne en lui indiquant où se trouve la salle de bains et m'éclipse un instant dans ma propre chambre pour me changer aussi.

Je secoue la tête en regardant les grains de sable voleter et se déposer sur mon dessus-de-lit, sans pouvoir me retenir de glousser. J'enfile un jogging en stretch noir, le sweat-shirt d'une course de dix kilomètres à laquelle j'ai participé l'an dernier, et retourne m'asseoir sur mon lit où je brosse le sable du plat de la main en repensant à Koh Tao. À la chaleur, au soleil, au sel de l'océan. Seule trace tangible de l'expérience inouïe que je viens de vivre, le moindre grain de sable − sur mon lit, mon tapis, dans mes cheveux, collé à mes vêtements − me réjouit soudain.

« Je les mets où, mes fringues ? » La voix de Bennett me ramène à la réalité. Je lève les yeux et le vois dans l'encadrement de la porte, très mignon dans le tee-shirt que mon père a porté pour le marathon de Chicago.

Je rassemble mes vêtements et les siens, vais pour m'éloigner, mais il me retient doucement par le bras. « Eh, tout va bien ? Tu as l'air tellement triste, tout à coup.

– Pas du tout ! » Je pars d'un petit rire censé dédramatiser les choses. « Je regrettais juste de ne pas avoir rapporté de souvenir, genre une carte postale, ce qui est débile, en fait. Je reviens tout de suite », lui dis-je en embarquant nos affaires ensablées. Je dévale l'escalier, touchant à peine terre.

J'ai quitté Evanston.

J'ai quitté mon *pays*.

Nos vêtements déposés sur le sèche-linge, je file chercher un sac de congélation dans la cuisine.

Bennett a simplement fermé les yeux. Il m'a pris les mains et m'a emmenée en Thaïlande.

Je retourne à la buanderie, où je récupère le sable dans le petit sac plastique avant de fourrer nos fringues dans la machine.

Et maintenant, nous sommes rentrés et il est *dans ma chambre.*

Je reste là à écouter le tambour se remplir, mon sachet zippé à la main, en repensant à la soirée d'hier. À l'expression de son visage, tandis que nous nous retrouvions en tête à tête devant le rayon de développement personnel dans la librairie, et à sa voix qui tremblait quand il m'a demandé si j'avais peur de ce qu'il pouvait faire. Si ça ne l'était pas alors, est-ce le cas aujourd'hui ?

En fait, je ne crains pas de le voir disparaître et réapparaître. Ni même de savoir qu'il remonte le temps. Au contraire, j'adore ses talents cachés. Mais il reste encore quelques points obscurs. Et je sens un nœud se former dans mon ventre. J'ai peur en effet : de ce qui pourrait arriver par la suite et qui pourrait m'inciter à regretter de l'avoir jamais rencontré, même après avoir passé un après-midi à nager dans une mer si salée que nous flottions littéralement. Toutefois, j'ai l'intime conviction que ce ne sera jamais horrible au point de m'empêcher de vivre une aventure aussi audacieuse.

Je l'imagine seul dans ma chambre et soudain je meurs d'envie de le revoir. Le sac de sable serré fort dans ma main, je grimpe les marches à toute blinde.

13

Planté devant le mur couvert d'étagères, Bennett examine mes trophées et dossards. « Waouh, t'as couru combien de courses ?

– Quatre-vingt-sept. » Je dépose le sac de sable sur ma table de nuit ; preuve qu'il est bien réel, il atterrit avec un petit bruit sourd sur la tablette. Bennett fait le tour de ma chambre, s'attardant sur chacune de mes récompenses et photos. « C'est incroyable. Tu es vraiment excellente !

– Tu as l'air surpris.

– Admiratif, pas surpris », rectifie-t-il, me regardant dans les yeux alors que je cesse d'emblée de respirer.

Après les trophées, les CD. Son index glisse sur le dos des boîtiers rangés par ordre alphabétique, et je le regarde faire, adossée à mon bureau. Il en prend un, examine le livret, le remet à sa place, s'attarde sur *Cheshire Cat* de Blink-182, *Sixteen Stone* de Bush, *Siamese Dream* des Smashing Pumpkins.

« Sacrée discothèque ! »

Il doit s'imaginer que je dépense tout mon argent en CD. « Mon père et le disquaire, en face de la librairie, sont de vieux amis. Nous troquons des livres contre des disques, pour mon bénéfice la plupart du temps. »

Il regarde encore quelques albums, effleure les compilations gravées maison dont il extrait une pochette peinte à l'aquarelle par Justin qui trône sur mon étagère. « C'est quoi ?

– Des compil' pour courir. C'est mon ami Justin, le fils du disquaire, qui me les grave. »

Il opine et se retourne, avant que je puisse voir l'expression de son visage, et continue d'examiner mes disques. Je branche ma chaîne en mode aléatoire et c'est *Walk on the Ocean* qui passe :

We spotted the ocean
At the head of the trail[1]

« Hé, j'ai vu ces gars dans un petit club de Santa Barbara ! s'exclame-t-il sans se retourner. Ils étaient vraiment bons.

---

1. On a repéré l'océan/En bout de piste. Chanson des Toad the Wet Sprocket.

– Tu les as vus en concert ? » J'ai bien entendu, mais il faut que je dise quelque chose pour dissiper mon trouble. Le morceau parle de larguer les amarres pour gagner un océan lointain, de promenades sur les galets et de rentrer chez soi sans rapporter une seule photo qui témoignerait du voyage. « C'est un hobby, en quelque sorte.

– Ah... et tu as vu qui d'autre ? »

Il hausse les épaules. « À peu près tous ceux-là », m'informe-t-il, en balayant ma discothèque d'un geste de la main. Comme si les destinations exotiques aux quatre coins de la planète ne suffisaient pas.

« Vraiment ? » Mes yeux se dirigent vers le tableau d'affichage au-dessus de mon bureau, où languit le billet d'un concert de Pearl Jam. Même les choses que je chérissais il y a quelques jours me paraissent pathétiques et dérisoires vues à travers ses yeux.

Il suit mon regard et s'approche du billet. « Impossible !

– Quoi donc ? »

Il secoue fort la tête, comme s'il tentait d'en chasser une pensée. « Rien... J'ai un immense récipient plein de billets de concerts à la maison... » Il fait un cercle avec ses bras pour m'indiquer sa taille et confirmer mes présomptions. Il ne peut imaginer que je n'aie assisté qu'à un seul concert de toute ma vie.

C'est là qu'il repère le planisphère, me faisant me sentir carrément insignifiante maintenant.

Il s'en approche et reste planté devant, les bras croisés, super sérieux, comme s'il contemplait une œuvre abstraite dans une galerie d'art. Je me cache instinctivement les yeux tellement j'ai honte, puis m'oblige à accomplir le nombre de pas nécessaire pour aller me poster à côté de lui.

« C'est mon père qui me l'a fabriqué. Je suis censée y indiquer chacun de mes voyages. » Soudain, je me souviens de lui avoir parlé de mes projets lors de notre soirée au café et je le regarde à la dérobée, ne sachant ce qu'il pense. Non, de fait, je le *sais*. Comme le billet de concert solitaire, les quatre petites épingles doivent lui renvoyer une bien triste image de moi. Surtout que lui n'a jamais connu de limites. « Comme tu peux le constater, je démarre sur les chapeaux de roue.

– C'est fantastique ! » s'exclame-t-il. Il recule avant d'ajouter, au bout d'un long silence : « Je n'ai encore visité aucun de ces endroits. » Je m'esclaffe. « Sans rire », insiste-t-il. Je tends les mains, paumes vers le ciel façon plateau de balance. « Voyons, devrais-je aller faire du canoë à Boundary Waters ce mardi, ou du rafting sur l'Amazone ? Amazone ou *Boundary Waters* ? dis-je en accentuant cette dernière comme s'il s'agissait de la destination la plus intéressante et la plus exotique des deux. « Allez, Bennett, arrête de te donner autant de mal ! » Je regarde à travers lui plutôt que dans ses yeux. « Pour tout te dire, cette carte m'a toujours rendue un peu triste. »

Il se rapproche de moi, et je m'arrête encore une fois de respirer quand sa peau tiède frôle la mienne. Contrairement à son tee-shirt, son sweat extra-large ne laisse pas deviner sa musculature, ce qui ne m'empêche pas de le revoir crawler avec ses épaules larges, torse fendant les vagues. « Pourquoi est-ce qu'elle te rendrait triste ? »

La poitrine serrée, j'ai le sentiment de réprimer ce que j'aimerais vraiment pouvoir exprimer. « Quatre épingles ! » finis-je par m'exclamer dans les suraigus, en me forçant à sourire, histoire de ne pas paraître trop accablée. Nous nous regardons fixement sans rien dire. Bennett sort une épingle de la boîte en plastique transparent et me la tend par son extrémité argentée. Le minuscule point rouge paraît disproportionné dans le petit espace qui nous sépare.

« Cinq », rectifie-t-il. Je la prends en serrant les lèvres pour m'empêcher de pleurer. « Je ne sais même pas où ça se trouve, dis-je avec un petit rire gêné.

– Juste là. » Sa voix est douce, sans condescendance, tandis qu'il désigne un point dans le golfe de Thaïlande, à peine plus grand que la tête de l'épingle elle-même. Je me demande comment j'ai pu vivre les quatre heures les plus merveilleuses de ma vie dans un endroit aussi petit. Ensuite, j'observe Bennett, dans les vêtements de mon père, sa tignasse toujours saupoudrée de sable, son air empreint de gentillesse et plus reconnaissant encore que le mien. Il m'a offert ce cadeau incroyable aujourd'hui, et il me fait vraiment sentir que je lui en ai fait un moi aussi.

Je m'approche du planisphère en luttant pour retenir des larmes de joie maintenant, tandis que j'enfonce à fond, bien que d'une main tremblante, l'épingle à tête rouge dans l'île minuscule de Koh Tao.

Je prépare des sandwichs au fromage. Nous allons les manger sur le canapé en essayant de trouver quelque chose à nous dire. Comme Benett ne me révèle pas la suite de ses secrets et que nous avons largement dépassé le stade des échanges de banalités, j'allume la télé et zappe. Il n'y a pas grand-chose à voir à quatorze heures trente un jour de semaine, ce qui n'a pas l'air de trop l'affecter. Il semble trouver les pubs beaucoup plus réjouissantes que les émissions proposées, mais refuse de me dire pourquoi. Plus important encore, le fait que la journée touche à sa fin alors qu'il ne m'a toujours pas tout raconté n'a pas l'air de l'affoler.

Je prends la télécommande de façon théâtrale, le regarde fixement et coupe le son. Un silence s'installe dans la pièce tandis qu'il m'interroge du regard.

« Je suis prête pour la suite du récit.

— Tu n'en as pas eu assez pour aujourd'hui ? »

Je secoue la tête.

« D'accord. » Il se cale contre les coussins, face à moi, un bras posé sur le dossier du canapé, comme le soir où nous échangions nos secrets dans le café, et me gratifie d'un petit sourire qui me donne aussitôt envie de lui sauter dessus pour l'embrasser. Mais je crains que mon audace ne me prive de la suite du récit.

Il inspire profondément. « Je peux aller n'importe où dans le monde mais pas… *n'importe quand.* Je dois respecter certaines règles. » Il me regarde fixement, comme s'il attendait ma réaction, et s'apprête à poursuivre quand je lève un doigt devant moi et tends l'oreille.

« Attends !

— Qu'est-ce qu'il y a ? »

On entend une portière claquer. Ma mère et mon père seraient arrivés par le garage, ce ne peut être qu'une autre personne : « Emma ! » dis-je, paniquée. Je n'ai pas envie que Bennett s'en aille, mais je ne me sens pas capable de justifier sa présence dans mon salon en cet instant précis.

« T'inquiète, je file, on se voit demain ! » Il me prend la main, la sienne devenant transparente avant de disparaître tout à fait, de même que le reste de sa personne. Je me demande si je m'y habituerai jamais.

Emma frappe fort, sonne pour faire bonne mesure, je crie : « J'arrive ! », non sans m'empresser de glisser nos assiettes sous le canapé. Je jette un dernier coup d'œil dans la pièce pour dissimuler, le cas échéant, tout indice révélant que je n'ai pas passé l'après-midi aussi seule que je l'aurais dû. Quand j'ouvre la porte, Emma s'affale pratiquement dans l'entrée. « Oh, mon Dieu ! » s'écrie-t-elle en déposant son sac à dos par terre pour me prendre dans ses bras. « J'ai appris la nouvelle pour hier soir ! Tout va bien ? »

Hier soir ? Le cambriolage s'est passé *hier soir* ?

— Ça va très bien, m'entends-je dire par-dessus le tambourinement de mon cœur.

— J'ai essayé de venir dès que je l'ai su, mais Dawson m'a attrapée en train de faire le mur, et je n'ai pas pu quitter le campus. Je me suis telle-ment inquiétée. Tu es sûre que tu vas bien ? Tu veux en parler ? » me propose-t-elle gravement ; en s'installant à l'endroit exact où se trouvait Bennett.

« Pas vraiment. »

Je vois à ses yeux inquisiteurs que sa part pro-tectrice a besoin de savoir que je vais bien, tandis que sa part pipelette ne va pas pouvoir s'empêcher de me tirer les vers du nez. Et comme je ne peux pas lui raconter que j'ai passé la journée sur une plage thaïlandaise et que je ne suis pas encore prête à lui parler de Bennett, j'en déduis que je ferais aussi bien d'assouvir sa curiosité. « C'est arrivé tel-lement vite… »

14

« **N**on ? » dis-je d'une voix aussi ferme que possible à une heure si matinale. « Tu n'es pas sérieux, là ?

– Tu crains que je n'y arrive pas ? » Emmitouflé dans ses vêtements d'hiver, mon père s'étire, de façon assez comique, en fente avant contre le réfrigérateur, sans doute comme à la grande époque.

« Non, je t'en supplie ! dis-je en me cachant les yeux comme pour me protéger de cette éventualité. Je resterai en ville. Je n'irai pas sur le campus. Sérieusement, je n'ai plus besoin de baby-sitter. Et il va faire jour dans quelques minutes. » Je lui indique la fenêtre de la cuisine. « Tout ira bien, je t'assure. » J'ai soudain l'impression de redevenir la gosse de dix ans pour laquelle il me prend. J'aimerais que ce côté parent surprotecteur disparaisse au plus vite.

« Tu n'auras qu'à faire comme si je n'étais pas là. »
Il prend une grande lampée d'eau dans sa gourde
avant de passer en fente latérale. « Tu n'es pas obligée de me parler, ni même de me regarder, mais
je serai là, ma chérie, juste derrière toi. » De toute
évidence, convaincre un père de négliger la sécurité de sa fille alors qu'elle vient d'être cambriolée
sous la menace d'une arme est impossible.

« Non, c'est bon, on courra ensemble. » La mort
dans l'âme, je laisse mon baladeur sur la desserte
de l'entrée. J'avais pourtant le plus grand besoin
de ma musique pour faire le vide avant de revoir
Bennett au lycée.

Mon père sort derrière moi, nous courons côte à
côte en direction du lac, saluons le gars à la doudoune sans manches et au catogan poivre et sel, et
enchaînons quatre tours de piste. Nous traversons
le campus, passons devant la tour de l'horloge au
moment où elle sonne sept heures, et je lui propose
de faire la course sur les cinq cents derniers mètres,
jusqu'à notre pelouse. Je m'en repens ensuite, tant
il semble exténué.

« Tu es sûr que tout va bien ? »

En dépit de son teint violacé, il opine et se
force à sourire. « Très bien, halète-t-il, pourquoi
me poses-tu sans arrêt cette question ? »

Je le réprimande comme je pense que ma mère
ne manquera pas de le faire quand il ne pourra plus

bouger demain. « Tu as un peu trop forcé, non !
Quoi ? Tu comptes aussi m'emmener au lycée ?

– Non, j'ai toute confiance en Emma pour cette
mission.

– Tu ne l'as jamais vue conduire, on dirait ! » Je
termine mes étirements, secoue mes jambes et me
précipite vers la maison.

« Hé, Annie ! » Je me retourne, et attends, mains
sur les hanches, qu'il réchappe à l'arrêt cardiaque.

« Invite Bennett à dîner un de ces soirs. Ta mère
et moi aimerions faire sa connaissance, en bonne
et due forme. »

Je lui jette un regard noir du perron, mortifiée
à l'idée même qu'il y ait songé. « On n'en est pas
encore là, papa.

– D'accord, mais si c'est sérieux, nous voulons
le rencontrer », insiste-t-il de sa voix la plus grave
de parent responsable.

« Salut, ma belle », gazouille Emma comme
chaque matin, avant de me pincer la joue. « Ma
courageuse grande amie ! » Je ne me sens pas très
courageuse, plutôt nerveuse à l'idée de revoir Bennett. Et coupable de ne pas en avoir parlé à Emma,
hier soir. Mais aussi très fatiguée parce que j'ai à
peine fermé l'œil de la nuit.

Elle passe brusquement la marche arrière. Mon
père nous observe de la fenêtre, l'air légèrement

paniqué. Je hausse les épaules d'un air fataliste. Emma démarre, pied au plancher.

« Em, lui dis-je de but en blanc. Tu promets de ne pas péter un boulon si je te dis un truc ? »

Elle me lance un regard irrité. « Ben, tu vois, je n'arrive pas à comprendre pourquoi les gens s'enquiquinent avec ce genre de question. Comment veux-tu que je te promette quoi que ce soit puisque j'ignore ce que tu vas me dire ? » À son air, je devine qu'elle classe ma question dans la catégorie « Débilité d'Amerloque », avant de me presser : « Allez, arrête tes chichis et raconte ! »

Mieux vaut me lancer ou je risque de me rétracter. « Je ne t'ai pas tout dit hier… à propos du cambriolage. » Je reviens sur certains points sans pouvoir néanmoins tout lui raconter. Comment faire ? Même si je n'avais pas promis à Bennett de garder son secret, elle ne me croirait jamais. Cela étant, j'inclus l'histoire qu'il a élaborée, dont la partie où je sors par l'arrièreboutique et tombe nez à nez avec lui, et j'ajoute qu'il a séché les cours pour passer la journée avec moi.

« Quoi ? s'exclame-t-elle en faisant une embardée. Merde alors ! D'accord, d'accord, je gère. » Mais elle quitte de nouveau la route des yeux pour me scruter jusqu'au fond de l'âme. « Vous avez passé la *journée* ensemble ? »

Je souris en repensant à l'expression de Bennett au moment où il a dessiné une ligne dans le sable avec son gros orteil en me défiant de faire la course avec lui jusqu'à la mer. J'imagine un clip au ralenti dans lequel il glisserait sur l'eau turquoise, ses bras musclés fendant les vagues surmontées de crêtes blanches.

Nous avons en effet passé la journée ensemble. Sauf que je ne peux en livrer les meilleurs moments à ma meilleure amie.

« Il s'inquiétait à mon sujet, glapis-je sans qu'elle semble le remarquer.

– Maintenant que j'y pense, je ne l'ai pas vu en cours d'angl... »

Le petit film dans ma tête s'arrête net.

« Génial ! Je n'y avais pas pensé. Toute la classe d'espagnol va savoir qu'on était absents tous les deux, maintenant. » Je me demande si Courtney s'est déjà mise à spéculer à voix haute.

« Oh ! n'essaie pas de noyer le poisson. Raconte-moi plutôt ce que vous avez *fabriqué* tous les deux dans ta maison vide toute la journée. » Elle lève les sourcils avant de reporter son attention sur la route, attendant des aveux complets comme elle seule est capable de m'en soutirer.

« Pas grand-chose. Il ne m'a même pas embras-sée. » J'entends une certaine déception dans ma propre intonation. « On a discuté, écouté des CD, déjeuné. Et il a... » J'ai failli prononcer le mot dis-paru. « Et il est parti juste avant que tu arrives.

– Alors pourquoi ne m'as-tu rien dit, hier ?

– Mon père venait de rentrer. »

Elle fait la grimace, lève les yeux au ciel et entame sa tirade : « Oh, bien sûr ! Au fait, est-ce que tu as le téléphone ? Ah bon ? Parce que moi aussi… j'en ai un. Tu sais, le truc qui permet de partager les moments les plus forts de sa vie avec sa meilleure amie quand on n'a pas l'occasion de le faire de vive voix. » Avant que j'aie pu m'excuser, nous arrivons à un feu rouge où elle peut complètement se tourner vers moi.

« Qu'est-ce que tu fabriques, Anna ? » me demande-t-elle sur le ton de ma mère quand j'expédie la vaisselle ou que je surcharge le sèche-linge. « Est-ce qu'il ne t'a pas prévenue qu'il s'en allait, par hasard ? » demande-t-elle, en scandant ces derniers mots comme si cela allait suffire à me faire entendre raison.

« Ben… » Je ne peux rien ajouter. Je n'ai pas besoin d'elle pour savoir que je suis dingue de me lancer dans une aventure, quelle qu'elle soit, avec Bennett.

« Est-ce que ça vaut l'inévitable peine de cœur ? insiste-t-elle. Tu sais d'avance que ce ne sera qu'une aventure passagère. »

Audacieuse, plutôt.

« Oui, Em, ça la vaut pour moi. »

Elle se mord violemment la lèvre inférieure.

« Ça va mal se terminer. »

Je scrute les tapis de sol. Elle a raison et je le sais. Mais, en réalité, je ne pourrais pas arrêter maintenant, même si je le voulais. J'ai passé toute la nuit à essayer d'anticiper la fin de cette histoire, sauf qu'à l'instant je n'ai plus qu'une idée en tête : elle va forcément avoir un milieu.

« Je l'aime beaucoup. Voilà, c'est dit. Je l'aime vraiment beaucoup. » Je la regarde droit dans les yeux. « Je sais que c'est probablement une erreur, mais s'il te plaît, Emma, laisse-moi juste... en profiter, d'accord ? »

Nous nous regardons fixement.

« C'est vert », dis-je, tendant mon pouce en direction des feux de signalisation.

Elle continue de me regarder et opine, sans enfoncer la pédale de l'accélérateur, et je sais qu'elle tentera de faire de son mieux. Du moins pour la journée. Emma démarre enfin quand la voiture de derrière se met à klaxonner lourdement. Nous nous taisons sur deux pâtés de maisons, mais je sais à quoi elle pense.

« Et donc, puisque l'heure est aux aveux et tout ça, moi aussi j'avais quelque chose à te confier, hier. » Finalement, je ne savais peut-être pas à quoi elle pensait... Je la regarde, un peu surprise. « Ton ami, du magasin de disques, m'a proposé de sortir avec lui.

– Justin ? *Mon* Justin ? » Qu'est-ce qui me prend ? J'aimerais pouvoir ravaler immédiatement le possessif.

Le petit tour de Bennett se révélerait fort utile dans un cas pareil. Rien ne me réjouirait davantage que de pouvoir remonter le temps, une seule minute, pour reformuler ma remarque. « Désolée, je voulais juste dire… » Je ne sais trop quoi au fond. « C'est juste qu'en général… je suis avec toi quand on le croise, et que je n'avais jamais remarqué… » Je devrais tourner sept fois ma langue dans ma bouche avant d'exprimer ce que j'ai vraiment sur le cœur : *Mais j'ai toujours cru qu'il était amoureux de moi.*

« Ben… pas toujours. Tu sais, je suis passée plusieurs fois dans son magasin après t'avoir déposée à la librairie. » Ah ? Première nouvelle. « Il y a quelques semaines, on s'est mis à parler musique. Il touche un max. » Ça, je le sais. Je connais Justin depuis la maternelle. « Et ensuite, il m'a proposé d'aller prendre un café. Et avant-hier soir… nous sommes allés dîner.

– Vous êtes sortis dîner ? Tu as pris un café avec Justin, et vous avez *dîné* ensemble ? Et toi alors, pourquoi ne m'en as-tu pas parlé ? Genre, je ne sais pas, moi, la semaine dernière ? Ou hier, par exemple ? » Je me sens un peu gonflée de la harceler alors que j'ai totalement négligé de lui raconter ma propre soirée avec Bennett, au café. Mais elle était juste trop bizarre, et elle s'est terminée en eau de boudin. Emma m'adresse un regard coupable, elle aussi, et hausse les épaules. « Il a dit qu'il avait essayé d'aborder le sujet avec toi une fois, juste avant notre premier rendez-vous, mais… » Elle s'interrompt et, soudain, je me revois m'esquiver du magasin le mois dernier, soulagée d'avoir pu éviter les avances éventuelles de Justin. Maintenant, je me sens doublement idiote : et d'une, j'ai mal interprété ses intentions envers moi ; et de deux, lui et ma meilleure amie se sont sans doute liés en évoquant ma stupidité. « Je sais que c'est ton ami, poursuit Emma. Et j'ai toujours pensé qu'il en pinçait pour toi, tu vois, mais… » Et elle pour Justin ? Emma et Justin ? Je rêve, même les prénoms ne collent pas. « Bref, je n'ai pas pensé une minute que ça déboucherait sur quoi que ce soit. Je veux dire, je le trouvais mignon, mais je ne pensais pas qu'on sortirait ensemble, ni rien.

– Mais c'est ce que vous avez fait ?

– Ben ouais, c'est un peu ce qu'on a fait. » Nous restons silencieuses un instant. Je ne me rappelle pas que cela se soit produit aussi longtemps. Mais elle reprend le fil de la conversation quelques encablures plus loin. « Nous allons passer la journée en ville, samedi. » Elle ne quitte pas la route des yeux et tente de la jouer cool, mais elle se fend d'un immense sourire.

« C'est super, Em !

– Sérieusement ? se risque-t-elle en se tournant vers moi. Tu es OK avec tout ça, c'est vrai ? Je veux dire, même maintenant ? »

C'est étrange, mais oui, je le suis. Je n'ai aucun droit de ne pas l'être. « Évidemment », dis-je, même si je ne peux m'empêcher d'avoir un pincement au cœur. Il s'agit d'Emma et de Justin, *mes* deux meilleurs amis. Et je ne peux m'empêcher de nourrir de l'appréhension concernant nos relations. Vont-ils finir par s'aimer tous les deux plus qu'ils ne m'aiment, moi ? Auquel devrais-je cesser de parler si leur relation capotait ? Et, de façon plus égoïste, je me demande honteusement si Justin va continuer à me graver des CD.

Emma pousse un soupir de tragédienne. « Ah ! Tant mieux si tu trouves ça cool ! » Puis elle s'anime de nouveau et revient à moi. « Et donc… toi et Bennett…, me taquine-t-elle. Qu'est-ce qui va se passer au lycée aujourd'hui ? »

Je laisse échapper un petit rire nerveux. « Aucune idée.

— Eh bien, tu vas bientôt le savoir », chantonne-t-elle, alors que nous entrons sur le campus. Je suis son regard jusqu'à Bennett qui m'attend au milieu de la pelouse. Je sens le malaise me gagner.

« Oh, non ! Qu'as-tu fait à ce garçon ? gémit Emma en se garant à sa place habituelle. Regarde-le ! » Il s'est fait couper les cheveux, et il a l'air vraiment trognon dans son uniforme, pour ne pas dire carrément craquant. Même si, après la journée d'hier, je ne peux m'empêcher de le revoir en tee-shirt et jean parfaitement ajustés. C'est là que je repense à ses vêtements dans la buanderie. Et je panique avant de me rappeler que ce n'est pas le jour de la lessive. « Il est adorable ! » Emma lui adresse un petit signe charmeur d'une main que je lui rabats d'une petite claque.

« Allez, arrête ton char, tu dis juste ça pour être sympa.

– Je ne dis rien pour être sympa, ma chérie, sache-le, même pas à toi, rétorque-t-elle en me regardant droit dans les yeux.

– D'accord. Mais je t'en supplie, Emma, continue d'agir comme une amie loyale et ne me flanque pas la honte, d'accord ? » Je me débats avec la nuée de papillons qui volettent dans mon estomac et avec la poignée de ma portière, alors qu'elle est déjà dehors, sur le pied de guerre. « Ahhh, la journée s'annonce hyper chouette ! » Sur ce, elle claque la portière et remonte la légère pente jusqu'à Bennett, visiblement délestée de toute inquiétude concernant mes éventuelles peines de cœur. « Hé, salut ! » l'entends-je s'écrier, tandis que je tente de les rejoindre avant qu'elle n'ait eu le temps de trop en dire.

« Je sais ! affirme-t-elle, d'un ton aussi emphatique que son sourire. Je ne crois pas que nous ayons discuté depuis ton arrivée ici, si ? »

Sitôt que je les ai rejoints, Bennett reporte son attention sur moi. Mince, il est vraiment trop mignon ! « Hé ! » fait-il. Son sourire est tellement chaleureux que j'imagine la neige fondre à ses pieds.

« Salut !

— Et donc, Bennett, j'ai remarqué que tu n'étais pas en anglais, hier », poursuit-elle. Il détourne ses yeux des miens pour la regarder. « Tu étais malade ? lui demande-t-elle tandis que je lui jette un regard noir.

— Non, j'ai passé la journée avec Anna », rétorque-t-il, avant de me regarder de nouveau. Nous gardions nos distances parce qu'il en avait décidé ainsi, mais aujourd'hui nous sommes proches parce qu'il m'a confié un secret si immense, si improbable que je n'aurais jamais pu le croire si je ne l'avais pas partagé avec lui.

« Ah bon. » Elle nous regarde tour à tour et s'arrête sur Bennett à qui elle frictionne les cheveux. « Ne les coupe pas plus ou je devrais te trouver un autre surnom que "la touffe". À tout à l'heure, Anna. » Elle se retourne brusquement après avoir fait quelques pas. « À propos, tu pourrais te joindre à nous à déjeuner ? demande-t-elle à Bennett.

— D'accord », fait-il sans me quitter des yeux pendant que je lui souris.

« La touffe ? répète-t-il, dès qu'elle s'est un peu éloignée, c'est tout ce qu'elle a trouvé ? »

Je lève les yeux au ciel et lui passe moi aussi la main dans les cheveux sans cesser de sourire. « Quand as-tu trouvé le temps de te les faire couper ? »

Il hausse les épaules, je regarde autour de moi pour m'assurer qu'il n'y a personne et murmure : « Tu as voyagé ?

— Non. Je suis allé chez Hair City », me chuchote-t-il à l'oreille.

J'éclate de rire.

Les gens n'arrêtent pas de nous observer, ils passent devant nous, nous dévisagent et échangent des messes basses.

« Je voulais juste m'assurer que tu allais bien… tu sais… après…

— Anna ! » Trois de mes coéquipières nous fondent dessus, interrompant Bennett sans un regard pour lui, et se mettent à piailler toutes ensemble. « Oh, mon Dieu, j'ai entendu la nouvelle à propos du cambriolage ! Tu vas bien ? » s'enquièrent-elles à tour de rôle avec le même air éploré.

Le cambriolage. Voilà pourquoi tout le monde nous observait ! Le fait qu'une lycéenne de Westlake soit tenue en respect par un couteau n'allait évidemment pas manquer de faire jaser dans l'établissement.

« Ouais, merci les filles, tout baigne. »

Elles expriment leur soulagement, nous échangeons quelques banalités, chacune me serrant rapidement dans ses bras avant de repartir à toute vitesse.

« Bref, je voulais juste m'assurer que tu allais bien, à tous les niveaux, reprend-il.

– Moui, très bien, merci, dis-je avec un grand sourire, n'empêche que je veux toujours connaître la suite. » J'attends en vain un commentaire.

« Tu la sauras, finit-il par répondre.

– On devrait sans doute aller en cours », dis-je au moment où il m'annonce : « J'ai quelque chose pour toi.

– Ah bon ? »

Il plonge la main dans son sac à dos, et en ressort une fine pochette en papier. J'ai le souffle coupé quand je comprends ce qu'il y a dedans, et surtout ce qu'il a dû faire pour me ramener cette carte postale. Je ne peux m'empêcher de sourire en contemplant cette vue du ciel de Koh Tao. « Tu y es retourné pour ça ? »

Il hausse les épaules, l'air penaud. « Tu voulais un souvenir, non ? » La cloche sonne au loin, menaçant de nous transformer en retardataires. « Je ferais mieux de foncer. À tout à l'heure. » Il commence à s'éloigner, mais je le rappelle. « Bennett ! » Il se retourne.

« Quoi ?

– J'ai encore tes fringues chez moi. » J'ai parlé plus fort que prévu et m'empresse de regarder autour de nous pour vérifier que personne ne m'a entendue.

Sa bouche se retrousse en un sourire satisfait. « Bon, j'imagine que je devrai passer les prendre, alors. »

Argotta me retient après le cours pour prendre de mes nouvelles et me donner les grandes lignes du cours de la veille. À contrecœur, je fais signe à Bennett d'aller à la cafétéria sans moi. Cinq minutes plus tard, je le retrouve installé à notre table en compagnie de mes deux amies, l'air assez décontracté.

« Tu arrives juste à temps ! » s'exclame Emma, au moment où je pose mon plateau à côté du sien. « Bennett était en train de nous faire des tas de révélations. Il ne s'intéresse pas vraiment au sport, tu le savais ? » Elle hausse les épaules et mord dans son sandwich.

« D'accord, mais, comme je te le disais, le skateboard est un sport, en fait, précise-t-il.

— Oh, si tu veux, mais c'est beaucoup plus un moyen de transport, non ? Je voulais parler des sports de lycée, tu sais : foot, basket, base-ball, crosse, hockey… Ce genre de sports.

— Des sports d'équipe, en somme.

— Ben, non, tu pourrais aussi faire de la natation ou du tennis. Ces sports-là aussi.

— Ou alors du skate », ajoute-t-il calmement. Je peux voir les rouages de sa pensée tandis qu'Emma tente de trouver la réplique imparable. Elle me jette un regard de biais et, par le regard aussi, je lui rappelle sa promesse de ce matin : rester sympa, ne pas me mettre dans l'embarras.

« Bien sûr, tu pourrais faire du skate, j'imagine. » Emma louche vers moi pour avoir la confirmation qu'elle a bien dit ce qu'il fallait, et je la gratifie d'un sourire reconnaissant, tout en la suppliant intérieurement d'arrêter de parler. « Et donc, quels sont tes autres hobbys ? » finit-elle par lui demander.

Ah, parce que maintenant, le skate est un hobby ! J'observe ce garçon qui n'a besoin ni de sport ni de hobby tant ses talents dépassent largement tout cela à mes yeux. Et comme je le sens prêt à se lancer de nouveau dans le débat, je réponds à sa place.

« Il voyage beaucoup. » Tous les trois se retournent à l'unisson vers moi. « Il a visité des tas d'endroits, enchéris-je. Ce n'est pas vrai ? »

Bennett hausse les épaules pour minimiser l'effet d'annonce, tandis qu'Emma et Danielle le branchent aussitôt sur le sujet. Je les écoute tranquillement discuter à bâtons rompus des multiples endroits que chacun a visités. Je me suis très souvent retrouvée dans cette situation, mais, cette fois, je n'ai pas le sentiment d'être laissée pour compte. Totalement captivée, au contraire, je prends des notes mentalement, et me demande vers laquelle de ces destinations aux noms mirifiques Bennett m'emmènera la prochaine fois.

15

Emma se gare devant la librairie pour me déposer mais, avant même qu'elle ait fini de manœuvrer, sa tête pivote en direction du magasin de disques.

« Tu vas y passer ? » lui demandé-je, un pied déjà sur le trottoir. Je me penche pour entendre sa réponse.

« Non. Pas aujourd'hui. Il faut qu'il marine un peu, tu sais, qu'il se rende compte, quand il ne m'aura pas vue à la fin de la journée, que je lui ai manqué. »

Je roule les yeux, doutant que ce soit le style de Justin. Mais, vu que j'ai complètement zappé son attirance pour ma meilleure amie, je me dis que je ne dois pas être vraiment au fait du style de Justin. « D'accord, Em, à demain.

– Bye, ma chérie ! » me salue-t-elle, tandis que je la regarde s'éloigner.

Le carillon tinte comme d'habitude, mais un frisson inattendu me parcourt l'échine quand je l'entends résonner. J'avais toujours associé sa petite musique à des souvenirs heureux : les samedis matin où j'aidais mon grand-père à ranger les livres sur les étagères ; le jour où mon père m'a confié mon premier jeu de clés pour que je ferme le magasin toute seule... Et si je me réjouis depuis deux jours que le cambrioleur ait été arrêté sans avoir pu voler notre recette, je n'avais pas encore réalisé qu'il avait volé le bruit de mon carillon.

« Hé, Annie ! » Mon père pianote sur une calculatrice tout en empilant les tickets de caisse.

« Salut, p'pa ! » Je lui colle un bisou sur la joue qu'il me rend avant de replonger aussitôt dans ses comptes. Ni lui ni moi ne faisons remarquer que le magasin est différent aujourd'hui, mais je sais que nous n'en pensons pas moins.

« Je cours déposer le magot à la banque, prévient-il sans me regarder. Dorénavant, je ne veux plus que tu fasses la fermeture. Je m'en chargerai. » J'aimais bien ça, pourtant. Je le regarde agrafer les tickets de caisse et glisser le liquide dans la pochette zippée. « J'ai fait en sorte qu'on nous installe une alarme assez sophistiquée ce week-end. On aura même une télécommande qui nous permettra de prévenir la police de n'importe quel endroit du magasin. »

Je le regarde en coin : « Génial, tant que tu trimballes la télécommande avec toi.

– Ouais, bon, en effet, glousse-t-il. Tout ça est un peu lourdingue, tu ne trouves pas ?

– Non, pas du tout, on pourrait même se procurer des ceintures en cuir équipées de petits holsters. » Je dégaine ma télécommande imaginaire et la pointe sur lui. Il réplique avec la sienne.

« Tu sais à quoi je pensais ? entame-t-il.

– Pas vraiment.

– Qu'il serait peut-être temps d'embaucher un étudiant de Northwestern pour me donner un coup de main. Tu es très prise maintenant, avec tes entraînements dans l'équipe du Minnesota. Et tes examens de fin d'année arrivent à grands pas...

– Dans un mois.

– Avant que tu aies le temps de faire ouf, tu devras t'occuper de ton inscription à la fac...

– Dans six mois.

– Et même si je ne l'ai pas encore rencontré à proprement parler, tu sembles avoir un petit ami, désormais.

– Je n'en ai pas.

– Mais tu as mieux à faire que de rester un soir sur deux dans ce vieux magasin qui sent le moisi, tu ne crois pas ? D'autant que ça serait un super job pour un étudiant.

– Ça ne serait pas un super job pour un étudiant, parce que c'en est déjà un pour moi. Merci, papa, mais tout va bien. J'aime beaucoup travailler ici. En plus, il faut que je gagne de l'argent pour financer mes voyages, alors autant que ce soit ici. »

Il me prend dans ses bras. « Tu en es sûre ?

— Certaine », dis-je, la voix étouffée dans son pull en laine. Il finit par me libérer, enfile son manteau et embarque la pochette d'espèces. À peine a-t-il franchi la porte que le carillon retentit de nouveau.

Je lève les yeux et vois Bennett avancer droit sur moi.

« Salut !

— Salut ! »

Nous restons plantés là, à danser d'un pied sur l'autre sans trop savoir quoi dire. « Je suis contente de te voir. » Je me tords les mains. « Je voulais te remercier encore une fois pour la carte postale. C'était vraiment sympa.

— Ben, ouais. » Je regarde *son* visage rougir, ravie que ce ne soit pas le mien, pour une fois. « J'en ai aussi ramené une pour moi… pour me souvenir de la journée. » Il semble aussi mal à l'aise que moi, ce qui me rassure un peu. « Bon, je suis juste passé te saluer et acheter ce livre sur le Mexique pour le devoir à rendre à Argotta.

— Oh, je vois, oui, bien sûr. » Il me suit jusqu'au rayon Voyages. J'effleure le dos des livres du bout du doigt, m'arrêtant sur mes préférés, et constitue une sélection de six ou sept titres avant d'aller m'asseoir en tailleur sur le tapis berbère, dos aux étagères, la pile de bouquins devant moi.

Je lui fais signe de me rejoindre, et il s'installe en tailleur lui aussi, face à moi. Je feuillette le premier guide. « Il est nul, tu n'as presque pas de photos là-dedans », dis-je, soudain prise d'une sensation étrange de déjà-vu.

« Waouh !

– Quoi ? »

Je le scrute l'espace d'une minute. « On n'était pas déjà assis comme ça l'autre soir par hasard ? Avant le cambriolage et ton tour de passe-passe.

– Presque à l'identique, sourit-il avant de s'en étonner. Tu t'en souviens ?

– Je n'en sais rien… peut-être. »

Il prend le livre suivant. « Celui-là est bien pour voyager pas cher, mais pas vraiment adapté à notre projet. » Il se fend d'un grand sourire, repose le livre sur le précédent.

Cette remarque me ressemble.

Il en prend un autre. « Celui-là n'a sélectionné que les hôtels et restos de luxe, un peu chérots pour notre budget. Mais les photos sont chouettes. »

Mouais. C'est tout à fait vrai, ce qui commence à me faire légèrement flipper.

Il en prend un autre, mais quand il ouvre la bouche pour répéter mes éventuels commentaires, je l'interromps : « Et si tu me disais directement lequel je t'ai recommandé ? »

Il se penche au-dessus de moi et prend un dernier guide du rayon. « Pardon. » Il me frôle le bras au passage et revient s'asseoir si près de moi que nos genoux se touchent maintenant. « C'est celui-là, ton préféré. »

J'acquiesce.

« Les meilleurs tuyaux, des illustrations vivantes, des hôtels abordables, mais pas non plus le genre auberges de jeunesse ni rien de trop glauque. En bonus, un itinéraire détaillé d'excursions de trois à cinq jours. On n'a qu'à simplement les rassemb…

– Je veux entendre la suite de la deuxième étape. »

Il m'étudie un moment. « Où est-ce que j'en…

– Tu peux intervenir sur certains détails du passé pour en modifier l'issue, mais pas revenir sur tout un événement. Tu peux te rendre dans n'importe quel endroit du globe, mais seulement à certains moments. » Il semble étonné que je me souvienne si bien de ses paroles, mais comment les oublier ? Je passe mes nuits à les ressasser.

« Exact. » Il esquisse un sourire. « Je ne peux me déplacer qu'à l'intérieur du laps de temps de ma propre vie. Il m'est impossible de remonter au-delà de mon jour de naissance, pas même d'une seconde. Ça a marché une fois mais, pour tout te dire, ça ne s'est pas très bien terminé. J'ai bien dû retenter l'expérience un millier de fois depuis, sans succès. »

Je visualise une ligne qui commence l'année de sa naissance et se prolonge jusqu'à aujourd'hui. « Tu ne peux donc pas remonter avant 1978 ni te projeter dans les jours à venir ? »

Il se met à jouer avec les pages de l'un des guides, façon flip-book, en évitant soigneusement mon regard. « Non, en fait, je peux aller plus loin que ça dans le futur. »

Je ne comprends pas très bien sa phrase, mais il faut dire qu'il ne vole pas non plus à mon secours. « Je croyais que tu ne pouvais pas dépasser le présent, alors comment… D'accord, laisse-moi reformuler la question : jusqu'à quelle date peux-tu aller ? »

Il inspire profondément, sans me regarder. « 2012. »

– Mais c'est au-delà de ta propre vie ça, non ? »

Il semble vouloir infirmer l'hypothèse et là, je perds un peu pied.

Les sourcils levés, il a l'air d'attendre mon déclic et je sens mon estomac se nouer. « Attends un peu… quand es-tu né ? »

Il doit s'écouler une bonne minute, du moins est-ce mon impression, avant que j'obtienne une réponse. « Le 6 mars 1995. »

Je le regarde, hagarde. « C'était le mois dernier.

– Je sais.

– Le 6 mars 1995 ?

– Exact. »

Et soudain, ça me revient : les photos dans le salon de sa grand-mère, les cadres où sa fille tenait un bébé nommé Bennett.

« Je n'y crois pas ! » Il continue de ne pas me regarder et je laisse échapper : « Les photos au-dessus de la cheminée de Maggie… » tandis qu'il acquiesce.

« Maggie est ta grand-mère. »

Il opine de nouveau.

« Et le vrai toi est un… » Je ne me résous pas à prononcer le mot : *bébé*. « … à San Francisco. » D'où le fait qu'il n'y ait pas de photo de lui plus grand sur les murs.

« Ben, en fait, je suis le "vrai" moi. » Il pose ma main sur le bras qu'il me tend pour que je sente qu'il est solide. « Mais oui, techniquement parlant, j'aurai dix-sept ans en 2012. En 1995, je ne les ai pas… encore. »

Je me représente une ligne temporelle totalement différente désormais qui commence en 1995 et se termine en 2012.

« Et qu'en est-il de… l'autre toi ? Celui des photos ?

– Encore à San Francisco, probablement dans un berceau, en train de fixer un mobile ou un truc dans le genre. » Je frémis et, comme il me regarde à la dérobée, je me ressaisis et tente de ne pas paraître trop déboussolée par l'image du bébé. Je

182

ne dois pas y parvenir totalement, car il se met à clarifier certains points. « Je peux me trouver dans deux endroits différents au même moment, mais on ne peut pas être deux au même endroit en même temps.

– Que se passerait-il dans ce cas ?

– J'essaie d'éviter. Mais si je provoque la situation, le plus jeune "moi" s'efface au profit de l'autre, comme pendant le cambriolage l'autre soir. C'est là le tour de passe-passe. »

Je me mets à feuilleter un livre. « Tu m'as menti à propos de la maladie de ta grand-mère ?

– Pas vraiment. Elle est vraiment atteinte d'Alzheimer, mais pas en 1995, en fait.

– Alors pourquoi te prend-elle pour un étudiant de Northwestern ? »

Cette fois je lève les yeux vers lui.

Il soupire. « C'est ce que j'ai prétendu être quand je me suis présenté pour la chambre. »

Il appuie toujours ma main contre son bras, mais je la retire pour pouvoir jouer avec un fil qui dépasse du tapis et éviter l'hyperventilation.

Il peut dépasser 1995 mais pas les limites dans son propre avenir.

Et il vit avec une dame qui est loin d'imaginer qu'il est son petit-fils.

« Tu es dans ton passé ici, alors.

– Oui.

– Combien de temps y es-tu resté en tout ? » Je ferme de nouveau les yeux, incapable de le regarder.

« Trente-six jours », l'entends-je murmurer.

Il y a un silence. « Demain ça sera le trente-septième. »

Je garde les yeux fermés, me sentant incapable d'encaisser toutes ces données à la fois.

Et je ne sais pas encore tout. J'ignore ce qu'il marmonnait l'autre soir dans le parc, comment il est arrivé ici, d'où il vient, ce qu'il est venu faire à Evanston, et pourquoi il est toujours là alors qu'il était censé ne rester qu'un mois.

Je finis par les rouvrir et étudier la situation.

J'ai seize ans de plus que lui. Mais pas vraiment.

Il me regarde droit dans les yeux. « Écoute, je sais que c'est très étrange, surtout qu'il reste un troisième volet. » Il jette un coup d'œil au plafond et nous nous taisons un moment avant qu'il ne me regarde de nouveau.

« Le truc, c'est que je ne suis pas censé être là, Anna : à Evanston, en 1995. Je ne suis pas censé te connaître, ni Emma, ni Maggie. Je ne suis pas censé fréquenter ce lycée, ni faire ces devoirs-là, ni traîner dans ton café. » Il prend mes mains dans les siennes comme s'il était sur le point de m'emmener quelque part, mais nous ne quittons pas la pièce ; nous ne faisons que nous rapprocher encore davantage. « Je ne reste nulle part.

Je visite, j'observe et je m'en vais. Je ne reste jamais. »

Je ne sais comment réagir. Lui dire de partir ? De rester ? Mais je n'ai pas le temps de me décider parce qu'il prend mon visage entre ses mains et me plaque contre les étagères pendant qu'il m'embrasse avec fougue – comme s'il *voulait* être là, et qu'en m'embrassant assez longtemps, assez passionnément, rien de ce qu'il venait de me dire ne serait vrai.

Or, pour autant que je sache, tout *l'est*. Voilà pourquoi éprouver des sentiments aussi violents envers quelqu'un qui n'appartient pas à ce monde et qu'un billet d'avion ne me permettra pas de rejoindre lorsqu'il repartira est franchement crétin. Mes mains s'éloignent néanmoins du tapis berbère pour remonter le long de sa colonne, et l'attirer encore plus fort contre moi bien que je sois réduite à l'état de crêpe contre les étagères désormais. Parce qu'il est là *maintenant*. Et parce que je sais que je n'ai aucune envie que ça s'arrête. Jamais.

Puis il s'écarte. « Je suis tellement désolé.

– Tout va bien, dis-je en reprenant mon souffle.

– Non, *tout* ne va pas bien, Anna. Ça n'était pas prévu – je n'aurais pas dû rendre les choses plus compliquées qu'elles ne le sont déjà. » Il se lève et se recoiffe avec ses doigts. « Je dois y aller. Je suis vraiment désolé.

– Bennett ! » J'essaie de lui sourire, de ne pas laisser paraître que je suis dévastée, mais il ne veut pas me regarder. « Ça va bien, Bennett, ne t'en va pas, je t'en prie ! »

Il a déjà franchi la porte, me laissant seule avec ses révélations et les paroles qu'il a prononcées juste avant de m'embrasser : « Je ne reste *jamais*. »

16

« H é, Anna, attends-moi ! » Courtney ferme brusquement son casier et me rattrape. « Tu as déjà terminé ton projet ?

– Non, non, pas encore. Je planche dessus. Et toi, tu en es où ?

– Ça progresse. Hier soir, je me demandais si je ne devrais pas ajouter quelques trucs un peu historiques. » Elle me regarde, l'air d'attendre mon approbation, alors j'opine. « Les plages sont trop géniales. Je pourrais passer tout le séjour à me dorer la pilule sur le sable.

– T'en es aux plages, alors.

– Tu en as choisi aussi ?

– Quelques-unes. » En fait, je n'ai pas la moindre idée de ce que contiendra mon devoir. Hier soir, j'ai tenté de prolonger les deux listes pathétiques que j'avais commencé à établir dans la librairie mardi dernier, mais j'ai passé la majeure partie de la nuit à penser à un garçon qui voyage dans le temps sans jamais s'attarder dans l'espace. Un garçon incroyable avec des yeux magnifiques qui semblent ne pas vouloir sortir de mon esprit, des mains qui peuvent m'emmener où j'ai envie à la vitesse de la lumière, un corps dont j'aimerais ne plus m'éloigner de plus de cinquante centimètres désormais. Un garçon qui n'a rien à faire en 1995 mais qui, hier soir, était assis par terre dans ma librairie comme s'il n'y avait aucun autre endroit au monde où il aurait préféré se trouver, et qui m'a embrassée comme s'il n'y avait personne au monde qu'il aurait préféré embrasser. Un garçon enfin qui doit encore me révéler un secret.

« Et tu as choisi d'aller où, sinon ? » demande-t-elle incidemment, comme si nous ne participions pas au même concours pour décrocher le même bon d'échange de cinq cents dollars.

J'essaie d'atterrir et de trouver une vague réponse. Hum, j'ai réuni plusieurs... » Encore une fois, je perds le fil de ma pensée parce que, manifestement, Bennett m'attend, appuyé contre une rangée de casiers devant la classe d'Argotta, et qu'il est vraiment trop mignon, et hirsute, et craquant.

« Quoi ? Des ruines ? J'en étais sûre. Tu vas visiter des ruines. Je devrais... » Je n'entends plus un traître mot de son bla-bla, je m'arrête net à la hauteur de Bennett.

Il me salue en me gratifiant de son sublime sourire tandis que Courtney sort pratiquement du cadre et que j'essaie de réprimer ma joie.

« Salut ! » J'ai les mains qui tremblent, il ne manquait plus que ça.

Courtney regarde autour d'elle comme si elle tentait de localiser la provenance de toute cette charge subite d'électricité. Puis elle nous examine à tour de rôle tandis qu'un étrange petit sourire se dessine sur ses lèvres. « Oh… intéressant ! » convient-elle avant d'entrer en classe en nous bousculant légèrement avec un sarcastique : « Oups, pardon ! »

« On peut faire quelques pas ? » me demande Bennett. Je jette un œil dans la classe. « Le cours va bientôt commencer.

– Je sais. Viens. » Il m'entraîne vers une porte latérale. Nous la franchissons et nous retrouvons dans une allée envahie d'herbes folles et de buissons. J'entends la cloche sonner au loin. Nous atteignons un bouquet d'arbres. Bennett s'assied au pied du plus gros, m'invitant à en faire autant en tapotant le sol à côté de lui. Une fois assise, je sais exactement où nous nous trouvons ; on ne peut rater la baie vitrée de la cafétéria à travers laquelle j'aperçois même notre table.

« Voilà, je voulais juste te redire à quel point j'étais désolé… pour hier soir. » Il se met à jouer avec un caillou qu'il fait nerveusement glisser entre ses doigts. Ensuite, il lève les yeux vers moi avec une expression triste que je ne lui connais pas. « C'est juste que… j'ai eu envie de t'embrasser si souvent. » Je me rapproche de lui, espérant que ce sera encore le cas, mais il s'adosse au tronc. « J'avais décidé de me retenir, parce que sortir avec toi n'aurait pas été cool. Je ne voulais pas te compliquer la vie, tu vois ? Je voulais tout te raconter avant que tu puisses évaluer tes propres sentiments.

— Je les connais déjà, dis-je, hyper sérieuse, en me rapprochant de lui, mais je pense que tu dois effectivement me raconter le reste pour que je puisse vraiment décider. » Je me fends d'un sourire engageant. Même si je sais que cette part du secret inclut la présence d'une autre fille. C'était il y a plus d'un mois, mais je n'ai pas oublié l'état dans lequel je l'ai trouvé sur le banc où il se balançait en marmonnant qu'il devait la retrouver ; ni la soirée dans le café où il m'a appris que quelqu'un avait disparu à cause de lui.

« J'ai perdu ma sœur, attaque-t-il de but en blanc alors que j'ouvre de grands yeux. Brooke et moi allions régulièrement à des concerts, c'était notre truc, tu sais. »

Brooke. La petite fille aux cheveux bruns coupés au carré qui tenait son petit frère dans les bras sur la tablette de la cheminée chez Maggie. C'est sa sœur en fait, qui a deux ans. Ou dix-neuf.

« C'était devenu une sorte de hobby, poursuit-il. Je repérais les groupes que j'aimais bien et si je pouvais me rendre à leur premier concert. Et j'emmenais toujours Brooke avec moi. »

Il s'exprime péniblement. Apparemment, le fait de m'expliquer comment il a remonté le temps pour me sauver la vie ou de me révéler que 1995 n'est pas vraiment son époque n'était qu'une simple mise en bouche ; le plat de résistance reste à venir. Brooke n'est pas une mince affaire.

« Tu te rappelles que je ne peux voyager qu'à l'intérieur de mon temps de vie ? »

Je pars d'un petit rire nerveux. « Ouais, bien sûr !

– Et que si j'essaie d'enfreindre cette limite, ça ne marche pas. Je ferme les yeux… visualise la date, et… bon… il ne se passe rien. Mais Brooke voulait tellement assister à ce concert qu'elle m'a convaincu d'essayer encore une fois. C'était totalement expérimental. On n'y croyait pas vraiment. » Le souvenir le fait sourire. « On s'est tenu la main, les yeux fermés, et j'ai visualisé le lieu du concert et l'année : 1994 et…

– Ça a marché ?

– Ouais, l'espace d'une minute. J'y étais et puis je n'y étais plus. Réexpédié à San Francisco.

– Réexpédié ? »

Il hausse les épaules comme s'il ne s'agissait que d'une contrainte mineure avec laquelle il devait composer. « En général, je contrôle totalement mes voyages, mais si je pousse le bouchon trop loin, c'est comme si le temps reprenait ses droits et me voilà aussitôt renvoyé à la case départ.

– Mais pourquoi Brooke ne l'a-t-elle pas été aussi ?

– Je ne pouvais pas rester parce que je n'existais pas en mars 1994. »

Je le regarde fixement attendant la suite.

« Alors que Brooke est née en 1993.

– Waouh, sérieusement ? » Il hoche la tête. « Et tu l'as emmenée où ?

– Au Chicago Stadium, le 10 mars 1994. Ça te parle ? » Il me regarde dans les yeux. Je réfléchis un moment. Le 10 mars, l'année dernière. Le 10 mars. Je ne vois pas du tout à quoi il fait allusion.

« Ton billet de concert, sur le tableau d'affichage au-dessus de ton bureau. Pearl Jam. Ça n'était pas un concert particulièrement épique ni rien. Mais elle voulait découvrir les morceaux de *Ten* et de *Vs.* sur scène.

– Pas possible ! » Je répète ses mots quand il a vu la souche de mon billet dans ma chambre. « J'y étais. Avec Emma. On y était toutes les deux !

– Probablement plus longtemps que moi, je n'ai même pas eu le temps d'acheter un tee-shirt. »

Je suis sans doute censée rire de sa plaisanterie, mais je continue de le scruter, abasourdie. « Comment vas-tu la ramener ?

– Je n'en suis plus très sûr. Au départ, j'ai présumé que si je remontais le temps aussi loin que possible – jusqu'au 6 mars 1995 –, Brooke aurait traversé l'année et m'attendrait chez Maggie. Mais elle n'y était pas et, manifestement, elle n'y est jamais venue. Alors maintenant, soit elle débarque en mars 1995 et, avec un peu d'espoir, elle saura que je suis là, soit le temps reprend ses droits et la réexpédie à la maison, en 2012, ou à n'importe quel moment entre ces deux dates-là.

– Elle doit être morte de trouille. » Je l'imagine arpenter les rues à la recherche d'un abri, égarée dans le temps.

« Elle a dû un peu paniquer au début, mais je connais Brooke, elle va s'en sortir, surtout qu'elle a assez d'argent pour tenir un bon moment. Mais ma mère est dans tous ses états, et plus que furax contre moi et mon foutu don. »

Je reste sans voix.

« Bref, je suis rentré seul, complètement abattu, et j'ai dû apprendre la nouvelle à mes parents en les avertissant que son retour risquait de prendre un certain temps. Du coup, ma mère a insisté pour que je reparte et que je reste là jusqu'à ce que je l'aie retrouvée. Je lui ai expliqué que je pouvais m'absenter plusieurs semaines d'affilée, elle a donc cherché des prétextes pour justifier mon absence auprès de son entourage et m'a envoyé avec mon père à Evanston pour qu'il m'inscrive dans le lycée qu'elle avait fréquenté. Et donc… me voilà. Je rentre chez moi de temps en temps pour pointer. »

Les migraines. Les balancements. Les marmonnements : *Il faut que je la trouve, je ne peux pas encore partir.* Tout devient cohérent. « Tu revenais de San Francisco.

– Ouais. J'ai fait ça plusieurs fois les deux premières semaines. Je disparaissais d'Evanston pour atterrir dans ma chambre en 2012, et vice versa. En fait, le soir où tu as débarqué chez Maggie, je venais juste de rentrer. Voilà pourquoi je t'ai chassée, je pensais que j'allais être réexpédié. Ça faisait un mal de chien, mais en fin de compte j'ai pu rester. » Je me souviens des tasses de café et des bouteilles qui jonchaient le sol de sa chambre, de la façon dont il m'avait toisé dans le salon de Maggie. Pas étonnant qu'il se soit comporté si bizarrement quand il m'a trouvée dans le salon, à regarder les photos de sa petite sœur de deux ans et de lui-même bébé en bavardant avec sa grand-mère. Je comprends mieux pourquoi il m'a chassée de sa chambre.

« Et donc tu ne restes que jusqu'au retour de Brooke. » Il acquiesce et j'ai envie de vomir. Au fond de moi, j'ai toujours su, sans vouloir l'admettre, qu'une fois que j'aurai découvert intégralement son secret, je saurai aussi pourquoi il ne pouvait pas rester.

« Nous devrions retourner en cours. » Il me prend les mains, et, sans même réfléchir, je ferme les yeux.

Mais nous ne nous déplaçons pas. Je sens le vent froid sur mon visage quand il dit « Anna », en me regardant intensément. « Nous ne sommes pas censés nous être rencontrés. J'aimerais qu'il en soit autrement, mais les conséquences sont trop lourdes pour toi – plus encore que tu ne peux l'imaginer, je crois. »

Je dois hocher la tête. Je n'en suis pas certaine, mais je sais qu'il effleure mes paupières pour les fermer. Puis il me reprend la main, et je sens mes boyaux se nouer violemment.

Quand je rouvre les yeux, nous sommes dans l'allée broussailleuse, et c'est au tour de mon estomac de faire des nœuds. Bennett fouille dans son sac à dos ; il me tend un étui de crackers, que je m'empresse de grignoter, puis une bouteille d'eau que je vide d'une traite, avant de revenir à l'endroit exact où nous nous trouvions quelques minutes auparavant. Je jette un œil dans la classe, Courtney s'installe à son bureau.

« Voilà, maintenant tu connais tous mes secrets. »

J'opine et balaie le couloir des yeux. Nous sommes revenus.

« Promets-moi de réfléchir à tout ça, d'accord ? Et de me poser toutes les questions qui te tracasseront. »

Des questions, j'en ai à revendre. Mais ce dont j'ai besoin, c'est de me retrouver en tête à tête avec lui un moment. Et qu'il m'explique ce qu'il entend par « conséquences trop lourdes pour toi ».

Je le retiens par le bras alors qu'il entre en classe. « Hé, quand peut-on se revoir ? » Je ne m'imagine pas passer tout le week-end sans le savoir.

« Bientôt. » Il se fend d'un super sourire, entre en cours, et je lui emboîte le pas, perdue dans mes pensées, mais attentive à ce qui nous entoure : Argotta appuyé, comme d'habitude, contre son bureau devant la classe, Alex aux dents trop blanches installé en face de moi. Et Courtney qui nous lance des regards entendus, de sa place, au premier rang, avant de m'adresser carrément un petit clin d'œil au moment où la sonnerie retentit.

« Vous voulez connaître le buzz du jour ? demande Emma en posant son plateau sur la table.

Danielle balaie les cheveux de son visage et se tourne vers elle. « Y a un buzz ? » Elle ouvre des billes tellement grandes qu'on dirait qu'elles vont sortir de leurs orbites et rouler sur la table. « À quel sujet ?

« Anna…, ronronne Emma, et Bennett…

– Si tu continues avec un truc à la *Sitting in a tree*[1], je te préviens que je déguerpis sur-le-champ. »

---

1. Référence à une comptine célèbre censée embarrasser les enfants à qui on la chante : « *Max and Mia / Sitting in a tree / Kissing / Firts comes love / Then comes marriage / Then comes baby… » (« Max et Mia / Assis dans un arbre / S'embrassent / Puis vient l'amour / Ensuite le mariage / Et enfin les enfants… »)

Je croque ma pomme, peu encline à devenir un sujet d'actualité, mais j'apprécie d'avoir autre chose à penser qu'à des voyages hallucinants ou à cette fille de dix-neuf ans égarée dans le temps.

J'aperçois Bennett qui se sert un Coca dans la file d'attente du self. Emma suit mon regard et me lance un sourire empreint de malice. « Ça jase un max. Tu ne veux pas savoir ce que les gens racontent avant qu'il arrive ?

— Pas vraiment, dis-je, l'air détachée, ce que je suis réellement.

— C'est *intéressant*, précise-t-elle d'une voix aiguë qui pourrait laisser penser qu'elle va se mettre à chanter.

— Ça m'est égal. » Je chantonne moi aussi avant de croquer de nouveau ma pomme.

— J'ai entendu dire qu'il vivait avec sa grand-mère », annonce Danielle d'une voix flûtée. Je m'arrête de mastiquer. Emma et moi nous retournons vers elle. « C'est vrai ? » m'interroge Emma en plissant le nez. Je ne sais pas si elle trouve cette information écœurante ou si elle ne supporte pas l'idée que quelqu'un en ait eu la primeur.

Je zoome sur Danielle. « Comment le sais-tu ? » Je m'empresse de ponctuer ma question par un large sourire dont j'espère qu'il compensera le ton défensif que je viens d'employer.

« C'est Julia Shepherd qui me l'a dit.

– Oh, Julia ? » Je travaille dur sur l'intonation légère, indifférente. « Et Julia, elle le sait comment, elle ? »

Danielle rassemble ses paumes comme en prière, le front contre l'extrémité de ses doigts. « Le Donut ne garde aucun secret. » Puis elle éclate de rire et mord dans son sandwich.

« C'est malin.

– Et alors, c'est le cas ? » demande Emma.

Je chasse toute trace d'irritation de mon visage avant d'avancer d'une voix calme et posée, comme si de rien n'était : « Ouais, elle s'appelle Maggie, il s'occupe d'elle.

– Oh, comme c'est mignon ! souligne Danielle, à qui j'adresse un sourire approbateur.

– Où sont ses parents ? murmure Emma en le regardant traverser la salle. Ils n'étaient pas censés rentrer un de ces quatre ? »

J'aimerais mieux éviter le sujet, parce que je réalise que je ne connais pas la version officielle de Bennett. Il m'a dit qu'ils étaient en Europe, mais c'était avant que je sache où ils se trouvaient en réalité. J'ignore totalement ce qu'il raconte au lycée, mais je suis certaine qu'il n'a pas laissé le numéro de personnes vivant en 2012 à joindre en cas d'urgence. Je me retourne et le vois avancer droit vers nous. « Demande-lui, dis-je, en espérant qu'il aura la réponse.

– Salut, les filles ! lance-t-il en posant son plateau sur la table.

– Salut, Bennett ! » répondent Emma et Danielle à l'unisson, avec beaucoup trop d'enthousiasme mais assez de décence pour le laisser avaler deux ou trois bouchées avant de commencer leur interrogatoire.

Emma lève ses sourcils vers Danielle. Et c'est parti.

« Au fait, Bennett…, entame celle-ci, posant les bras sur la table, j'ai entendu dire que tu vivais avec ta grand-mère. »

Bennett avale une gorgée de Coca, l'air un peu agacé par son intrusion, et opine. « Mes parents sont en Europe et j'habite avec elle jusqu'à leur retour.

– Ah bon ! carillonne Emma. En fait, je pensais que tu allais seulement rester un mois. Ils ont décidé de prolonger leur séjour ou quoi ?

– Ouais. D'ailleurs, je ne sais plus trop combien de temps je vais rester. »

Je pense à Brooke et me demande où elle est, ce qu'elle fait en cet instant précis. Espérant égoïstement qu'elle s'éclate et qu'elle ne retournera pas en 2012 avant longtemps.

« Mon père travaille sur un gros projet à Genève », précise Bennett.

Je lui souris, ouvre de grands yeux, et il m'adresse un clin d'œil.

Puis tout le monde loue la beauté de Genève et j'interviens dès le premier temps mort.

« Au fait, comment se passent les préparatifs pour la vente aux enchères ? »

C'est plus terre à terre. Bennett et moi nous reculons dans nos sièges et regardons Emma et Danielle se lancer dans une discussion à bâtons rompus, ponctuée d'une succession impressionnante de superlatifs et de petites exclamations enthousiastes : trop génial, extrastellaire, etc. Bennett continue à me lancer des regards à la dérobée, comme s'il essayait de lire dans mes pensées, mais ça n'est pas évident car elles se bousculent un peu. Je vais sans doute avoir une violente prise de conscience sous peu, mais, pour l'heure, je sais que sa place est ici, à mes côtés.

Quand la cloche sonne, Emma et Danielle se dirigent vers les poubelles sans interrompre leur discussion pour autant. Nous leur emboîtons le pas, le bras de Bennett frôle le mien au moment où il me murmure à l'oreille : « Tu fais quoi demain ? » Il n'a sans doute pas remarqué qu'Emma et Danielle se sont instantanément tues.

« Demain soir ?

– Non. Demain. Toute la journée », me sourit-il, avant d'ajouter : « À moins que tu trouves qu'on se voie trop ? »

Je n'ai pas de rendez-vous. Quant à l'idée de passer *trop* de temps avec Bennett, elle est franchement farfelue. Je me fends d'un immense sourire. « Non. Je veux dire, je n'ai aucun projet.

– Génial. Est-ce que je peux passer te prendre à huit heures ?

– Du matin ?

– Oui. »

Danielle laisse échapper un ricanement, et reçoit un coup de coude d'Emma.

« Pour aller où ?

– C'est une surprise. »

Mon visage s'illumine de nouveau. Ou peut-être n'a-t-il pas cessé de l'être.

« Oh, et enfile un jogging.

– Pour quoi faire ?

– Ça fait partie de la surprise. » Il bouscule légèrement Emma pour aller lui aussi jeter ses restes dans la poubelle et se dirige à grands pas vers le Donut. Personne n'ouvre la bouche avant qu'il ne soit sorti de la pièce.

Puis Emma se tourne vers moi et pousse un petit cri de souris. « Ben, c'était trop mignon !

– D'accord, mais c'est quoi cette histoire de jogging ? » grommelle Danielle.

Emma vide son plateau dans la poubelle et la regarde, les mains sur les hanches : « T'as rien compris au film ou quoi ? Il va l'emmener sur la piste pour la regarder courir des gradins », fait-elle avant de s'esclaffer.

« La ferme ! » Je lui flanque un violent coup de poing sur l'épaule avant d'éclater de rire aussi.

« D'accord, il est trognon, décide Danielle.

– Absolument, confirme Emma. Je le surveille toujours », précise-t-elle comme si elle était membre du service des renseignements britanniques, « mais je dois reconnaître que je le trouve de mieux en mieux.

– Et c'est vraiment sympa qu'il s'occupe de sa grand-mère », renchérit Danielle qui ne veut pas être en reste.

Emma me regarde comme si elle venait d'avoir une révélation. « Ah, et maintenant, nous avons toutes les deux un rendez-vous demain ! Dimanche matin. Rendez-vous au café. Pour comparer. »

17

À huit heures pétantes, un 4 × 4 bleu entre dans l'allée. Je ferme aussitôt la fenêtre et dévale l'escalier. Pour la centième fois, je me demande où Bennett a l'intention de m'emmener. J'avais secrètement espéré que notre prochain voyage nous conduirait à Paris. Là, j'ai passé la nuit à tenter de localiser les points de chute nécessitant une tenue sportive sur mon planisphère. Les Alpes suisses ? Le Machu Picchu, Bornéo ? Peu m'importe le lieu, au fond, sauf que la nécessité de porter un jogging m'intrigue au plus haut point.

Mon père, qui me précède à la porte, serre la main à Bennett en me lançant un regard contrarié. Je sais qu'il songe déjà à me reprocher de ne pas les avoir correctement présentés. Pour l'heure, il lui recommande la plus grande prudence sur la route, et aussi de me ramener avant le couvre-feu. Puis il mime le mot dîner en me regardant franchir le seuil. J'acquiesce et referme la porte derrière nous.

« C'est ta voiture ? »

Bennett ouvre la portière du Jeep Grand Cherokee rutilant et attend que je grimpe dedans. Normal. Comme mes autres copains, il roule dans une voiture bien trop sophistiquée pour un lycéen.

« Celle de Maggie. » L'intérieur est immaculé et a cette odeur particulière des véhicules fraîchement sortis de l'usine. Il referme ma portière, va prendre sa place au volant et allume le contact. Le moteur ronronne.

« Prête ? » me demande-t-il avant de démarrer. Il s'adosse contre le dossier en cuir, la tête inclinée sur le côté, et me regarde attentivement tandis que je l'étudie, cherchant des indices révélateurs de notre destination.

« Bien sûr. Où est-ce qu'on va ?

– On prend la route. » Il accroche sa ceinture de sécurité et me gratifie d'un large sourire.

– Jusqu'où ?

– À un peu plus de trois heures d'ici. » Il sort de l'allée en marche arrière.

« Mais… où, exactement ? »

Il relève les sourcils et m'adresse un regard faussement sérieux.

« C'est encore une surprise.

– Est-ce que je dois apporter quelque chose ? »

Il examine ma tenue : bas de jogging, baskets et polaire à fermeture Éclair, comme indiqué. « Nan, t'es parfaite.

– D'accord. Alors pourquoi aller si loin quand nous pouvons simplement, tu sais… » Je mime un geste bizarre avec la main, comme si je connaissais le signe universel pour « voyager dans le temps ».

« Ah, mais regardez-moi la capricieuse ! » Il traverse le quartier et prend l'autoroute nord. « Primo, rouler nous laisse un max de temps pour discuter. Deuxio, je n'ai pas quitté Evanston depuis que j'y ai mis les pieds. Et tertio, eh bien, je voulais faire un truc normal pour toi.

– Normal ?

– Tu sais, sans rapport avec mon don étrange. »

Je me cale dans le siège, essayant de ne pas avoir l'air trop déçue.

Et donc, en effet, nous discutons, écoutons de la musique avant de nous garer, trois heures et vingt minutes plus tard, dans le Parc d'État du lac du Diable. Je le sais à cause des panneaux et non parce que Bennett m'aurait donné la moindre indication en cours de trajet. Nous sortons de la voiture, et Bennett déverrouille le coffre où se trouvent deux sacs à dos rouges archi bourrés.

« Qu'est-ce que c'est ?

– Un sac à dos, Anna.

– Merci, je le vois bien, mais pour quoi faire ?

« – Te le donner.

– Qu'est-ce qu'il y a dedans ?

– Eh bien, un repas. Et des chaussons. Et les harnais. J'ai le reste de l'équipement.

– L'équipement ?

– Cordes, mousquetons…

– Tu m'as emmenée jusqu'ici pour me tuer et m'enterrer sur place ?

– Nan, tu vas adorer ça, crois-moi.

– Adorer quoi, exactement ?

– L'escalade. »

Comment lui avouer que si j'ai beau m'estimer plutôt courageuse et apte à relever la plupart des défis, j'ai tendance à éviter les sports qui nécessitent de quitter la terre ferme : parachute, saut à l'élastique, escalade…

Il me donne une petite tape dans le dos, comme à un vieux pote : « Tu es sportive, tu vas t'éclater. » Et me fait pivoter pour ajuster mon sac à dos sur mes épaules, avant de prendre le sien dont il referme toutes les poches en resserrant les cordons. Il me prend la main pour m'emmener vers un sentier de randonnée, l'air un peu trop guilleret, me semble-t-il. De nouveau, j'essaie de dissimuler ma déception à ne pas me trouver sur les quais de la Seine en train de savourer un grand crème.

Nous longeons en silence le chemin paisible, pour arriver, cinq cents mètres plus haut, à un endroit que Bennett estime « parfait » et qui m'a tout l'air d'un très très grand rocher. Si je ne m'abuse, nous nous apprêtons à l'escalader.

« Reste là ! » m'ordonne-t-il tandis qu'il ouvre nos deux sacs pour préparer le matériel. Je le regarde changer de chaussures, s'attacher un harnais autour de la taille et jeter un gros rouleau de corde par-dessus ses épaules. « Je reviens tout de suite ! » lance-t-il avant d'escalader la paroi sans paraître fournir le moindre effort. En un rien de temps, il atteint le sommet puis disparaît plusieurs minutes. Me demandant s'il m'a abandonnée, je crie : « Tout va bien là-haut ? »

Son visage surgit au sommet du rocher. « Super ! Je redescends tout de suite. Recule-toi. »

Je m'éloigne de quelques pas ; deux épaisses cordes blanches se déroulent du sommet jusqu'au sol, à quelques mètres de moi. Il s'y accroche, descend en rebondissant contre la paroi et atterrit tout heureux et radieux.

« Tu es prête ?

— Non.

— Tiens, commence par enfiler ça. » Il fouille dans mon sac dont il sort une étrange paire de chaussons rouges à bout pointu avec de fines semelles en caoutchouc.

« Classe ! » Je les retourne. Ils ont l'air tout neufs. « Tu les as achetés pour moi ?

– Un petit cadeau, sourit-il tandis que je glisse mes pieds à l'intérieur.

– Comment connais-tu ma pointure ? »

Il hausse les épaules, plonge de nouveau la main dans mon sac et en sort un second harnais, plus petit, qui m'est destiné aussi, j'imagine. Il attache quelque chose à la ceinture. « Ça, c'est ton sac à magnésie.

– Mon quoi ? » Une fois debout, je me sens bizarre dans mes chaussons d'elfe.

« Pour empêcher que ça glisse », m'explique-t-il en tenant le harnais ouvert pour moi. Il le resserre autour de ma taille, prend un bout de corde, m'encercle la taille avec, et se met à tripoter quelque chose dans mon dos. Il sent bon.

Je lève les yeux vers la paroi. « Aucune quantité de magnésie, comme tu dis, ne pourra m'aider à escalader cette savonnette.

– Oh, la peureuse ! Allez, suis-moi, Anna ! » Il enfile l'autre extrémité de la corde dans un bidule en métal et l'attache à son propre harnais. « C'est un système de sécurité, tu restes attachée à moi. » L'idée de l'escalade ne m'emballe toujours pas, mais la seconde partie de sa phrase m'arrache un sourire. « Maintenant, il ne te reste qu'à t'apprendre à te fier au matériel, à me faire confiance et à te convaincre que tu ne vas pas tomber. » Il m'emmène vers une face du rocher où les fissures sont

nombreuses. Un « super rocher pour débutants »,
affirme-t-il avant de me montrer où je dois placer
mes mains et mes pieds pour entamer la montée.

« Ça ne me dit rien qui vaille.

– Pourquoi ? » demande-t-il, sincèrement décontenancé. Tu es en sécurité. Tu crois qu'il peut t'arriver quoi ?

– Ben, pour commencer, tu pourrais disparaître
dans l'éther en me plantant à mi-rocher.

– Ça n'arrivera jamais.

– D'accord, mais, contrairement à la grande
majorité des *Homo sapiens,* tu en es capable.

– Mais je ne le ferai pas », affirme-t-il. Son maudit sourire ne devrait pas me rassurer. Il le fait pourtant, au point de me faire rire.

« Tu es vraiment vache, en fait ! dis-je en m'en-
duisant les doigts de magnésie.

– Et donc la première chose que tu dois faire,
c'est vérifier que tu es bien attachée. Je te dis :
"Relais vaché. Prêt quand tu veux !"

– Et toi tu me réponds : "Départ." »

Je pose mon pied dans la fissure comme il me
l'a montré, avant de trouver une prise et de me
hisser jusqu'à une autre fissure. De là, sentant mes
fesses ressortir en un angle bizarre, j'enchaîne avec
la prise suivante.

« Je le savais ! Tu fais ça naturellement ! »

Je cherche à enchaîner les prises comme si je complétais un puzzle, à la bonne distance les unes des autres.

« OK, arrête-toi une seconde. »

J'étais juste en train de m'éclater. « Pourquoi ?

– Lâche tout, comme si tu tombais. »

Jamais. « Que je… lâche tout ? Tu es fou ?

– Ouais, écarte-toi du rocher et lâche les cordes. »

J'inspire profondément, repousse le rocher. Inspire de plus belle, me projette en arrière, me suspends, et me balance assise dans le vide.

« Je veux juste que tu sentes que je te tiens. Tu n'es qu'à trois mètres du sol, mais ce sera la même chose si jamais tu rates une prise plus haut, ou si tu as besoin d'une pause, d'accord ?

– D'accord. » Je me sens en effet en sécurité, même si la sensation est vraiment étrange.

« Et donc, reviens au rocher quand tu es prête et dis "départ". »

Je m'exécute.

Je continue de grimper et m'étonne de ne pas tomber. Je ne regarde pas en bas. Je n'en éprouve même pas le besoin. Je me concentre sur le puzzle du rocher, en essayant de comprendre comment en pirater le code d'accès pour atteindre le sommet. Quand je l'atteins enfin, je lance mes bras en l'air, façon Rocky Balboa, ébauchant quelques pas d'une étrange danse.

En fait, la descente en moulinette se révèle plus effrayante.

Bennett hurle ses instructions d'en bas, m'expliquant quels mouvements effectuer sur la paroi.

« Je dois lâcher la corde ? crié-je sans regarder en bas.

– Non. Essaie d'adhérer au rocher et de te pencher très en arrière. Je sais que c'est étrange mais je te tiens. Détends juste tes bras. »

Il ne me semble pas envisageable de détendre quoi que ce soit.

« Et si je tombe ?

– Impossible, Anna. Lâche la corde ou tu risques de te retourner. » J'oblige mes mains à pendouiller le long de mon corps. « Fais-moi confiance », me presse-t-il. Je ferme les yeux. C'est tout ce que je peux faire pour garder les pieds devant moi, puis je parviens à trouver le bon rythme et me voilà bientôt sur la terre ferme.

« Tu es géniale ! » s'enthousiasme Bennett en me prenant dans ses bras. « C'était comment ?

– Pas mal. » Je suis euphorique et mes bras tremblent encore un peu. « Super cool, en fait.

– Je savais que tu allais adorer. » Il relâche un peu son étreinte et laisse glisser ses mains de mes épaules au harnais afin de défaire la corde. Il est si près que je peux sentir sa poitrine se soulever au rythme de sa respiration. Immobile, je sens ses doigts s'agiter dans mon dos pour dénouer la corde qui tombe par terre une minute plus tard, tandis que ses mains viennent se poser sur mes reins. Il m'attire contre lui et m'embrasse, et je sens l'adrénaline circuler encore plus vite. Puis il sourit et dit : « À mon tour. »

Je parviens à répondre : « Quoi ?

– T'es prête à m'assurer ?

– Vraiment ? Tu m'en crois capable ?

– Absolument ! » Il recule et ses mains me manquent aussitôt. Il ouvre le mousqueton à vis qu'il détache de son harnais pour l'accrocher au mien.

Il se place sur le rocher. « Départ ! » dit-il.

Et je réponds : « Quand tu veux ! »

18

Q uand j'atteins le sommet, j'ai les bras qui tremblent, j'inspire profondément et je me redresse. En contrebas, la forêt s'étend à perte de vue autour d'un lac bleu vif. Je baisse les yeux vers Bennett et lui souris, hébétée et victorieuse.

« Reste là-haut », me crie-t-il avant de prendre son sac à dos et de grimper en escalade libre en deux fois moins de temps qu'il m'en a fallu en étant assurée. Il secoue la poussière de ses vêtements.

« Tu as faim ? » me demande-t-il, avant de se mettre à farfouiller dans son sac pour en sortir plusieurs sachets en plastique et quatre bouteilles de Gatorade. « Je ne savais pas trop ce que tu allais préférer : dinde-emmental ou bœuf-cheddar ?

– Gatorade », dis-je en tendant la main, déshydratée et ravie de pouvoir vider la bouteille jaune vif d'un trait. Du coin de l'œil, je le vois en faire autant avant d'aller s'adosser contre le grand rocher et de fermer les yeux.

Le soleil est haut maintenant, et même s'il fait frais dehors, la roche est tiède. C'est une journée idéale pour ce genre d'activité. Je m'installe à côté de lui et prends le dinde-emmental, soudain affamée. Il doit l'être aussi parce que nous dévorons nos sandwichs sans un mot, nous contentant de nous sourire de temps en temps.

« Et donc…, finis-je par dire, de l'escalade…

— Sympa comme plan, non ?

— Inattendu.

— Déçue ? »

Devant ce panorama digne d'une toile de maître, avec la lumière du soleil qui filtre à travers les branches et les rochers qui transpercent le ciel, je secoue la tête. « Absolument pas ! » Une sortie dans le Wisconsin ne va sans doute pas contribuer à élargir mon bouquet d'épingles plantées dans le Midwest, mais au moins, contrairement à Koh Tao, je pourrai toujours y revenir quand il sera parti.

J'ai gambergé toute la nuit, maintenant que je suis au courant de tout : les dix-sept ans qui nous séparent dans le temps, les voyages illimités, sa sœur égarée et son retour inéluctable en 2012 dès qu'il l'aura retrouvée. Sans que je puisse m'expliquer pourquoi, tout cela compte déjà énormément pour moi. Et même si cette part du tableau me flanque un peu le vertige, il a choisi d'être avec moi aujourd'hui et je ne peux m'empêcher de sourire intérieurement à cette part-là.

Bennett tapote le rocher ; je m'installe à l'endroit qu'il m'indique juste devant lui. Je pose mes coudes sur ses genoux, laisse tomber ma tête vers l'avant et ne peux retenir un grognement tandis qu'il masse mes épaules douloureuses à l'extrême.

« C'est venu comment, l'escalade ? » J'ai un millier de questions à lui poser, autant commencer par la plus facile.

Son pouce descend le long de mes cervicales et j'inspire au rythme de ses pressions, jusqu'à ce que je sente le muscle se détendre. « Il y a une petite ville côtière dans le sud de la Thaïlande qui s'appelle Krabi. » Je ne vois pas son visage mais je devine un sourire dans sa voix. « Et une plage, Rai Leh, connue pour ses rochers. J'ai rencontré des routards, là-bas, qui m'y ont emmené et m'ont initié à la grimpe. Depuis, je suis accro. »

Lentement, avec précision, il me masse le dos, en remontant des reins jusqu'aux épaules. J'ouvre juste les yeux au moment où il enroule une mèche de mes cheveux autour de son doigt. Il la déroule, tire doucement, puis la relâche, la boucle se reformant instantanément. « Comment ils arrivent à faire ça, tes cheveux ?

– Mes quoi ? Ma broussaille de Slinkys[1] miniatures, tu veux dire. » Je sens son haleine contre ma
nuque et me contracte à l'idée que ma tignasse doit
sentir plutôt la sueur que le shampoing à la vanille.

« Ça fait un mois que je me retiens de faire ça derrière toi, en cours d'espagnol. » Il déroule plusieurs
boucles à la fois et se marre quand elles recouvrent
aussitôt leur forme. « Et toi, c'est venu comment,
la course ? »

Je tourne la tête pour voir son visage, et mes
boucles lui glissent des mains. « Oh, non, pas ça… »

– Quoi donc ?

– C'était moi qui devais poser les questions
aujourd'hui. Tu m'avais dit de les laisser venir. »
Adossée contre son torse, la tête contre son épaule,
je suis le rythme paisible de sa respiration. Et quand
il dégage délicatement les mèches de mon front, je
laisse échapper un soupir et sombre encore un peu
plus en lui. « Surtout que tu es beaucoup plus intéressant que moi.

– N'importe quoi ! » me rabroue-t-il, sans cesser
de jouer avec mes cheveux.

« D'accord, chacun son tour, alors. Mais je te
parie dix dollars que tu seras à court de questions
avant moi. » On se tape dans la main.

« Marché conclu. »

---

1. Jouets en plastique en forme de ressort.

Je le gratifie de mon plus beau sourire. « C'est moi qui commence : qu'est-ce qui te manque le plus ici ?

— Mon portable, répond-il du tac au tac.

— Allez, sincèrement. » Je m'attendais à ce qu'il éclate de rire, mais non. « Tu es sérieux, ton téléphone ?

— Que pensais-tu que je te répondrais ?

— J'en sais rien... ta famille, peut-être.

— Les familles ne changent pas beaucoup, tu n'as pas vu les portables du vingt et unième siècle !

— Qu'est-ce qu'ils ont de si spécial ?

— Des tas de trucs... je ne peux même pas t'en parler. »

Je pars d'un petit rire.

« Ah bon, mais ça n'est pas marrant alors. À quoi tu sers si tu ne peux pas me parler de l'avenir ?

— À beaucoup de choses », dit-il en lâchant mes cheveux, tandis que ses doigts se posent un instant derrière mon oreille puis glissent jusqu'à ma clavicule. Les yeux fermés, je tente de caler ma respiration sur la sienne pendant qu'il continue de me masser. « En plus, il faut que je te réserve quelques surprises. Tu aimes ça, non, les surprises ?

— Plutôt oui, et tu dois en avoir pas mal en réserve, j'imagine. » J'inspire profondément et tente de me concentrer. « Autrement dit, je ne verrai jamais l'avenir ? Je ne verrai jamais où tu vis ? »

Il imite une alerte sonore comme dans un jeu télévisé. « C'est une autre question, à moi maintenant.

– Allez…

– Eh, c'est ton deal ! Chacun son tour. » Je pousse un soupir exaspéré. « Où étais-tu quand tu as appris le suicide de Kurt Cobain ?

– Hum, waouh ! » Ça fait longtemps, mais je m'en souviens clairement. « C'était il y a un an, presque jour pour jour. J'étais allée chez Emma après les cours, on était dans sa chambre quand on a entendu la nouvelle à la radio. Du coup, on est allées chercher tous les disques de Nirvana et on a commencé à les écouter en boucle. » Ses doigts s'attardent un moment sur mon épaule, effleurent mon bras et se posent sur ma main. « C'était une semaine bizarre. Les gens pleuraient, comme… ils pleuraient vraiment, comme s'ils l'avaient connu. Je ne suis pas allée jusque-là. N'empêche que c'était vachement triste. » Il me frotte la main avec son pouce et, quand je baisse les yeux, je remarque que je fais le même geste. « Et toi, tu étais où ? »

Je le sens hausser les épaules. « C'était en 1994 », dit-il. Je ne percute pas tout de suite.

« Waouh. » J'arrête de lui frotter la main. « D'accord, c'est vraiment trop bizarre.

– Désolé.

– Et je n'arrive pas à croire que j'ai gaspillé une question. »

Il ramène mes cheveux sur le côté et m'embrasse la nuque. « C'est bon, je t'en accorde une autre », me souffle-t-il derrière l'oreille. Je réprime un frisson.

« Arrête. Tu vas toutes me les faire oublier.

– Parfait, ça fait dix dollars. » Il m'embrasse de nouveau la nuque et je perds totalement le fil de mes pensées. « Tu voulais savoir si j'allais t'emmener dans ton propre avenir ?

– Hmmmmmm.

– Impossible. Enfin, je le pourrais sans doute techniquement parlant, mais je n'ai encore jamais rien fait de pareil et j'ignore ce que ça pourrait donner.

– Pourquoi ? Tu as peur que je n'existe pas en 2012, ou un truc comme ça ?

– Non, certainement pas. Mais je ne peux que voyager durant mon laps de vie. Et toi tu n'as pas vécu au-delà d'aujourd'hui. Je t'emmènerai où tu veux dans le monde, mais jamais avant ni après ce jour précis.

– Vraiment ? »

Il pose son menton dans le creux de mon épaule et hoche la tête. J'imagine que je peux me contenter de ça. Je n'ai jamais eu besoin de quitter l'époque, juste l'endroit.

« En plus, tu ne peux pas vouloir connaître ton avenir, la vie ne serait plus du tout fun autrement. » Il m'embrasse l'épaule. « Et donc, parlemoi d'Emma.

— Emma ?

— Ouais. Comment êtes-vous devenues amies, toutes les deux ? »

Je sens le coin de mes lèvres se retrousser. « Je l'ai rencontrée le jour de la rentrée à Westlake. » Il lève les sourcils, attendant la suite, et je laisse échapper un petit rire. « Comme ma mère voulait que je fasse bonne impression, elle m'avait attifée avec ce pull... » J'esquisse une grimace. « Et cette horrible robe écossaise, qui faisait partie de l'attirail toléré mais que personne ne portait jamais, avec des collants en coton. Cerise sur le gâteau, j'avais un ruban en dentelle dans les cheveux. Il faisait quarante-trois degrés à l'ombre. Je mourais de chaud et tout me démangeait, et j'avais les cheveux comme ça. » Je mime une énorme touffe afro, ça le fait rire. « C'est là que cette fille m'a sauté dessus à la fin des cours, avec ses pommettes saillantes et son pantalon, pour me proposer de traîner avec elle. Je mourais d'envie de rentrer chez moi pour enfiler un short et un tee-shirt, mais je n'ai pas pu lui refuser. Voilà en gros comment j'ai rencontré Emma, qui est très vite devenue ma meilleure amie. »

Je regarde Bennett et ne peux m'empêcher de me projeter dans le café où je raconterai notre journée par le menu à Emma. Raflant sans aucun doute le prix de la meilleure sortie.

« Parle-moi de ta famille », dis-je, ramenant officiellement le sujet sur lui.

Il pousse un grand soupir. « Il y a tellement à dire. Ma mère est un peu… difficile. Que je lui parle d'un sujet d'actu, de la météo ou de n'importe quoi, la conversation peut à tout moment basculer sur les médecins. Bref, elle me prend pour un freak et voudrait juste avoir un gosse normal. »

Je serre ses bras autour de ma taille et, du bout de mon index, redessine les lignes de sa paume couverte de magnésie.

« Mon père, lui, il me prend pour une sorte de créature magique. Quand il a découvert mes aptitudes, il ne m'a plus lâché. Il a passé la première année à rechercher toutes les catastrophes qui s'étaient produites entre 1995 et 2012 et à constituer un énorme dossier incluant toute une liste d'incidents mineurs qui les auraient entraînées. L'idée étant que je remonte le temps et tente de les empêcher.

– Et tu l'as fait ?

– Non. Je veux dire, je ne crois pas devoir changer le cours des choses juste parce que j'en ai la possibilité. Tu as entendu parler de l'effet papillon, non ? Un changement mineur peut avoir des conséquences majeures sur les événements. Je ne pense pas être capable d'intervenir à ce niveau-là. » Il se tait un instant et j'écoute le silence, blottie contre sa poitrine. « Et puis il a fini par trouver le moyen de tirer profit de tout ça, pour sa pomme, en fait. »

Je continue de redessiner les lignes de ses mains parce qu'on dirait que le geste l'encourage à pour-suivre.

« Nous n'avions pas beaucoup d'argent quand Brooke et moi étions gosses. Je veux dire, notre appart' était correct et tout ça, mais ma mère était un peu enfant gâtée, pour avoir grandi dans la mons-trueuse maison de Maggie, j'imagine. Et mon père détestait son boulot – il travaillait dans une banque du centre, je ne sais même pas trop à quel poste –, il rentrait toujours ronchon, et mes parents n'arrê-taient pas de se disputer.

« Et puis il a eu sa grande idée. Il a repris ses recherches, en se concentrant sur la Bourse, cette fois.

– Quoi ? » J'arrête de dessiner les lignes de sa main et me retourne pour le regarder. « Tu n'as pas fait ça, quand même ?

– Si. Je remontais jusqu'à la date qu'il avait rete-nue, une semaine avant le revers majeur de telle ou telle entreprise, et je lui envoyais un courrier avec un topo sur les actions en cours. Il en ache-tait. Elles montaient en flèche. J'y retournais et lui renvoyais un courrier où je lui indiquais quand les revendre. Mon père avait un nouveau job.

– Illégal.

– Pas techniquement. La loi stipule que l'on ne peut pas acheter ni vendre en se tablant sur des informations non divulguées au public. Les informations que nous utilisions l'étaient. »

Je lui lance un regard suspicieux.

« Je te l'accorde, la combine est plutôt tirée par les cheveux. Mais, hé, comme ça, il me lâchait un peu les baskets… jusqu'à récemment. Brooke et moi avons beaucoup voyagé et assisté à tous les concerts qui nous branchaient. Ma mère menait la vie facile qu'elle voulait et mon père avait le sentiment qu'il la lui offrait lui-même. Tout le monde était heureux, sans faire de mal à personne.

– J'imagine que ton père a dû épargner un petit pactole à ce rythme.

– Ben, l'économie a ses hauts et ses nombreux bas, mais si tu sais exactement où investir…

– Tu peux gagner beaucoup ?

– Bien sûr, même des millions.

– Des millions ?

– Ben, on l'a pas cherché.

– Ah d'accord, dis-je en riant, dans ce cas, c'est différent. » Voyageur dans le temps et millionnaire par accident. « Et donc, comment as-tu accès à cet argent ?

– C'est une autre question.

– Je sais. »

Il secoue la tête mais répond en souriant. « En liquide. Et beaucoup pour ce voyage-ci, émis avant 1995 et caché dans ma chambre, chez Maggie.

– Et Brooke ?

– Un sac à dos bourré de billets. » Il m'attrape par le menton pour que je le regarde, puis m'embrasse sur le nez. « C'est tout, à mon tour maintenant. »

J'ai beau adorer me blottir contre lui, j'en ai marre de me tordre le cou pour voir son visage. Je me remets donc en tailleur en face de lui, mes genoux contre ses jambes.

« Salut.

– Salut. » Il me sourit, puis se rembrunit. « Tu sais, je pensais vraiment ce que je t'ai dit l'autre jour. Le fait que je sois ici… » Il cherche ses mots une minute. « … est plus lourd de conséquences pour toi que pour moi. » Comme je n'aime pas le tournant un peu pesant que prend notre conversation, j'imite son jingle de jeu télévisé. « Pouvez-vous reformuler votre affirmation en question, s'il vous plaît ? »

– Est-ce que tu mesures ce que tout cela signifie pour toi ?

– Non. » Je sais que je suis censée le faire, mais pas maintenant. Je n'ai pas envie de penser au comment du pourquoi, encore moins à son éventuel départ. Nous sommes ensemble, en ce moment même, et rien ne m'importe davantage parce que j'ai une subite envie de l'embrasser.

Il pose ses mains sur ma taille. « C'est comme avec mon père. Je pourrais revenir en arrière et modifier une série de détails qui influeraient sur le cours des événements sans que ma vie en soit affectée, mais celle d'autres personnes le serait. Pour le meilleur mais peut-être aussi pour le pire. Me retrouver avec toi *à l'instant* fait partie de ces changements. Pas pour moi, pour toi. Tu existeras en 2012, comme moi, mais dans un avenir qui ne m'inclut pas. Que tu me rencontres en 1995…

– Va être très excitant.

– Va changer tout le cours de ta vie.

– Peut-être en mieux.

– Peut-être pas.

– Bon, je te connais déjà, Bennett. Quel choix me reste-t-il ?

– Tu te rappelles que je t'avais promis de tout te raconter pour te permettre de décider ? »

Je passe mes bras autour de son cou et l'embrasse. « Oui, écoutons mes choix. »

Il inspire vivement. « Le premier : je redeviens le petit nouveau au lycée, un peu étrange qui garde ses distances avec tout le monde jusqu'à ce que Brooke revienne et que je puisse rentrer chez moi. Nous pourrons nous saluer dans les couloirs, et peut-être échanger des regards, comme les gens qui partagent un secret. Mais pas plus, et ta vie redeviendra normale.

– Aucune chance. » Je l'embrasse de nouveau. « Quels sont les autres ? »

Il sourit. « Le second : je passe le temps dont je dispose ici avec toi, nous sortons ensemble comme des gens normaux et voyageons comme des gens anormaux. Et quand Brooke réapparaît, je la ramène chez nous, mais je reviens ensuite. Et j'imagine que je continuerai de le faire jusqu'à ce que tu en aies marre de me voir. » Il étudie l'expression de mon visage.

Ça semblait plutôt facile jusque-là, mais maintenant qu'il m'oblige à y réfléchir sérieusement, je mesure l'énormité de la décision à prendre. Deux avenirs : la vie sécurisante mais ennuyeuse que je connais si bien, contre une vie jalonnée d'aventures mais fondée sur l'insécurité. Il m'emmènera partout dans le monde, mais ensuite il repartira. Il y aura des moments où nous serons ensemble et d'autres où nous serons complètement séparés – par les kilomètres, mais aussi par deux décennies environ. La part rationnelle de mon être me conseille d'emprunter la route balisée, aussi peu attrayante soit-elle. Mais quand je regarde dans ses yeux, je sais que mon choix est fait. N'empêche, j'aimerais comprendre une dernière chose.

« Pourquoi devrais-tu bouleverser ta propre vie juste pour être avec moi ?

– Parce que… » Il s'interrompt, inspire et recommence. « J'ai beaucoup aimé ton sens de l'aventure. J'ai pensé que ce serait marrant de t'emmener quelque part où tu n'irais jamais normalement. Mais maintenant, c'est plus que ça. Maintenant, je veux simplement te connaître. » Ses mots font de nouveau battre mon cœur à toute vitesse, je ferme les yeux et inspire profondément. Quand je les rouvre, il continue de me regarder.

« Tu n'as pas dit un jour que c'était une très mauvaise idée ? »

Il rit dans sa barbe. « Ouais, je crois bien que oui.

– Tu avais raison, tu sais.

– Je te l'avais dit.

– Mais je choisis quand même l'option numéro deux.

– Tu es sûre ?

– Oui.

Il se fend d'un immense sourire et me serre plus près de lui pour m'embrasser. Tendrement, et doucement, et longtemps, et lentement, à l'infini, exactement comme je le désirais.

Et je sais que je dois l'inviter à dîner parce que la question ne se pose plus. C'est du sérieux, en effet.

Nous continuons notre échange de questions-réponses pendant tout le trajet du retour et, au moment où nous nous garons dans l'allée, je réalise en levant les yeux sur ma maison que j'ai accompli l'impossible : j'ai rencontré Bennett Cooper. Et, bien que je doive m'en séparer à contrecœur, je viens tout de même de passer pratiquement onze heures avec lui.

Il éteint le contact et se penche pour m'embrasser, mais je pose un doigt sur ses lèvres. « Attends, j'ai une dernière question. » Il s'arrête dans son élan. « Pourquoi me regardais-tu courir sur la piste de Northwestern, le jour où tu es arrivé à Westlake ?

— Encore cette question ? » Il se rassoit.

— Ben, ouais, tu ne m'as toujours pas répondu, en fait.

— Je l'ai fait. Je ne savais pas de quoi vous parliez le jour où Emma m'a agressé à la cafète, et je ne le sais toujours pas.

— Ça n'était vraiment pas toi, alors ?

— Écoute, tu sais tout ce que tu peux savoir sur mon compte. Et je te le redis : je n'étais pas là ce jour-là. Je ne suis toujours pas allé à Northwestern. Et je ne risque pas de le faire à six heures trente du matin par moins un degré. C'est ton délire à toi, ça, pas le mien », conclut-il avec un petit rire. Tout, de ses paroles à l'expression de son visage, m'incite à le croire. Après tout, il n'a aucun motif de me mentir maintenant que je suis au courant.

« Comme j'ai déjà répondu à cette question, à de multiples reprises d'ailleurs, tu as le droit de m'en poser une autre. »

Je reprends volontiers notre petit jeu : « Quel est ton endroit préféré au monde ? »

Il se fend d'un immense sourire : « Facile. Vernazza. Un petit village de pêcheurs sur la côte nord-ouest de l'Italie, dans les Cinque Terre. On ne peut y accéder que par train – du moins, c'est ce que font la plupart des gens. C'est le petit village le plus étonnant que je connaisse. Avec de minuscules ruelles pavées, des maisons miniatures de toutes les couleurs bâties à flanc de colline, des bateaux multicolores amarrés dans le port. C'est spectaculaire. » Son regard s'attarde sur mes lèvres, et, comme il se penche, je ferme les yeux et l'attends. « Tu adorerais », dit-il, et, pendant que nous nous embrassons, ce petit village s'anime dans mon imagination, et nous y sommes tous les deux.

« Je suis de retour ! » Je crie en direction du salon avant de grimper l'escalier, l'esprit un peu embrumé. J'ai les bras et les cuisses courbaturés, et mes chaussons d'elfe tout neufs m'ont causé des ampoules.

« Annie, peux-tu venir un moment ? » m'appelle mon père. Je fais demi-tour et m'oblige à me diriger vers l'endroit d'où provient sa voix. Dès que j'entre dans la cuisine, mes parents se lèvent et fondent sur moi. « Comment ça va ? » demandé-je, me préparant à recevoir une leçon de morale pour avoir passé toute une journée avec un garçon qu'ils ne connaissent même pas. Sauf qu'il me semble repérer que ma mère a pleuré.

« Qu'est-ce qu'il y a ? » Je les dévisage à tour de rôle. Qu'est-ce qui se passe ?

– C'est Justin… » Ma mère me prend dans ses bras, mais je résiste.

« Qu'est-ce que tu veux dire ? Qu'est-ce qu'il a, Justin ? »

Comme elle se remet à pleurer, mon père intervient. « Ma chérie, il a eu un accident de voiture. J'imagine que c'est arrivé un peu plus tôt, mais nous venons juste de l'apprendre.

« Un accident ? Vous êtes sûrs ? »

Ma mère essaie de se reprendre, s'empressant d'essuyer ses larmes. « Nous n'avons pas encore beaucoup d'informations, ma chérie, j'imagine qu'il rentrait en ville, et quelqu'un a grillé un feu. Les Reilys sont à l'hôpital en ce moment, et je suis sûre qu'ils seraient heureux de te voir – nous t'attendions pour pouvoir y aller ensemble.

– Pourquoi Justin allait-il dans le centre ? Il n'a même pas de voiture. »

Et soudain je percute.

« Oh, mon Dieu, il était avec Emma. »

19

Mon père est au volant, ma mère à côté de lui, moi à l'arrière. Vingt kilomètres sans que personne prononce une parole. Comme nous suivons l'itinéraire qu'Emma emprunte, en principe, pour se rendre en ville, je cherche les fragments de carrosserie, les bris de verre, ou encore des bouts de plastique rouge des feux arrière. Des indices qui me révéleraient à quel endroit leur balade en amoureux a viré au cauchemar.

Mon père nous dépose devant l'entrée principale de l'hôpital et va se garer. Les parents de Justin se lèvent dès que ma mère et moi entrons dans la salle d'attente. Les yeux rougis et gonflés, ils nous remercient d'être venues. Madame Reilly nous explique ce qui s'est passé. Malgré notre proximité, ses mots se diluent dans ma tête et en ressortent aussitôt. Je ne retiens que quelques éléments. L'accident s'est déroulé peu après quatorze heures. Ils n'ont pu arriver à l'hôpital qu'à seize heures trente, mais les parents de la fille étaient présents dès le début. Une bonne chose, parce qu'elle était très mal en point. Elle et Justin sont maintenant en unité de soins intensifs, au septième étage. Elle vient de sortir du bloc opératoire dans un état très critique. Justin va s'en tirer, mais ils le gardent encore en observation cette nuit.

J'ai dû trouver une chaise puisque me voilà assise. Ma mère, qui a l'air d'évoluer au ralenti, attire madame Reilly vers elle et lui chuchote quelque chose à l'oreille.

La voix de celle-ci grimpe d'une octave quand elle demande : « Qui ? Emma ? » Les gens tournent la tête vers elle, comme soulagés d'être brièvement distraits du motif, quel qu'il soit, qui les a faits atterrir aux urgences un samedi soir.

« La fille qui était avec Justin aujourd'hui. C'est Emma, la meilleure amie d'Anna. » Justin. Emma. Emma et Justin. Je n'arrive plus à respirer. Cette histoire est insensée.

Ma mère parle tout bas à madame Reilly pour que je ne puisse pas entendre. Mais je me sens déjà tellement loin. Elle me rejoint au bout de quelques minutes, me frottant le dos en dessinant de petits cercles. Ce geste m'envoyait directement dans les bras de Morphée quand j'étais petite. Il me paraît encore très familier, même si elle ne l'avait plus fait depuis des années. « Ma chérie… Justin va s'en sortir, la voiture les a percutés du côté du conducteur, mais Emma a reçu l'impact de plein fouet. Les Reilly ne savaient pas avec qui Justin était sorti. Mais j'imagine que les parents d'Emma ont dû passer l'après-midi à ses côtés. Si ça se passait au Northwestern Memorial, je ferais partie du staff, mais ici… »

J'entends la frustration dans la voix de ma mère qui déteste être impuissante. « Je vais voir si je peux glaner quelques infos dans les étages », annonce-t-elle. Alors que je n'ai pas ouvert la bouche depuis que nous avons quitté la maison, je retrouve soudain ma voix. « Je viens avec toi ! »

Emma a l'air frêle et fragile entre ses draps blancs. Elle a les yeux fermés et des cernes qui descendent jusqu'à ses fameuses pommettes, gonflées, noires et luisantes. Les marques rouges sur un côté de son visage – ainsi que ses parents me l'ont expliqué avant que je la voie – indiquent les endroits d'où le chirurgien a extirpé les bris de verre. En dépit de la gravité globale de son état, je pense que c'est la sonde enfoncée dans son nez qui risque de réellement la saouler à son réveil.

Son aspect extérieur a beau être alarmant, les choses ont été relativement faciles à arranger. La vraie mutilation reste invisible. Sa rate a éclaté sous le choc, et l'équipe chirurgicale qui a procédé à l'ablation a mis deux heures pour localiser l'origine des saignements internes. Elle a une petite fracture du crâne dont ils disent qu'elle devrait se remettre toute seule, mais elle devra passer un IRM pour déceler d'éventuelles séquelles au cerveau. Quand ses lésions internes seront soignées, il faudra lui reconstruire l'épaule gauche. Elle a trois côtes brisées, mais ses poumons ne sont pas perforés, ont ajouté les médecins en guise de « bonne nouvelle ».

L'autre voiture les a percutés à quatre-vingt-cinq kilomètres à l'heure. « Une collision T-bone[1], a précisé madame Atkins. Emma ne l'aura probablement pas vue arriver. » Je veux bien la croire.

Je prends la main douce et parfaitement manucurée d'Emma dans la mienne encore recouverte de magnésie, sans parler du sable sous mes ongles, et m'assois tout près d'elle sur le lit. L'accident s'est déroulé vers quatorze heures. Au moment où je flirtais et riais avec Bennett, lovée contre lui, ma meilleure amie se faisait déchiqueter par des morceaux de carrosserie et de verre avant d'être transportée en urgence à l'hôpital où on l'a de nouveau charcutée pour pouvoir la recoudre enfin. Il m'aura fallu six heures pour le découvrir. Une autre pour

---

1. Côte de bœuf dans laquelle on a gardé l'os en forme de T.

me rendre sur place. Et encore une dernière pour arriver à lui prendre la main. Soit huit heures en tout.

Dans la minuscule pièce, on ne peut échapper aux ronronnements, martèlements et divers bips des appareils. J'ai envie de les débrancher et d'offrir à Emma le silence paisible qu'elle mérite, mais je réalise ensuite qu'elle ne serait peut-être plus là sans eux. Alors plutôt que de pester contre les bruits qu'ils émettent, je tente de trouver ceux-ci mélodieux. *Cronck-bip. Cronk-bip-brr. Cronck-bip.*

Nous gardons le silence un moment, Emma parce qu'elle ne peut pas parler, moi parce que je suis à court de mots, même si je devrais l'informer de ma présence.

La porte coulisse et je reste bouche bée. Justin débarque dans son peignoir d'hôpital, couvert d'ecchymoses et de bandages, la tête immobilisée dans une minerve, les cheveux en bataille parsemés de grains qui ressemblent à du sang coagulé, et le poignet plâtré.

« Justin ! » Je repose doucement la main d'Emma sur les draps et vais pour me jeter à son cou, puis me retiens au dernier moment, craignant de lui faire mal, et c'est lui qui s'avance pour me prendre dans ses bras. Les éraflures sur son corps et son visage ont beau être superficielles, elles lui donnent un air de poupée en porcelaine qu'on aurait fait tomber par terre avant d'en recoller les morceaux. D'autant qu'à mon avis la colle n'est pas encore bien sèche.

« Ça va ? » Je pose ma main sur une portion de son bras qui semble indemne, mais il se contracte et je m'écarte aussitôt, comme s'il brûlait. « Je suis tellement désolée.

– Tout va bien », me rassure-t-il, dans une sorte de demi-étreinte instable.

« Comment va-t-elle ? »

Je secoue simplement la tête et le vois se décomposer. Son regard se pose sur Emma. Et nous pensons probablement la même chose : il ne s'en sort pas si mal alors qu'elle est sacrément amochée. Justin me relaie à son chevet, lui massant la main avec son pouce.

« Tu devrais être chez toi en train d'écrire des trucs sur moi dans ton journal intime », lui murmure-t-il avec un sourire qu'elle ne peut lui rendre. « J'avais toute une série de blagues à te raconter. Et j'avais lu le journal ce matin pour qu'on puisse commenter l'actu ensemble. Tu aurais été impressionnée. Et maintenant, regarde-moi, ajoute-t-il en baissant les yeux vers sa poitrine, mon plus beau sweat-shirt est en loques. »

Il lui sourit toujours, et lui parle comme j'aurais dû pouvoir le faire aussi.

« Elle cherchait un CD. » Il continue de la regarder, mais je sais qu'il s'adresse à moi désormais. Alors je vais m'asseoir de l'autre côté du lit et je l'écoute, l'autre main d'Emma dans la mienne. « On discutait de ce groupe anglais dont elle était fan, m'explique-t-il, le visage crispé, et elle m'a demandé de prendre l'étui à CD par terre. » Je visualise la pochette rose fluo en daim que je lui ai offerte l'année dernière à son anniversaire, et mon estomac se noue. Je range constamment ses CD à l'intérieur, j'aurais mieux fait de les laisser en vrac dans la boîte à gants ou sur le tapis de sol où elle les laisse habituellement traîner. « Elle a commencé à le chercher… »

Je me contente de serrer la main d'Emma parce que notre silence commun confirme mon pressentiment. Elle ne faisait pas attention, elle est responsable de l'accident. Elle a percuté la voiture avec mon cadeau entre ses mains, ce qui ne devrait pas me faire sentir aussi coupable, mais c'est râpé.

On frappe et, avant que nous ayons pu réagir, l'infirmière a passé la tête dans l'entrebâillement de la porte coulissante. « Désolée, les jeunes, je ne peux pas vous accorder plus de temps. » Sa voix est juste assez forte pour couvrir le bruit des appareils. « Je n'étais même pas censée vous laisser entrer, ajoute-t-elle comme si nous allions contester. La famille seulement. » Nous le savons. Elle nous l'a rabâché trois fois depuis que ma mère a tiré je ne sais quelle ficelle pour nous octroyer ces dix minutes de visite bien trop brèves.

Je serre de nouveau la main d'Emma dans la mienne, lui caresse les pommettes et lui murmure « Je reviendrai demain », avant d'aller attendre Justin à la porte.

Il rabat ses cheveux vers l'arrière. « À demain », lui promet-il également. Il balaie une dernière fois la chambre sinistre du regard. « Et je t'apporterai de la musique, ça t'aidera peut-être. »

Sur le coup, je pense qu'il fait allusion aux bips incessants que la musique pourrait couvrir. Mais à la façon dont il regarde Emma, je devine qu'il espère plutôt la ramener par ce biais de l'endroit très lointain où elle se trouve en ce moment.

Emma n'a pas l'air en meilleure forme le dimanche, mais la pièce est plus joyeuse. D'énormes bouquets de fleurs aux couleurs vives trônent sur les tables et tablettes aseptisées, des cartes de « prompt rétablissement » ornent un mur nu tandis qu'une collection de ballons Mylar portant un message similaire en caractères fantaisie décore le pourtour de sa petite fenêtre. « Dix minutes, nous annonce l'infirmière. Juste pour lui tenir compagnie avant le retour de ses parents. Vous n'êtes pas censés être là. » Elle regarde derrière elle pour s'assurer que personne ne nous a vus entrer, puis referme la porte après avoir tiré le rideau.

Justin n'est pas encore rentré chez lui, mais sa mère lui a apporté son ghetto blaster et tout un tas de disques qu'il lui a réclamés. Il contourne le lit d'Emma et vient le brancher dans la prise murale, près de l'écran de contrôle. Il choisit un CD – l'une de ses compilations maison dont je ne peux m'empêcher de remarquer que le boîtier n'est pas décoré d'arabesques à l'aquarelle – et appuie sur « play ». Les *whir-thump-beep* des appareils sont aussitôt intégrés aux basses du morceau. Je vais m'asseoir au bord du lit à côté d'Emma, regrettant de ne pouvoir lui parler comme Justin le faisait hier. Mais, chaque fois que j'ouvre la bouche, je me sens bizarre.

« Tu veux que je sorte un instant ? » me demande-t-il, conscient de mon embarras. Ce serait encore pire : je n'aurais plus aucun prétexte pour rester muette.

« Non, pas la peine. »

Il va s'installer de l'autre côté du lit et lui prend la main aussi. Dix minutes puis vingt s'écoulent, sans que l'infirmière revienne nous chasser. Nous en profitons. Je regarde en silence la poitrine d'Emma se soulever et redescendre. Justin se tait aussi, fasciné par les lueurs rouges émanant des appareils. La musique contribue à égayer cette horrible pièce, mais c'est à peu près tout ce qu'elle parvient à faire. Emma semble plus loin que jamais.

Les Atkins reviennent et je regarde Justin. Il a été libéré il y a une demi-heure, ses parents sont en train de s'acquitter des formalités de sortie au rez-de-chaussée. Il paraît épuisé, c'est tout juste s'il peut garder les yeux ouverts.

« Tu veux prendre un peu l'air ? » Il réfléchit quelques secondes avant d'acquiescer. Histoire de pouvoir revenir dans la chambre d'Emma, je laisse toutes mes affaires à l'intérieur, et nous sortons dans le couloir. Justin s'appuie contre le mur et se frotte le front, indifférent à ses points de suture : « C'est pourri. Putain de truc ! »

Je le guide jusqu'à l'ascenseur. « Tu devrais rentrer chez toi et te reposer, Justin. Reviens demain, quand tu auras repris des forces. » J'aimerais pouvoir dire qu'elle ne sera plus là demain, mais nous savons tous les deux que ce serait s'illusionner.

Nous descendons au rez-de-chaussée et nous suivons les panneaux jusqu'à la cour où nous faisons quelques pas. Le vent glacial nous ramène à l'intérieur. Les parents de Justin patientent toujours à l'accueil, attendant que l'employé ait terminé de remplir les formulaires d'usage. Comme sa mère nous informe qu'ils en ont encore pour un bon moment, nous repartons à la recherche de la cafétéria.

Nous nous installons pour boire le pire café que j'aie jamais goûté et picorer à tour de rôle un beignet rance. J'attaque : « Et donc… toi et Emma… »

Justin me regarde, un sourire coupable aux lèvres.

« Quoi ?

– Rien. » Il prend un morceau de beignet et regarde fixement par la fenêtre. « Je regrette vraiment, j'aurais dû t'en parler. Je n'aime pas avoir des secrets pour toi, Anna, mais j'imagine que toute cette histoire doit te paraître un peu… étrange. Je te connais depuis que je suis né, et… » Il porte la tasse en polystyrène à ses lèvres, prend une autre gorgée, et me regarde droit dans les yeux : « J'aurais dû t'en parler.

– Oui, en effet. » Je lui souris pour qu'il sache que je ne lui en veux pas. « C'est bon, en fait, Emma l'avait fait. Par ailleurs, tu es mon ami, Emma l'est aussi. Quoi de mieux ?

– Alors t'es cool pour nous deux ? »

Je garde pour moi le fait que je ne parviens toujours pas à assembler leurs deux prénoms dans ma tête sans les faire suivre d'un point d'interrogation. « Totalement, je suis totalement cool. »

Nous baissons tous les deux les yeux vers la table. Lui pour suivre les marbrures du Formica du bout de son doigt, moi pour rassembler les miettes de notre beignet en un petit tas.

« Raconte-moi votre sortie. Visiblement, tout se passait bien jusqu'à… » Je regrette aussitôt ces derniers mots, mais Justin ne s'en offusque pas.

Il sourit sans lever les yeux. « La journée a été vraiment géniale. On était déjà sorti ensemble pour dîner, et une autre fois pour prendre un café, et c'était sympa, tu sais. Mais le fait de passer du temps avec elle, chez elle, et de voir sa chambre, son univers, était carrément chouette. »

Il fixe son regard sur la fenêtre, derrière moi. « Et nous avons eu une discussion incroyable…, ajoute-t-il en esquissant un sourire.

— Sur ? »

Il secoue la tête en me regardant à présent. « Laisse tomber… C'est juste une fille super cool. »

Je lui souris, le menton posé dans ma main. « Tu l'aimes vraiment beaucoup, hein ? »

Il croise les bras, s'appuie contre son dossier et acquiesce.

« Je reconnais que je ne m'y attendais pas ; je n'en étais même pas complètement sûr jusqu'à hier. Mais ouais, je l'aime beaucoup. Elle m'a étonné, j'imagine. » J'ignore ce qu'éprouve exactement Emma pour lui, mais il a l'air vraiment accro. Les garçons qui gravent des compilations pour des filles qui ne sont que leurs amies existent donc.

« Elle m'a étonnée, moi aussi. » Et me voilà en train de brosser le portrait d'Emma comme avec Bennett, hier, sur le rocher : ses pommettes et son appareil dentaire, sa gentillesse avec la nouvelle élève aux cheveux afro. Et je souris quand je la vois telle qu'elle est aujourd'hui. Ou du moins telle qu'elle était jusqu'à hier. Les mêmes pommettes mais plus d'appareil dentaire, pas plus que d'échasses en guise de jambes. Juste une Emma ravissante, drôle et ultra sympa, qui charme tout le monde, même une joggeuse endurcie comme moi ou un sceptique dingue de musique comme Justin. Soudain, je réalise que nous nous regardons avec la même expression triste, comme si nous nous demandions ce que nous faisons là, tous les deux, à parler d'elle comme ça.

Justin rompt le silence inconfortable qui s'est instauré. « Boooon…, dit-il en étirant le mot, changeons de sujet, comment s'est passée *ta* journée ? »

J'esquisse un sourire en me revoyant lovée contre Bennett au sommet d'un rocher, échangeant questions, réponses, anecdotes, baisers, et même de la craie avec lui. Puis je me sens terriblement coupable, je ne peux pas sourire alors qu'Emma est dans le coma, six étages au-dessus de moi. « C'était bien. »

Je tente de contrôler mes émotions tandis que je lui raconte l'escalade, la sensation que l'on éprouve au sommet d'un rocher et la vue splendide sur la forêt. J'ajoute que Bennett et moi avons longuement discuté musique, cross-country, voyages, et que nous avons aussi parlé de nos familles. Tout à coup, je réalise que c'est à Emma et au café que j'étais censée raconter tout ça, pas à Justin dans la cafétéria sinistre d'un hôpital. Alors je me tais et me mets à fixer le distributeur automatique, à l'autre bout de la pièce. J'entends Justin dire : « Ça a l'air sympa », comme si sa voix venait de très loin. Nous regardons tous les deux dans des directions opposées, sans prononcer un mot pendant un bon moment.

« Ta mère passe te reprendre à quelle heure ? finit-il par me demander.

– Dix-huit heures. » Je jette un coup d'œil à ma montre. Il n'est que quinze heures.

– Il faut que j'aille prévenir mes parents, mais je peux rester avec toi et vous me déposerez chez moi, si tu veux. Tu ne peux pas rester seule. » Il a l'air sincère mais épuisé, comme s'il luttait pour rester éveillé.

« Tout va bien. Je suis contente de passer un peu de temps seule avec Emma. »

Il me regarde fixement : « Si tu en es sûre », et me serre affectueusement la main par-dessus la table.

Je lui adresse un pâle sourire. « Certaine. » Je mens avec aplomb. Mais je le fais pour lui. S'il ne paraissait pas aussi éreinté et chagriné, je lui dirais ce que j'ai vraiment sur le cœur. Qu'en cet instant précis, alors qu'on est assis comme ça, Justin me paraît être exactement la personne qu'il a toujours été pour moi, mon ami réconfortant qui me grave des disques et me fait rire, le seul avec qui je puisse aborder tous les sujets. Et que je voudrais qu'il me serre fort dans ses bras et me dise que tout va bien se passer, parce que alors, peut-être, je pourrais le croire.

20

Danielle arrive à l'hôpital juste après le départ de Justin, et nous nous faisons pincer alors que nous tentons de nous réintroduire dans la chambre d'Emma. L'infirmière s'apprête à nous chasser au moment où débarque la mère d'Emma qui la convainc de nous laisser entrer un moment. Mais Danielle ne peut pas supporter la situation très longtemps. Au bout de dix minutes, madame Atkins passe un bras autour de son cou et lui suggère de revenir plutôt le lendemain. La mère d'Emma et moi meublons les trois heures suivantes à discuter de tout et de rien et à regarder par la fenêtre. Quand l'horloge affiche enfin dix-huit heures, je ne peux m'empêcher de me sentir soulagée. Je dépose un baiser sur le front d'Emma, embrasse sa mère et sors, m'apprêtant à gagner la salle d'attente pour retrouver la mienne.

J'entends le *ding* lointain de l'ascenseur et, quand je vais pour tourner au bout du couloir, je rentre littéralement dans quelqu'un. Nous marmonnons quelques excuses jusqu'à ce que chacun réalise qui est la personne qu'il vient de percuter.

« Te voilà, enfin ! » s'exclame-t-il au moment où je demande : « Qu'est-ce que tu fais là ?

– Je te cherchais. » Bennett paraît soucieux. « Pourquoi ne m'as-tu pas prévenu ? »

Je ne sais trop quoi répondre. J'aurais dû y penser, en effet. Je ne peux que hausser les épaules tandis qu'il m'attire contre lui pour me prendre dans ses bras et me demander si je vais bien. J'opine en silence.

S'il devait y avoir un instant T pour que je me mette à pleurer, ce serait celui-là – blottie contre lui comme je le suis, avec sa tête appuyée sur la mienne et le contact de sa main sur mes reins –, mais je n'y arrive pas. À la place, je lui parle des perfusions, des tubes, des points de suture, des médecins et des séances de rééducation qu'Emma va devoir endurer. Et j'ajoute qu'elle est très amochée, que je ne la reconnais pas. Et que je me sens horrible de dire ça.

L'ascenseur tinte de nouveau, cette fois c'est ma mère qui en sort. Elle a l'air surprise de me voir dans les bras d'un garçon qu'elle n'a croisé qu'une fois et dont je n'ai jamais voulu parler lors de nos dîners du mardi. « Hmm, bonsoir.

– Salut, m'man, dis-je nerveusement. Tu te souviens de Bennett... l'autre soir... à la librairie. »

Elle hoche la tête et lui tend la main. « Oui. Bonsoir, Bennett. » Elle continue de lui serrer la main en le regardant fixement, et j'aimerais qu'elle le gratifie de son sourire caractéristique, son sourire d'infirmière qui fait fondre les gens. Son expression n'est pas réfrigérante, mais elle ne dégage aucune chaleur particulière non plus, et quand elle finit par lui lâcher la main, Bennett a l'air passablement soulagé. « Comment va Emma ? » me demande-t-elle ensuite.

Je hausse les épaules. « Pareil, sa mère est là maintenant.

– Je vais aller voir si je peux faire quelque chose. Tu veux venir avec moi ? »

L'idée de retourner dans cette chambre me glace. « J'y ai passé toute la journée, maman. Ça t'embête si... peut-être que... Bennett pourrait me ramener à la maison ? »

Elle se retourne vers lui et recommence à le regarder, de pied en cap cette fois, l'air très inquiète. « Comment conduis-tu ?

– Bien, je suis prudent. » Comme elle semble toujours aussi soucieuse, il ajoute : « Je serai particulièrement attentif.

– Le vent est très fort.

– Je roulerai lentement, madame Greene.

– Dans ce cas, c'est d'accord. » Elle me serre dans ses bras et me colle une bise sur le front. « À tout à l'heure, Anna. » Mais, au lieu de se diriger droit vers la chambre, elle s'attarde encore un moment. « Tu sais, Bennett, le père d'Anna m'a dit qu'elle était censée t'inviter un de ces soirs à dîner pour que nous puissions faire plus ample connaissance. L'a-t-elle déjà fait ? »

Il jette un coup d'œil dans ma direction avant de répondre. « Pas encore, madame Greene. Mais je suis sûr que...

— Que dirais-tu de mardi ?

— Mardi ? » Bennett m'interroge de nouveau du regard, mais je me cache derrière ma main et l'entends répondre : « Mardi, c'est super !

— Parfait. À mardi, alors. » Ma mère me plante un dernier baiser sur le front, puis elle pivote et disparaît au bout du couloir.

Dans l'ascenseur, Bennett me regarde. « Dîner mardi alors, opine-t-il.

— Désolée.

— Pas de quoi, tout va bien. J'aime beaucoup les dîners en famille. » L'ascenseur s'arrête et nous gagnons le parking main dans la main. « En fait, je suis incapable de me souvenir de mon dernier repas familial. Ce n'est pas tellement le genre de la maison Cooper.

— Chez nous, c'est uniquement le mardi. Mon père et moi fermons le magasin plus tôt, et ma mère n'est jamais de service ce soir-là. Elle tient à ce qu'on dîne ensemble au moins une fois par semaine. »

Bennett m'ouvre la portière et je monte dans la Jeep. Nous nous retrouvons tous les deux dans la voiture, exactement comme la veille à la même heure. Mais nous roulons dans la direction opposée cette fois, sans rire, sans se pincer par-dessus le levier de vitesse, sans jouer au jeu des questions-réponses.

« Ça va ? » ne cesse-t-il de me demander tout bas, tandis que je ne cesse de lui mentir en acquiesçant.

Les réverbères et les feux de signalisation luisent le long des rues que nous remontons très lentement. On dirait que Bennett roule largement au-dessous de la limite de vitesse. Ma mère a dû le terrifier, ou c'est moi qui vois tout au ralenti désormais.

« Ils étaient seuls, finis-je par dire, les yeux rivés sur ma vitre. Justin a passé quatre heures tout seul à l'hôpital avant que ses parents n'arrivent. Emma, deux. » J'essuie la buée et scrute la nuit. « J'ignore pourquoi ce fait précis me tracasse tellement, mais je n'arrête pas de me les représenter dans des chambres séparées, entourés d'inconnus.

– Ils savaient que tout le monde était en route pour venir les voir.

– Tu crois ? » Bennett me prend la main.

Nous nous taisons jusqu'à ce que je parvienne à formuler ce qui me tracasse réellement. « Moi, je n'y étais pas, en tout cas. »

Il me regarde.

« Il m'a fallu *huit* heures pour arriver.

– C'est bon, Anna, tu y es allée aussi vite que tu as pu. »

Il serre ma main dans la sienne, et même s'il n'y a vraiment rien qu'il puisse dire pour alléger ma peine, son geste reste réconfortant. Je regarde nos doigts entremêlés sur le pommeau du levier de vitesse – ses ongles sont encore poussiéreux de l'escalade –, et je me souviens d'avoir parcouru les lignes de sa main, blottie contre lui. Le contact de ses mains me paraît si naturel, maintenant, que j'oublie à quel point elles sont extraordinaires.

« Oh, mince... » Je retire brusquement la mienne comme s'il brûlait. « Gare-toi, Bennett.

– Pourquoi, qu'est-ce qui se passe ?

– Gare-toi, s'il te plaît. » Je tremble, me sens idiote et m'en veux de ne pas y avoir pensé plus tôt.

Bennett bifurque dans une rue résidentielle, trouve une place où stationner et continue de regarder fixement à travers le pare-brise, sans rien dire. Là, je réalise une chose : j'ai beau ne pas y avoir songé plus tôt moi-même, il sait exactement ce que je suis sur le point de lui demander. Car même s'il a pu momentanément me sortir de la tête, Bennett Cooper, lui, n'oublie jamais son talent caché.

« Remonte le temps. » Je pivote sur mon siège pour lui faire face. « Bennett, je t'en prie, reviens un jour en arrière.

– Je ne peux pas », dit-il sans me regarder.

– Si, tu le peux. Tu peux réparer ça. Si on revient juste avant le moment de l'accident, on l'empêchera de conduire. On peut arranger ça ! Bennett ? »

Il sort en claquant la portière, je reste à grelotter sur mon siège. La lumière des phares éclaire l'expression de rage qui passe sur son visage tandis qu'il abat ses deux poings sur le capot. Je sursaute. Il fait quelques pas et revient s'appuyer contre le pare-chocs, dos à moi. Je regarde ses épaules se soulever et redescendre, et pense que je devrais regretter d'avoir posé la question, mais ce n'est pas le cas.

Il remonte dans la voiture au bout d'un moment, un peu calmé, mais néanmoins crispé sur son volant pour maîtriser ses tremblements.

« S'il te plaît, ne me demande plus jamais de faire ça.

– Écoute, je connais *tes* règles. » J'insiste sur le possessif en espérant qu'il entendra aussi mon point de vue. « Je comprends ton truc sur l'effet papillon et tes superstitions concernant ton influence éventuelle sur l'avenir mais…

– Ça n'est pas *mon* truc sur l'effet papillon, mais l'effet papillon, un concept majeur de la théorie du chaos qui n'a rien à voir avec de la *superstition*. Toute modification infime peut avoir d'immenses répercussions… Ça n'est pas moi qui ai inventé tout ça, Anna.

– D'accord, je sais. Mais tu peux influer sur de petites choses, non ? Sur des détails insignifiants ? En quoi est-ce différent de ce que tu as accompli pour tes parents ? De notre escapade vendredi avant le cours d'espagnol ? De ton intervention dans la librairie le soir où tu m'as sauvée du cauchemar ? Et regarde… » Je fais un geste nous englobant tous les deux. « Il ne s'est rien passé d'horrible. Nous sommes toujours là. Pas de chaos-papillon.

– Ça n'est pas aussi simple. Il y aura des répercussions. Mais je ne peux simplement pas revenir en arrière dans ce cas présent. »

Je le fixe du regard, le contraignant à me regarder aussi, ce qu'il finit par faire : « Peux pas ou veux pas ?

– Veux pas.

– Pourquoi ?

– Écoute, je n'aurais dû faire aucun de ces deux retours en arrière, Anna, mais c'était différent. Je suis retourné une heure et cinq minutes. Pas toute une journée. Je n'ai pas empêché le gars de brandir son couteau ni de cambrioler le magasin. Je t'ai juste fait sortir du magasin et j'ai prévenu les flics plus tôt. Et l'autre jour, au lycée, on est quand même allés en cours, comme si cette heure n'avait jamais existé. Des interventions mineures. Un accident de voiture, c'est un événement majeur.

– Désolée, je ne vois pas la différence.

– Ah bon ? Mon père non plus. » Il se mord la lèvre et regarde à travers sa vitre. « Écoute, on part sur une pente glissante, là – je modifie un événement qui a nui à une personne innocente et soudain je dois empêcher un avion qui s'est crashé de décoller, et je deviens, à moi seul, le système d'alarme de toutes les catastrophes naturelles de la planète. Jusqu'à ce qu'une catastrophe plus grande encore se produise à cause de ce que j'aurais fait pour enrayer la précédente. On parle de *mon* don, là. Et je ne crois pas être censé l'employer comme ça. Je suis censé observer, pas jouer à l'apprenti sorcier. Sans compter que j'enfreins déjà toutes les règles en étant ici.

– Pas *les* règles, *tes* règles. Et comment sais-tu qu'elles sont justes ? Peut-être que tu es *censé* les mettre à l'épreuve.

– Ça n'est pas le cas. Et si tu te souviens bien, Anna, ajoute-t-il sans cesser de me regarder dans les yeux, la dernière fois que j'ai enfreint mes règles pour une fille, ça ne s'est pas si bien passé. Pour *elle.* »

Il marque un point, mais je ne baisse pas les bras. Impossible. Pas quand ma meilleure amie a passé la journée à se faire charcuter. Et qu'il lui manque certains organes désormais, alors que d'autres tiennent par des bouts de ficelle. Elle a beau être une piètre conductrice, elle mérite d'avoir un avenir.

« Bon, mais il ne s'agit pas de moi. Et il ne devrait pas s'agir de toi non plus. »

Il me regarde tristement et je sais qu'il veut l'aider. Qu'il veut m'aider. Et être un héros en dépit de ses convictions. « Il ne s'agit pas de moi, Anna, mais de tous… ceux qui sont impliqués. Je ne peux pas. Je suis désolé, mais c'est trop dangereux.

– Est-ce qu'au moins tu accepterais d'y réfléchir ? » J'esquisse un sourire, espérant qu'il me le rendra. Mais il allume le contact et fait demi-tour.

« Non. N'insiste pas ! »

21

« V os projets de voyage, *por favor.* » Je me retourne pour réceptionner la pile de devoirs que l'on me tend. L'un est sous couverture plastifiée, l'autre relié par une spirale. Le mien, que j'avais prévu d'agrafer, est toujours à l'état de notes manuscrites, que j'ai glissées dans mon guide de voyages puis fourrées dans mon sac à dos. Je ne vais pas pouvoir le rendre aujourd'hui, mais, apparemment, je ne suis pas la seule à ne pas respecter la *deadline*.

La chaise de Bennett est vide. Quand il m'a déposée hier soir, j'ai claqué la portière et je suis rentrée chez moi sans me retourner. J'ai jeté un œil par la fenêtre de la cuisine pendant une minute ou deux, assez longtemps pour le voir poser le front contre son volant, avant de manœuvrer brusquement et de sortir de l'allée en trombe.

Argotta donne son cours sans proposer d'ateliers de conversation. La cloche sonne, je lambine jusqu'à ce que les autres élèves soient sortis et m'arrête devant son bureau en attendant qu'il me remarque. « Comment vais-je trouver votre projet, *señorita* Greene ? demande-t-il en tapotant la pile d'exposés.

– Vous allez l'adorer, *señor,* mais il n'est pas encore terminé. »

Je m'attends à ce qu'il me regarde comme si je venais de le laisser tomber, mais il me gratifie d'un sourire compréhensif, se lève, et vient se poster devant son bureau pour que nous puissions discuter. Je lui parle de l'accident d'Emma samedi (il était au courant), lui rappelle le cambriolage (qui l'attriste), lundi dernier, et j'insiste sur le fait que je ne suis pas du genre à quémander un délai mais que la semaine a été particulièrement éprouvante (il confirme).

« Je voudrais annoncer le résultat assez rapidement, pensez-vous pouvoir me remettre votre devoir d'ici à jeudi ? » J'acquiesce. « Si vous avez besoin de plus de temps, faites-le-moi savoir, auquel cas nous reporterions le résultat à la semaine suivante.

– *Gracias* », dis-je. Je sors de la classe et traverse le Donut pour aller déposer mes livres dans mon casier puis gagner la cafétéria. Mais, après un bref coup d'œil à notre table vide, je décide que je n'ai pas faim.

Ma mère me conduit jusqu'à l'hôpital. Dans la chambre d'Emma, je dépose mon sac à dos, me plante sur une chaise et me mets à plancher sur mon devoir d'espagnol. Au bout d'une demi-heure, une infirmière entre pour vérifier la courbe de température, m'adresse un sourire sympathique et repart.

Emma a l'air très lointaine dans son lit, isolée, alors je prends mon exemplaire de *Lonely Planet : Yucatán,* m'installe à côté d'elle et commence à lui en lire des passages sur les « plages de rêve », la « vie nocturne débridée » ou encore les « côtelettes de porc cuites dans des feuilles de bananier ». J'enchaîne sur le chapitre consacré au shopping qui, normalement, susciterait son intérêt.

Je commence à chuchoter. « Cet endroit paraît incroyable, Em, écoute ça : "Les visiteurs apprécieront l'artisanat de la péninsule... les somptueux ornements en argent ciselé, les magnifiques galions sculptés dans le bois d'acajou, et les chapeaux de Panamá si finement tissés qu'ils peuvent contenir de l'eau." Assez génial, non ? »

Je guette sa réaction. Constatant l'immobilité de ses traits, j'élève un peu la voix. « Tu as vraiment une tête à chapeau, tu vois. Si je gagne le concours, je t'en rapporterai un. » Je replonge dans mon guide. « Oh, et tu sais quoi ? Ils fabriquent aussi les meilleurs hamacs qui soient. Qu'est-ce que

tu en dis ? Chapeau ou hamac ? » J'attends vaine-
ment une réponse, n'importe laquelle, avant d'ajouter : « Je te rapporterai les deux. »

Je choisis d'autres passages qui pourraient l'interpeller et m'apprête à aborder la séquence « cuisine »
quand je repère une goutte sur la page, puis une
autre, et encore une autre. Je me rends compte que
mes joues sont humides, que mes larmes coulent sur
les pages, sur les draps, sur la main d'Emma, sans
que je puisse les retenir. Je regarde son visage, les
nombreux tubes, et ma poitrine se serre.

Je m'allonge sur son bras droit, la seule partie
d'elle exempte de points de suture ou de lésions, et
lui murmure que je suis désolée, pour m'autoriser
enfin à verser toutes les larmes de mon corps, parce
qu'elle n'est pas censée se trouver là. Certes, elle a
fait une petite erreur, un minuscule geste malheu-
reux. Serions-nous là si une fraction de sa journée
avait été différente ?

Que serait-il arrivé si Emma et Justin avaient
choisi une autre destination ? Le cinéma, par
exemple, ou le centre commercial ? S'ils étaient partis dix minutes plus tôt ? Ou dix minutes plus tard ?
Ou si elle n'avait pas désiré entendre ce CD ? Que
serait-il arrivé si elle avait marqué un arrêt complet
à chaque stop, retardant son arrivée à cette intersection précise de quelques minutes ? Ou encore
si l'autre conducteur avait oublié quelque chose

chez lui et qu'il soit retourné le chercher ? Et si je n'avais pas insisté pour que ses CD soient rangés dans cet étui stupide ? Et si, si, si, si, *si* ? Si un seul petit détail avait été différent, un simple petit détail insignifiant, Emma et moi aurions passé la journée d'hier au café à déguster des *latte* et à comparer nos sorties respectives en amoureux.

Bennett n'aurait besoin de changer qu'un infime détail. Il est le seul à pouvoir remédier à cette situation, mais il a peur de le faire.

J'embrasse Emma sur la joue et lui chuchote à l'oreille : « Faut que j'y aille maintenant, Em, mais je reviendrai. Je vais tout faire pour essayer de rectifier le tir. Après quoi, tu ne te souviendras plus de rien. »

22

Ma mère se gare devant chez Bennett, l'air impressionnée. « Waouh, belle bâtisse ! — C'est à sa grand-mère », dis-je, mais je parierais que celle que son père a pu acheter avec leur boursicotage est tout aussi imposante. « Je rentre un peu plus tard, d'accord ? Merci de m'avoir accompagnée et remercie aussi papa de m'avoir remplacée au magasin. » Je ferme la portière et traverse la pelouse enneigée parce que, visiblement, l'allée n'a pas été salée. Je frappe à la porte.

C'est Bennett qui m'ouvre : « Je viens de passer la journée avec Emma », dis-je sans préambule. Il regarde nerveusement dans la maison, finit par refermer la porte derrière lui et me rejoint sur le perron.

« Comment va-t-elle ? » Au moins a-t-il la décence de paraître s'en soucier.

« Toujours dans un état critique, pas mieux qu'hier.

— Laisse passer un peu de temps, Anna, elle se rétablira.

— Qu'est-ce que tu en sais ? Tu l'as vue dans l'avenir et tu sais qu'elle est heureuse sans sa rate ?

— Techniquement, on n'a pas besoin de rate.

— Ce n'est pas ce que je voulais dire.

— Je sais.

— Tu arrives à te regarder en face dans un miroir, sachant que tu pourrais réparer les dégâts et que tu ne lèves même pas le petit doigt ?

— Est-ce que je peux me *regarder* en face ? » s'énerve-t-il en chuchotant tout en s'assurant que personne ne nous entend. « Tu veux rire ou quoi ? Cette situation me tue, Anna. Je voudrais essayer, crois-moi, mais qu'arrivera-t-il si j'échoue, si je ne fais qu'aggraver les choses, si l'accident survient malgré tout ? Si je change le truc qu'il ne faut pas et qu'au bout du compte je bousille toute sa vie ? Ou la mienne ? Ou la tienne ?

— Je n'en sais rien, personne ne peut le savoir ! Mais comment peux-tu avoir ce don et ne pas l'utiliser pour découvrir la réponse ? Si tu essaies de revenir en arrière et que l'accident survient malgré tout, au moins tu auras essayé…

— C'est bien où je veux en venir. Je ne suis pas *censé* essayer. Je ne dis pas que ce qui est arrivé est justifié, mais imagine que ce soit…

— Ne t'amuse pas à me dire un truc nul comme "censé arriver", parce que ça ne l'est pas. Elle n'est pas censée se retrouver où elle est.

— Qu'en sais-tu ?

— Hein ?

— Comment sais-tu que l'accident n'était pas censé arriver ? » Je sens la moutarde me monter au nez. « Écoute, je sais que personne ne l'a voulu, mais c'est arrivé. Elle est peut-être *censée* se retrouver à l'hôpital et se réveiller. Ou elle est peut-être *censée* se rétablir et se battre pour une cause importante pour la première fois de sa vie rose malabar jusque-là. Ou peut-être qu'elle est *censée* apprendre à conduire plus prudemment. » Je lui jette un regard noir et me dirige vers l'escalier, mais il me retient par le bras. « Anna, je ne suis pas en train de te dire que c'est juste ni que j'approuve l'accident. Je dis simplement qu'il est arrivé et que je n'ai pas à intervenir dans le processus juste parce que je le *peux*. »

J'ai déjà entendu ces mots-là, mais il y a quelque chose de nouveau dans sa voix. « Attends. C'est ce que tu as vu ? » Je le regarde fixement. « Est-ce que tu as vu son avenir, Bennett ? Est-ce qu'elle se rétablit ? Est-ce que c'est ce qui arrivera ? »

Il secoue la tête et je sens qu'il relâche sa pression sur mon bras. Je ne sais si j'ai visé juste, vu qu'il se contente de me regarder, l'air de ne pas savoir comment poursuivre cet étrange échange. Pas plus que moi d'ailleurs. Qu'il ait vu son avenir ou pas, je ne peux toujours pas me résoudre à laisser Emma croupir dans ce lit aseptisé, entourée d'appareils bruyants. Quand bien même l'événement s'inscrirait dans un dessein plus vaste prévoyant de la transformer en conductrice plus avertie ou en être humain plus éclairé.

J'essaie par un autre biais. « Écoute, tu n'es pas obligé d'arrêter l'accident en soi. Tu peux juste nous faire remonter le temps de… » Je fais le calcul dans ma tête : « quarante-six heures ». Je regarde ma montre. « Quarante-sept si nous devons passer la prochaine heure à discuter dans le froid.

– Ça revient tout de même à changer la donne. »

Je croise les bras. Nous nous regardons en chiens de faïence sans rien dire, comme si nous nous croisions dans une impasse mal famée ou nous affrontions au CP pour savoir qui va baisser les yeux le premier.

« J'ai des devoirs à faire. » Je me dirige de nouveau vers l'escalier. Cette fois, il ne me retient pas ; je suis presque arrivée en bas quand j'entends sa voix.

« Anna ! »

Je me retourne brusquement : « Quoi ?

– Ça ne suffira pas.

– Qu'est-ce que tu veux dire ? Qu'est-ce qui ne suffira pas ?

– Quarante-six heures. Ça ne suffira pas. » Je sens ma poitrine s'alléger d'un poids, comme si j'inspirais pour la première fois après avoir passé un long moment sous l'eau en apnée. Il y a réfléchi. Non, il n'a pas fait qu'y réfléchir, il a aussi effectué le calcul.

Il laisse échapper un grognement. Je sais ce que ça signifie : qu'il est sur le point d'agir contre son gré. J'attends quelques minutes qu'il prenne une initiative. « Entre, je veux te montrer quelque chose », finit-il par dire.

23

Sa chambre semble plus ordonnée que la dernière fois. Rien ne traîne sur son bureau sinon une tasse remplie de stylos et un manuel ouvert. Bennett sort un carnet rouge, tout corné, d'un tiroir, défait l'élastique qui le tenait fermé et se laisse choir sur le lit, m'invitant à le rejoindre. Il ouvre son calepin sur une double page noircie d'encre sur laquelle, en me penchant plus près, je vois une série de calculs et d'équations a priori complexes.

« Il faut que je sois vraiment précis. » Combien de temps a-t-il planché là-dessus ? Toute la nuit ? Toute la journée ? « Nous devons arriver pile au bon moment. »

Il m'indique ses opérations du doigt. « Comme je te le disais, quarante-six heures ne suffiront pas – ça nous ramènerait à quatorze heures samedi, or nous étions dans le Wisconsin, à trois heures de route d'ici. Il faut que nous soyons ensemble, mais pas en train de rouler, de nous déplacer. » Il me montre une ligne temporelle qui traverse les deux pages. « Grosso modo, il faudrait qu'on arrive au moment où je suis passé te prendre.

— D'accord, allons-y ! » Je m'assois sur le lit, les mains ouvertes sur mes genoux, mais il ne les prend pas.

« Du calme, Speedy, ça n'est pas tout. » Il tourne la page. « Le truc, c'est que nous allons nous substituer à nous-mêmes. Il faut donc que nous revenions pile au moment où nous sommes montés dans la voiture, avant de démarrer. » Combien de temps sommes-nous restés dans l'allée ? Quelques secondes, sans doute. Le temps d'attacher nos ceintures et que je lui demande où il m'emmenait. Il m'indique la page du doigt encore une fois. « Je pense que nous devrions atterrir vers les huit heures sept.

— D'accord. » J'évite de lui mettre la pression désormais.

« Mais je ne peux absolument pas me planter. » Il vient s'asseoir à côté de moi. « Je veux faire un test d'abord. Nous allons revenir cinq minutes en arrière et atterrir dans le couloir, devant la porte de ma chambre. Le temps que j'ouvre, nous serons tous les deux partis, et nous nous remplacerons. » Il repart à son bureau, en revient avec un sachet en papier rempli de crackers qu'il pose sur le lit. « Au cas où tu en aurais besoin au retour.

– Merci. » Je me lève, lui tends les mains et cette fois, il les prend.

« Ça n'est pas parce qu'on fait cet essai qu'on va pouvoir réaliser notre expérience. Je ne suis toujours pas certain de pouvoir aller jusqu'au bout.

– Entendu.

– Tu es prête ? »

Je hoche la tête.

« Ferme les yeux », m'ordonne-t-il.

Je m'exécute et quand je les rouvre, je suis dans le couloir, plantée devant la photo de remise de diplôme de sa mère. Sur ma gauche, Bennett cherche nerveusement Maggie des yeux. « Ça va ?

– Ouais. »

J'ai l'estomac dans les talons mais avant que je m'en plaigne, il m'a pris la main et a tourné la poignée. Il jette un œil dans sa chambre avant d'ouvrir la porte en grand et de m'attirer dans la pièce vide.

Je me dirige vers le lit en me tenant le ventre, mais le sachet en papier a disparu. « Où sont les crackers ?

– Mince ! J'ai oublié. » Bennett traverse la chambre, fouille dans son sac à dos et revient avec. « Ben, au moins, on sait que ça a marché.

Je ne percute pas. « Ah bon ? Et comment ?

– Les crackers ne sont pas sur le lit parce que je ne les y avais pas encore mis.

– D'accord, waouh ! » Je commence à en grignoter un, lentement, croisant de nouveau les doigts pour ne pas vomir dans sa chambre.

Bennett traverse la pièce, et revient avec les deux sacs à dos rouges qui paraissent beaucoup plus légers aujourd'hui.

« Reste là, d'accord ? J'arrive. » Le revoilà quelques minutes plus tard avec les sacs chargés.

Et un autre sachet de crackers.

Deux Frappuccino du Starbucks.

Deux bouteilles d'eau.

Il cherche quelque chose dans le tiroir du haut de son bureau, se dirige vers l'armoire qu'il vide entièrement, empilant albums photos, carnets, vieux annuaires de Westlake et plusieurs boîtes contenant des photos en vrac, par terre. Puis il passe la main à l'intérieur et en retire une liasse de billets.

« Il y a combien ? »

Il est très affairé. « Mille dollars chacun si jamais nous venions à être séparés. Tiens. » La liasse atterrit dans mon sac à dos avec un petit bruit sourd.

Le temps qu'il range toute la pile de boîtes et de documents dans l'armoire, je repense à Brooke et à son sac à dos rempli de billets. « Tu es déjà revenu en arrière avec Brooke ? »

Il secoue la tête. « Nan, même si, en ce qui la concerne, ça n'est pas faute d'avoir essayé », explique-t-il tout en continuant de remettre tout ce qu'il a sorti de l'armoire à sa place. « Il y a eu la fois où elle a foiré son examen final en histoire et a failli être recalée. Celle où mon père l'a surprise en train de fumer. Ou encore celle où elle s'est retrouvée affublée d'un affreux partenaire, prénommé Steve, pour une fête de fin d'année. » Il referme la porte et retourne à son bureau. « Au fait, maintenant que j'y pense, vous avez de nombreux points communs toutes les deux. Je redoute le jour où vous finirez par vous rencontrer. »

Mon visage s'illumine. « Parce que je vais la rencontrer ? »

Il hausse les épaules. « Bien sûr. Quand elle sera rentrée à la maison, je l'emmènerai ici pour vous présenter. Nous reviendrons toujours voir Maggie de toute façon.

— Vraiment ? Tu reviendras rendre visite à Maggie ?

— Tout le temps. » Il me flanque un petit coup d'épaule. « Je ne voudrais pas être impoli, mais tu ne veux pas qu'on en discute plus tard ? Quand j'aurai fini de modifier le cours de l'histoire et tout ça ? me taquine-t-il.

— Hum, bien sûr.

– Merci. Nous allons atterrir à huit heures sept, près des arbustes qui jouxtent ta maison. À mon signal, tu fonceras à la bagnole.

– D'accord. » Il me tend mon sac à dos, et chacun ajuste le sien sur ses épaules.

« Oh, et ne lâche pas mes mains, même si on est un peu gêné pour se déplacer. Nous devons rester ensemble quoi qu'il arrive. » Ses consignes me rappellent celles de notre journée d'escalade, alors que je devais impérativement rester attachée à lui.

Il me prend les mains. Je regarde droit dans ses yeux où je n'avais encore jamais lu la peur.

« Bennett ?

– Ouais ?

– Est-ce que… je me souviendrai de la journée de samedi ? » Je ne veux pas oublier le moment où il est passé me prendre, l'excitation de l'escalade, ni le panorama au sommet du rocher. Je veux me souvenir du moment où nous nous sommes garés dans l'allée en rentrant à la maison et de la sensation que j'ai eue alors de le connaître enfin.

« Tu te souviendras des deux journées.

– Mais comment ? Je ne me rappelle pas ce qui s'est passé dans le laps de temps où tu t'es absenté de la librairie.

– Parce que tu n'étais pas avec moi. Cette fois, tu te souviendras des deux versions, comme je le fais moi-même. Ferme les yeux maintenant. »

Mais je n'y arrive pas. Je me sens très nerveuse et sais qu'il doit sentir mes mains trembler. « Tu es sûr qu'on peut se lancer là-dedans ?

– Tu plaisantes, là, hein ? » Il grogne et secoue la tête. « Non, je ne suis pas *sûr*. Je joue avec le destin, et je bidouille avec le *temps*. »

Je me mords la lèvre, puis revois Emma et sens mes convictions revenir. « Merci », dis-je du fond du cœur. Ce n'est pas assez, mais c'est tout ce que j'ai à proposer pour l'instant.

Il serre mes mains plus fort que d'habitude. « Ferme les yeux. »

Je les rouvre et retrouve l'image familière du petit jardin qui jouxte notre maison. Ce n'est pas que j'y passe beaucoup de temps, mais la façade jaune écaillée prouve que nous avons atterri au bon endroit. Derrière la fenêtre qui nous surplombe, mon père est sans doute en train de terminer son café et de lire le *Sun Times*.

« Prête ? » demande Bennett.

J'acquiesce.

« Go ! »

Du buisson, nous fonçons dans l'allée en nous tirant l'un et l'autre comme si nous participions à une étrange activité de la fête du 4-Juillet, entre la course à trois jambes et le lancer d'œufs.

La voiture est vide. Tout roule ! Je laisse échapper un petit rire, soulagée, jusqu'à ce que je réalise qu'elle est en train de reculer, en prenant de la vitesse qui plus est. Bennett m'attire de son côté, et nous tentons d'activer la poignée sans résultat.

« Verrouillée », peste-t-il dans sa barbe. Je lève les yeux vers la fenêtre de la cuisine, paniquée à l'idée que mon père puisse nous voir. Heureusement, il n'y a personne. Bennett et moi courons à côté du véhicule qui sort de l'allée, traverse la rue, ralentit au niveau d'une congère pour finir par s'arrêter contre un arbre, les roues patinant encore sur la glace.

Cette fois, quand je lève les yeux vers la fenêtre, je vois mon père qui nous observe, disparaît pour réapparaître dans l'encadrement de la porte d'entrée qui s'ouvre brusquement.

« Qu'est-ce que c'est que ce cirque ? » Il traverse la pelouse en courant et s'arrête devant nous. Bennett et moi nous lâchons enfin les mains. « Qu'est-ce qui se passe, bon sang ?

— Salut, p'pa !

— Annie ? » Il nous dévisage à tour de rôle, et je dois me rappeler que dans son esprit cet instant est totalement différent. En ce qui le concerne, nous étions tous les trois dans le hall d'entrée, il a serré la main de Bennett et m'a dit de l'inviter à dîner. Et nous voilà au beau milieu de la rue.

« Papa, Bennett vient dîner à la maison mardi, d'accord ? » dis-je juste avant d'éclater d'un rire apparemment irrépressible. Mon père me regarde comme si j'avais perdu la tête.

Bennett se retient. « Vous n'auriez pas un tournevis, à tout hasard, monsieur Greene ? »

Mon rire redouble. Et je devine que Bennett fournit tous les efforts du monde pour garder son sérieux.

Mon père met sa main en visière contre la vitre. « Comment vous êtes-vous débrouillés pour laisser votre clé à l'intérieur d'une voiture qui roule en *marche arrière* ? »

J'ignore comment Bennett va se tirer de cette ornière. Au moins ce mystère-là empêche-t-il mon père de remarquer que nous portons des sacs à dos et des vêtements totalement différents. Et je me mets à rire de nouveau.

« J'ai allumé le contact… et… j'ai eu l'impression d'avoir crevé… alors je suis ressorti pour vérifier, mais la marche arrière devait déjà être enclenchée quand les portières se sont refermées automatiquement, j'imagine. » Il s'approche de mon père. « Je crois que je suis un peu nerveux aujourd'hui, m'sieur », lui avoue-t-il sur le ton de la confidence.

Mon père fixe Bennett et m'adresse un regard dubitatif.

À ce stade, mon fou rire est tel que je pars me cacher derrière le coffre pour ne pas le communiquer à Bennett qui assure bien mieux que moi.

Dos à la Jeep, j'essaie de reprendre mon souffle, mais je m'arrête net après avoir jeté un œil par le pare-brise arrière.

Quand Bennett avait ouvert le coffre dans le parking de Devil's Lake, il y avait deux sacs à dos rouges pleins à ras bord. Là, nous avons les mêmes sacs sur le dos, mais les cordes, baudriers, mousquetons de sécurité, chaussons, sandwichs et bouteilles de Gatorade sont restés en vrac dans la voiture. Nous sommes revenus dans le temps, mais toutes nos affaires sont restées où elles étaient cinquante-deux heures auparavant.

Il y aura peut-être des similitudes entre les deux journées, mais la nouvelle s'annonce pavée de surprises.

24

Heureusement que nous ne sommes pas pressés : la remorqueuse n'arrive qu'au bout de quarante-cinq minutes, il en faut deux de plus pour ouvrir la portière, et une vingtaine encore durant lesquelles Bennett remplit et signe des tas de formulaires en tentant de désamorcer les railleries du dépanneur. Quand nous sommes enfin en route pour aller rejoindre Emma, nous nous sentons tous les deux un peu grisés.

Il vient de tenter une expérience inédite, et je me trouve à ses côtés pour la partager. Je sais que Bennett attend toujours d'être ramené brutalement dans le temps, mais je ne peux m'empêcher de vivre intensément l'instant présent, allant jusqu'à oublier les tracas que me cause mon estomac.

« Hé, comment va ta tête, au fait ? »

Bennett se frotte le crâne du bout des doigts. « Très bien, je n'y pense même pas.

– À cause de l'adrénaline sans doute, comme tu le disais. »

Nous nous garons devant chez Emma. La Saab attend dans l'allée. Pas de vitres cassées ni de feux arrière éclatés. Pas d'accrocs ni de sang coagulé.

« Elle est là ! Elle va bien ! » Je sors en trombe de la voiture, cours jusqu'à sa porte et me jette à son cou sitôt qu'elle l'ouvre. Elle est en peignoir, pantoufles et queue-de-cheval, et sans une once de maquillage – ce qui me permet de vérifier que sa peau est lisse et exempte d'ecchymoses violacées. Elle pousse un petit cri de souris quand elle remarque la présence de Bennett sur le porche derrière moi.

« Ça alors ! » Elle s'écarte de moi et resserre son peignoir. « Qu'est-ce que vous fabriquez ici tous les deux ? »

Je ne sais pas comment lui répondre. Tout le processus m'a tellement accaparée que je n'ai envisagé aucun scénario particulier. « Ben, en fait, dis-je en lui montrant Bennett qui joue avec un bouton de son manteau, les yeux baissés, on avait prévu d'aller se balader et comme je savais que toi et Justin vous sortiez aussi, on s'est dit qu'on pourrait peut-être faire une petite virée ensemble, tous les quatre.

– Tous les quatre ?

– Ben ouais, on s'est dit que ça pourrait être marrant, quoi.

– Marrant ? »

Je jette un coup d'œil à Bennett. « Tu pourrais nous laisser une minute seules, s'il te plaît ? » Il opine et retourne à sa voiture, ce qui me laisse quelques secondes pour improviser. Je me retourne vers Emma. « En fait, je flippe un peu, Em. Je ne sais pas, je sens juste que ça serait plus cool si toi et Justin étiez là.

– Tu n'as pas besoin de moi pour…

– Si ! je t'en prie. Sortons ensemble, ça sera vraiment plus sympa.

– D'accord. Je suis censée retrouver Justin au café à onze heures. Venez aussi. » Elle va pour refermer la porte et je jette un dernier coup d'œil à la Saab, sachant qu'elle ne devra quitter cette allée sous aucun prétexte aujourd'hui.

Je cale mon pied contre le montant de la porte pour l'empêcher de la refermer. « Laissons conduire Bennett, sa voiture est sympa et spacieuse. » *Sympa et spacieuse !* D'où je sors un truc pareil ? Je retire mon pied et lance sans me retourner : « On passe te prendre dans une heure et demie ! »

Je regagne l'allée presque en sautillant tant sa forme me réjouit. Et surprends le regard de Bennett à travers le pare-brise. Il semble plutôt fier de lui.

Emma rejoint Justin dans le café pendant que Bennett et moi attendons dans la voiture. Au moment où elle nous montre du doigt par la fenêtre, nous leur adressons un petit signe de la main. Justin a l'air troublé par notre présence mais, comme Emma, en parfaite santé. Pas de minerve ni d'éraflures, et son pas énergique, tandis qu'il s'approche de notre voiture, n'est pas celui d'un accidenté de la route.

« Reste tranquille », me tempère Bennett, ce qui suffit à m'empêcher de m'éjecter de la voiture pour aller me jeter au cou de Justin.

« Et donc…, entame Bennett une fois que tout le monde a attaché sa ceinture. On ne voudrait pas bouleverser vos plans. Vous aviez prévu quoi pour la journée ?

– On comptait faire un tour dans un magasin de disques dans le centre, répond Justin.

– Ah bon ? Je croyais qu'on allait voir une expo à l'Institut d'art ! s'étonne Emma.

– Parfait, conclut Bennett, musique et art, c'est parti. » Je me retourne pour leur adresser un sourire enthousiaste et les surprends en train d'échanger des regards gênés.

Bennett se gare au pied du métro aérien. « Ça vous va si on prend le L[1] ?

---

1. Surnom donné au métro emblématique de Chicago et de sa banlieue, en grande partie aérien.

– Le L ? s'étrangle Emma.

– Ouais, c'est mieux pour l'environnement.

– L'environnement ? s'étouffe-t-elle maintenant, tandis qu'elle reluque la montée d'escalier lugubre menant aux quais. « Non, sérieusement, allons-y en voiture. C'est tellement plus facile, et je connais des tas de coins super pour se garer.

– C'est plus rigolo comme ça », tranche Bennett qui sort de la voiture et verrouille sa portière avant qu'elle n'ait eu le temps de répliquer. Nous sortons également et je lui prends la main en réprimant un petit rire ; je n'avais encore jamais vu Emma se faire rembarrer.

Nous commençons la journée au Reckless Records, élu magasin de disques le plus fantastique de tous les temps par Justin, où chacun part dans sa propre direction. Puis nous nous retrouvons, formant les couples que nous sommes, voire, à d'autres moments, ceux que nous ne sommes pas. Ainsi, Justin et moi faisons-nous une halte dans le rayon ska pendant que Bennett et Emma discutent albums dans le rayon rock classique.

« Hé ! » m'interpelle doucement Justin. Il se rapproche, s'assurant que personne ne puisse nous entendre. « Désolé ! » s'excuse-t-il en indiquant l'autre bout du magasin d'un geste de la main. « Pour Emma et moi, je n'aime pas avoir des secrets pour toi, c'est juste que ça faisait un peu… bizarre. Mais je te connais depuis toujours et… j'aurais dû t'en parler. » Je souris, me remémorant ses paroles à la cafétéria de l'hôpital, quasi identiques.

« Pas de problème, Justin. Emma m'en a parlé. Tout va bien. Je suis heureuse pour vous. »

Il me donne un coup d'épaule. « Cool. Merci. Dans ce cas, vous pourrez nous laisser un peu seuls à un moment ? Ton gars, Bennett, il me rend un peu nerveux et, du coup, j'oublie tous mes bons trucs. J'avais une série de super blagues en tête. Oh, et, tu penses quoi de mon sweat ? »

Je me dresse sur la pointe des pieds et lui froisse les cheveux. « Trop cool. » Justin sourit, et je vois ses taches de rousseur disparaître quand il se met à rougir jusqu'aux oreilles.

Nous passons le reste de l'après-midi à flâner dans les magasins. Nous déjeunons dans un restaurant bondé. Et faisons en sorte de nous retrouver dans le lieu que Bennett a estimé le plus sûr – au troisième étage de l'Institut d'art – aux alentours de quatorze heures, heure supposée de l'accident. À la tombée de la nuit, nous reprenons le métro jusqu'à Evanston et remontons dans la voiture de Bennett, mais comme personne n'a envie de rentrer chez soi, nous décidons de rouler jusqu'au cinéma le plus proche et de voir le premier film qui passera. C'est *L'Amour à tout prix*[1], que je n'aurais pas

---

1. Titre original : *While You Were Sleeping*. Film réalisé par Jon Turtletaub.

personnellement choisi vu que l'histoire est centrée sur un gars qui passe des semaines dans le coma après une chute sur la voie ferrée.

Il est vingt-deux heures quand Bennett se gare dans mon allée. Deux heures plus tard que la dernière fois, lors de notre première sortie en amoureux. J'hésite un moment, visualisant ma mère et mon père qui m'attendent dans la cuisine pour m'annoncer l'accident de Justin.

« Tu veux bien entrer, tu sais, juste pour m'assurer que tout est réellement différent. »

Il acquiesce et me suit dans la maison où, à mon grand soulagement, règne le silence, du moins dans la cuisine. Nous poussons jusqu'au salon où mes parents, lovés l'un contre l'autre sur le canapé, regardent un DVD, en jogging. Et il y a du feu dans la cheminée.

« Salut ! » lancent-ils en même temps. Ma mère adresse un sourire entendu à mon père, qui semble m'être destiné.

« Je vois que tu lui as parlé de la voiture », dis-je en souriant aussi à mon père. Je me retourne vers Bennett qui se cache les yeux derrière une main.

« Tu es sûr que tu vas arriver à venir dîner mardi, Bennett ? » Ma mère le gratifie enfin de son immense sourire (d'infirmière) et Bennett fond, comme tout le monde dans ce cas. « Sinon, tu sais, nous pouvons passer te prendre chez toi, si c'est plus facile. » Elle jette un autre coup d'œil complice à mon père. « Nous savons à quel point toutes ces choses peuvent être compliquées, les clés, les vitesses, les verrous… » Elle éclate de rire et je ne peux m'empêcher d'en faire autant, tandis que mon père pouffe, le visage enfoui contre son épaule.

« J'avoue que ça n'est pas un de mes moments les plus glorieux », admet Bennett qui laisse glisser sa main de ses yeux pour rire de bon cœur avec nous.

« Pas de problème. Nous aimons bien ça par ici, Bennett, le rassure mon père, maintenant on tient un sujet qu'on ne te laissera jamais oublier. »

Bennett nous sourit à tous les trois. « Formidable. »

Et pour la première fois depuis que nous avons recommencé notre sortie en amoureux, il semble avoir l'air de se détendre et d'admettre que notre remake a été un succès, ce dont j'étais déjà persuadée à huit heures huit, ce matin. Emma et Justin sont sains et saufs. Il n'est rien arrivé d'horrible. Et Bennett sait désormais qu'il peut accomplir beaucoup plus qu'il ne l'avait cru jusque-là.

25

« J'ai passé une semaine incroyable », annonce *señor* Argotta après que la cloche a sonné et que nous sommes tous installés à nos bureaux. Bennett et moi échangeons un sourire. J'ignore ce qui a rendu la semaine d'Argotta si « incroyable », mais je mettrais tout de même ma main à couper que nous pourrions rivaliser avec lui.

« J'ai eu l'occasion unique de voyager au Mexique en empruntant vingt-cinq itinéraires différents. C'était passionnant ! Tous étaient fantastiques ! » Il se met à arpenter la classe et nous l'observons, extrêmement concentrés. « Mais trois d'entre eux, poursuit-il, trois d'entre eux sortaient du lot. J'aimerais vous les présenter et voir si vous ne pourriez pas m'aider à déterminer lequel d'entre vous mérite de repartir chez lui avec ceci. » Il plonge la main dans la poche de sa veste et produit un morceau de papier froissé qu'il lisse deux ou trois fois avant de le fixer sur le tableau blanc à l'aide d'un aimant : le bon d'échange de cinq cents dollars.

Je me retourne pour jeter un bref coup d'œil à Bennett. Au départ, je trouvais malhonnête de travailler avec lui sur nos projets respectifs, mais il a suffi d'un sourire et d'un *latte* pour m'amadouer. Dimanche après-midi, le lendemain de notre remake réussi, Bennett a débarqué à la librairie pendant mon service et nous nous sommes installés à notre place habituelle, par terre, avec les guides de notre choix dont nous nous lisions des passages à voix haute. Quatre heures plus tard, nous avions établi deux circuits, relativement différents bien que se recoupant dans la petite ville côtière de La Paz.

Señor Argotta éteint la salle, allume le projecteur, et une carte en couleurs du Mexique apparaît à l'écran. L'itinéraire est surligné au marqueur jaune et chaque escale proposée est encerclée. Ce n'est pas ma carte ni celle de Bennett.

« Ce premier voyage nous est proposé par Courtney Breslin. » Le parcours suit les contours du pays, évitant de s'aventurer à l'intérieur. « On peut remarquer, en voyant ce trajet, que notre hiver exceptionnellement long a entamé le moral de *señorita* Breslin, qui se réserve une sérieuse tournée des plages. »

Toute la classe éclate de rire.

« Au premier abord, on pourrait estimer qu'elle néglige de découvrir une bonne partie de ce vaste pays. Mais, même si certaines escales sont hautement touristiques, j'ai sélectionné ce dossier car *señorita* Breslin a su dénicher des petites plages inconnues qui sont de véritables joyaux. » Il accroche la carte au tableau blanc. « Appelons ce séjour *Hora de playa* ! »

Quand il actionne de nouveau sa télécommande, c'est ma carte qui apparaît. Je sens mes épaules se contracter. « Celui de *señorita* Greene combine plages et sites archéologiques, et les escales sont particulièrement bien rythmées. On veut tellement optimiser nos séjours à l'étranger désormais que, pour ne rien rater, on s'inflige bien souvent un emploi du temps trop contraignant. Selon moi, c'est la meilleure façon de passer à côté de beaucoup de choses. Aucun des trois itinéraires que j'ai choisis ne prévoit de trop en faire. Chacun laisse une place à l'imprévu, aux surprises et aux décisions spontanées. Le voyage de *señorita* Greene est dynamique, mais elle a su accorder une certaine place au mystère ! À l'impulsion ! » Il remonte jusqu'au tableau. « J'appellerais ce deuxième dossier : *La aventura* !

Comme il ne le fait pas lui-même, j'ajoute « atrevida » dans ma barbe. *La aventura atrevida.*

« Notre dernier projet est celui de *señor* Camarian. » Alex et moi échangeons un regard, et je pense que nous avons tous les deux l'air ébahi. « *Señor* Camarian s'intéresse à l'archéologie et à la culture mayas. Mais il évite les pièges à touristes. Bien qu'il atterrisse à Cancún, il ne s'y attarde pas. Il est par ailleurs le seul à avoir repéré l'un de mes endroits préférés, le site de Kohunlich, ancienne cité maya, proche du Belize, abritant entre autres l'étonnante pyramide des Masques. » Il se tourne vers Alex. « Allez-y au lever du jour, au moment où sortent les singes hurleurs. C'est très étrange. Et *fantastico*. » Il retourne vers le tableau où il fixe la carte d'Alex. « Et voici : *El camino menos viajado !*[1] »

Il revient éteindre le projecteur au fond de la classe. « Je dois vous dire que j'ai aimé ma part de ce travail. Vous avez découvert des lieux qui m'enchantent depuis toujours, et d'autres dont je n'avais même pas entendu parler. Vous m'avez profondément épaté, et maintenant, mes amis, me voilà redevenu terriblement nostalgique ! » Il soupire et sourit de nouveau : « Alors voulez-vous savoir qui a gagné ? » Je le sais déjà. Ça ne peut être qu'Alex. Je n'ai pas de singe hurleur, ni rien d'approchant sur mon parcours, et Courtney a quand même un peu trop zappé l'histoire.

Argotta fait les cent pas devant la classe, laissant la tension monter. « Ce sont trois super voyages,

---

1. Le chemin le moins emprunté.

mais il y en a un qui est mieux structuré, mieux organisé que les autres. Si je devais me rendre dans ce pays pour la première fois, ce serait l'itinéraire que je choisirais. » Il s'approche du tableau et fait un geste théâtral devant les trois cartes. « Et le vainqueur est, dit-il en décrochant la mienne pour la brandir devant la classe : « *La aventura.* »

Tout le monde applaudit, la cloche sonne. Je vais récupérer mon prix à son bureau, tandis que Bennett me glisse en passant qu'il m'attendra dans le couloir.

« *Muchas gracias, señor Argotta.* » Il me remet le bon d'échange sans que je sache lequel de nous deux semble le plus fier.

« Vous l'avez bien mérité », m'assure-t-il, l'air sincère. Puis il lève un doigt et indique le reste des élèves d'un petit mouvement de tête, comme s'il ne pouvait m'en dire davantage tant qu'ils ne seraient pas tous partis. Je commence à m'impatienter un peu, pensant à Bennett qui m'attend derrière la porte.

« *Señorita,* comme vous le savez probablement, je dirige le programme d'échanges d'été », déclare-t-il sitôt que nous sommes seuls. J'acquiesce. « Eh bien, cette fois, nous avons une plus grande participation des familles d'accueil pour des demandes inférieures aux autres années. Je sais que je vous préviens un peu tard, mais il y a toujours une place. » Comme je ne réponds rien, il poursuit : « Ça vous intéresse ? »

Je n'ai même pas encore commencé à penser aux vacances d'été. À vrai dire, depuis l'arrivée de Bennett, je n'ai pas pensé à grand-chose hormis au moment présent.

Argotta sort un dossier jaune fluo d'un tiroir. « C'est une occasion vraiment fantastique. Dix semaines au Mexique dans une merveilleuse famille d'accueil. Tenez, emportez ceci et discutez-en avec vos parents. »

Quelques mois plus tôt, j'aurais considéré cette occasion comme la chance de ma vie, mais maintenant que je peux me rendre aux quatre coins du globe, elle ne me semble plus si extraordinaire. « Merci, je me sens vraiment honorée que vous ayez pensé à moi. » J'ouvre mon sac à dos archibourré et glisse le dossier à l'intérieur. « Je vais y réfléchir.

– Bien. La famille sait qu'elle risque de recevoir un élève, mais nous devons néanmoins lui donner le temps de se préparer. Par conséquent, il faudrait que vous me rendiez le dossier complété dès que possible, au plus tard fin mai. Je n'attends pas d'autres candidatures, alors si vous voulez la place, elle est à vous.

– D'accord, merci encore, *señor*. » Je me précipite dans le couloir où Bennett me prend aussitôt par le cou.

« Tu as réussi ! » sourit-il en m'attirant contre lui au point de me faire perdre l'équilibre. « Alors tu comptes aller où avec ce billet ?

— Au Mexique, bien sûr ! Ce serait dommage de se priver d'un voyage parfaitement rythmé qui laisse du temps aux surprises », dis-je en imitant la diction d'Argotta, et je le regarde avec un petit sourire aguicheur : « En fait, il se trouve que j'aime beaucoup les surprises.

— C'est bien ce qu'il m'avait semblé. »

Mai

26

J e glisse mon marque-page dans mon *Best of Italy 1995,* de Rick Steves[1], puis éteins la lumière en rêvassant aux musées, aux rues pavées et aux *gelati.* Cela fait presque un mois que Bennett m'a emmenée en Thaïlande, qu'il m'a raconté le premier de ses secrets et offert une carte postale. Il m'a promis de m'emmener en Italie ensuite, mais, depuis notre « remake » avec Emma, il rechigne à utiliser son don, même pour faire du tourisme. Je ne l'ai pas non plus harcelé, trop heureuse de l'avoir à mes côtés, de faire comme si tout était normal, mais j'étudie malgré tout mon guide de conversation, au cas où.

Je ferme les yeux en pensant à lui. Au moment où je commence à me laisser aller, je réalise que

---

1. Connu pour ses nombreux guides de voyages en Europe.

quelque chose cloche. Comme une force qui me contraindrait à rouler au bord de mon lit.

« Hé, c'est moi », souffle une voix dans le creux de mon oreille. J'ouvre subitement les yeux m'apprêtant à crier.

« Chuuuut », fait-elle de nouveau, tandis qu'une main se plaque sur ma bouche. Mon cœur bat à tout rompre. Terrifiée, je cligne des yeux, finissant par distinguer une silhouette dans le noir.

« C'est moi, calme », répète-t-il alors que j'essaie d'apaiser mon rythme cardiaque. « Tout va bien, Anna, ce n'est que moi. »

— Qu'èsse que tou fèla ? » je chuchote-hurle dans sa paume.

— Comment ? s'esclaffe-t-il dans sa barbe en retirant sa main de ma bouche.

— Qu'est-ce que tu fais là ? » dis-je plus intelligiblement, en me redressant pour lui flanquer un coup de poing sur le bras. « Tu m'as foutu une sacrée trouille ! »

Il essaie toujours de réprimer son rire. « Je suis désolé, j'aurais dû frapper…, dit-il en tapotant sur sa montre, mais ta mère a beau me trouver sympa, je ne pense pas qu'elle apprécierait de me voir débouler à vingt-trois heures trente en semaine. »

Je sens les battements de mon cœur ralentir un peu et je resserre les couvertures autour de ma taille. « Tout va bien ?

– Oui, t'inquiète. Je suis désolé, je n'avais pas l'intention de te terroriser. C'est juste que j'étais dans mon lit et, soudain, attendre jusqu'à demain pour te voir m'a paru intolérable. Alors j'ai enfilé un jogging, visualisé ta chambre et *pouf*, me voilà.

– Pouf ?

– *Pouf*. Tu ne dormais pas, si ?

– Presque. » Je repose ma tête contre les oreillers et soupire, un peu décontenancée toutefois : *pouf*, et le voilà dans ma chambre sans y avoir été invité. Il remonte les couvertures jusqu'à mon menton. Ma chambre est sombre, à peine éclairée par la lune, mais il doit pouvoir déchiffrer mon expression. « Hé… t'es furieuse contre moi ? »

Je secoue la tête. « Non, pas vraiment.

– Mais un peu quand même ? »

Je plisse le nez. « Ben, peut-être un peu, ouais.

– Je suis désolé. Je n'avais pas l'intention de débarquer comme ça, je m'en vais. »

Maintenant, je me sens mal. Son embarras le rend très touchant, je le rattrape par le bras au moment où il s'apprête à repartir. « Reste.

– Non, vraiment, y a pas de souci. On se voit demain », chuchote-t-il avant de déposer un baiser délicat sur mon front. Il ne m'en faut pas plus pour que mon cœur recommence à s'emballer, mais rien à voir avec la peur, cette fois. Cinq minutes plus tôt, il me manquait, maintenant, il est dans ma chambre, sur mon lit, éclairé par le halo de la lune.

« Je t'assure, je ne suis pas fâchée du tout. » Et sans réfléchir, je le tire par le bras jusqu'à ce qu'il s'allonge à côté de moi, l'air un peu surpris. Là, je roule sur lui et lui souris. Il a l'air trop mignon sur mon oreiller. « Ne t'en va pas ! »

Il me regarde, ses mains trouvent ma nuque et il m'embrasse, avec plus de fougue encore que les autres fois. Et même s'il y a toujours un petit morceau de couette super moelleuse entre nous, je sens la chaleur de son corps, et l'intensité de chacun de ses baisers, quel que soit leur point de chute : mes lèvres, mon cou, mes seins. Et pendant cinq bonnes minutes, je l'embrasse éperdument, glissant mes doigts sous son tee-shirt, où ses muscles se tendent chaque fois qu'il me serre plus fort contre lui. Soudain, je retrouve mes esprits et réalise où je suis. Je m'écarte de lui pour jeter un œil sur la porte de ma chambre.

« Tout va bien, me murmure-t-il à l'oreille, son haleine tiède glissant le long de mon cou. Ne t'inquiète pas. »

Je m'éloigne juste un peu. « Mes parents…

– Ne t'inquiète pas », répète-t-il. Et pendant quelques minutes encore, je me laisse emporter, perdue dans ses baisers. Pour m'interrompre de nouveau, obnubilée par ma porte. Cette fois, il s'interrompt lui aussi, pantelant, et me sourit. Il dégage mes cheveux en bataille de mon visage et pose sa main sur ma joue sans me quitter des yeux. « C'est moi, tu te souviens ? S'ils viennent, je… disparaîtrai simplement… pour revenir cinq minutes plus tôt. » Son sourire se fait plus malicieux. « Ils ne le sauront jamais, et d'ailleurs toi non plus. Du coup, tu pourras m'attirer sur ton lit comme tu viens de le faire et nous pourrons tout recommencer depuis le début », précise-t-il sans cesser de me sourire.

Je m'apprête à prolonger notre séance de baisers quand une pensée me traverse subitement l'esprit. Je ne sais d'où elle vient, ni pourquoi elle m'apparaît à ce moment précis, encore moins pourquoi je ne l'avais encore jamais eue, mais, de toute évidence, elle me percute de plein fouet. Je me libère de son étreinte et baisse les yeux vers lui. « Tu ne m'as encore jamais fait ce coup-là, si ? » Je souris jaune. « Un "remake" à mon insu ? »

Son sourire à lui s'efface un brin trop vite.

« Bennett ? »

Il ne dit rien. Sa tête retombe sur l'oreiller et s'y enfonce profondément : « Une fois. » La réponse semble flotter sur son expiration.

Je sens un nœud se former dans mon estomac tandis que je le foudroie du regard en attendant une explication. Mais il n'ajoute rien, me laissant prendre le relais.

« Quand ? » Je me redresse et serre les couvertures contre moi.

Il me fait face. « Tu te souviens de cette première soirée chez Maggie, où j'ai été si horrible avec toi ? »

J'opine.

« Ensuite, je t'ai rejoint à la librairie pour m'excuser et nous sommes allés prendre un café. »

J'opine encore.

« Et je t'ai raccompagnée chez toi. »

Je continue d'acquiescer : oui, je me souviens de tout ça, mais je préférerais que tu me dises ce dont je ne me souviens pas.

« Je t'ai embrassée.

– Tu m'as embrassée ? » Je m'en souviendrais si c'était le cas.

C'est à son tour d'opiner et je le regarde, atterrée. C'est tout ce que j'avais désiré ce soir-là, qu'il m'embrasse, mais il avait marmonné un charabia incompréhensible auquel je n'avais rien pigé. Or j'y vois plus clair maintenant : il m'a roulé une pelle, voilà ce qui est arrivé.

« C'était trop, j'avais peur de ce que ça signifierait pour toi et… » Il fait une grimace. « Je t'ai embrassée, suis rentré chez moi et j'ai réalisé ce que je venais de faire. Alors je suis revenu en arrière pour m'en tenir à ce que je *devais* faire : te raccompagner chez toi, et te dire au revoir. » J'étais restée plantée, tremblante et troublée sur le trottoir, à le regarder s'éloigner, pensant l'avoir froissé. Et je me suis torturé l'esprit pour savoir pourquoi j'éprouvais un sentiment si fort envers ce garçon qui ne manifestait aucun intérêt pour moi, les vingt-quatre jours qui ont suivi.

Incapable de le regarder, je m'appuie contre ma tête de lit, me frotte les tempes, les yeux fermés. Quand je les rouvre, il continue de me dévisager, l'air sincèrement embarrassé.

« À quel moment ? Je veux savoir à quel moment précis tu es revenu. » Il ne pouvait pas risquer de se rencontrer lui-même et nous avons passé toute la soirée ensemble. Mais les choses me reviennent peu à peu. J'avais fait une vanne foireuse sur le fait qu'il égarait les gens, et il avait foncé aux toilettes. Je me souviens de l'avoir trouvé métamorphosé à son retour. C'était le cas, en réalité. « Aux toilettes », dis-je.

Il acquiesce.

« Tu ne me l'aurais jamais dit, hein ? » lui demandé-je, écœurée.

– Je suis en train de te le dire, là. Écoute, je ne voulais pas te blesser…

– Alors tu m'as menti pour ne pas me *blesser* ? »

Il me demande de parler moins fort. « Je ne te l'ai pas dit, ça n'est pas tout à fait pareil.

– Pour moi, si.

– Parle plus doucement, Anna. Tu ne veux pas rameuter tes parents, quand même ?

– Mes parents ? Pourquoi t'intéresses-tu à mes parents ? Tu disparaîtras et j'inventerai une salade quelconque pour expliquer pourquoi je hurle. Toute seule. Dans ma chambre. Au milieu de la nuit. » Je baisse tout de même la voix et reprends tout bas : « Ou mieux encore, pourquoi ne recommences-tu pas, comme ça tu n'auras même pas à te disputer avec moi ?

– Jamais.

– Pourquoi pas ? C'est parfait. Tu n'as qu'à sortir, revenir dix minutes plus tôt et tout recommencer. »

Je sens les larmes me monter aux yeux et lutte de toutes mes forces pour les retenir. Si je pleure devant lui, il va croire que je suis triste. Pas du tout. Je suis folle de rage. Ce sont des larmes brûlantes et charnues remplies du genre de colère qui pousse certains à défoncer un mur à coups de poing.

« Anna, reprend-il posément, je l'ai fait une fois, mais je n'ai plus jamais recommencé. Pas après avoir décidé que je te dirais tout, que je voulais être avec toi.

– Oh, je vois. Après que *tu* as décidé. » Je repense à toutes ces semaines, presque un mois, où j'entrais en cours d'espagnol en me demandant ce qui ne tournait plus rond entre nous depuis ce soir-là. À ne pas comprendre pourquoi je me sentais autant attirée par quelqu'un qui semblait me détester. « Eh bien, pendant cette soirée que tu as *défaite*, et avant même que tu la défasses, *moi*, j'avais décidé que je voulais être avec *toi*. Mais j'imagine que ça n'a pas tellement d'importance, si ? »

La chambre reste silencieuse. Je le regarde fixement tandis qu'il baisse les yeux vers le dessus-de-lit.

« J'ai fait une erreur, finit-il par reconnaître. Une fois. Je n'ai jamais recommencé depuis. Et je ne recommencerai jamais. Plus maintenant. » Je sens mon visage se radoucir, et je serre les lèvres pour m'empêcher de céder. Et empêcher ces maudites larmes de rouler.

« Je préférerais que tu t'en ailles.

— Comment ?

— Va-t'en, maintenant, s'il te plaît. » J'emploie sciemment le même ton, les mêmes mots qu'il a employés deux mois plus tôt pour me chasser de sa propre chambre.

« Écoute… Anna. »

Je ferme les yeux sans bouger, mais tremblante, sans rien ajouter.

Et là, je sens le matelas remonter de nouveau, alors qu'il descend du lit. Quand je rouvre les yeux, contrairement à ce que je croyais, il est toujours planté à la même place, l'air vraiment triste quand il referme les siens, mais je ne le retiens pas, je me limite à regarder le planisphère qui devient plus distinct au fur et à mesure que l'enveloppe corporelle de Bennett s'estompe puis disparaît.

27

Les matinées de mai sont encore fraîches, mais je peux courir en tenue plus légère, sans gants, ni jambières, ni bonnet. Jusqu'à ce qu'il m'adresse un petit salut sympa de la main, auquel je réponds par un pâle sourire, je n'avais même pas reconnu le gars au catogan poivre et sel avec son short et son tee-shirt. Le soleil brille, l'herbe est verte, bref, une journée radieuse, mais qui ne suffit pas à atténuer mon humeur de chien. Je martèle le trottoir plus durement que je ne le devrais et, avant même d'avoir atteint la piste, je sens une douleur remonter dans mes tibias. D'ici quelques heures, je paierai sans doute au prix fort le fait d'avoir laissé mes pieds hurler la colère que je ne peux exprimer autrement.

Quand j'entre en cours d'espagnol, je vois Bennett à son bureau, exactement où il est censé se trouver, mais je remonte l'allée jusqu'au mien sans le regarder alors qu'il ne me lâche pas des yeux.

Quelques minutes plus tard, je sens qu'on me tapote l'épaule pendant que *señor* Argotta note une série de verbes au tableau. Je me retourne et prends le petit billet que Bennett me tend et le déplie.

Il faut qu'on parle.

Je le froisse en une petite boule que je jette à ses pieds.

Argotta commente les conjugaisons sur lesquelles nous nous attardons en groupes une dizaine de minutes. Quand il se retourne de nouveau pour inscrire d'autres verbes au tableau, je sens un autre tapotement sur mon épaule.

Bennett me glisse un deuxième billet froissé dans la main.

Je regrette. Ça ne se reproduira plus JAMAIS.

Cette fois, je le fourre dans ma poche et me lève pour aller chercher le passe des toilettes accroché à côté de la porte. Je traverse le Donut à toute vitesse et m'asperge le visage d'eau froide au-dessus du lavabo. Maintenant que je l'ai revu, je n'arrive plus à être aussi en colère contre lui. Je suis trop subjuguée, trop fascinée par ce qu'il est pour lui tenir longtemps rigueur de ses erreurs. Je préfère essayer de comprendre ses motivations et lui expliquer pourquoi il m'a si profondément blessée. Mais je voudrais être sûre qu'il regrette sincèrement son geste et ne plus jamais avoir à éprouver ce genre de rage contre lui.

Je m'attarde devant le miroir, ma réflexion se brouille et se déforme, jusqu'à me renvoyer une image de moi que je ne reconnais pas. Sans détourner le regard, j'inspire profondément pour tenter de reprendre des forces avant de retourner en classe. Et je peaufine le discours que je compte lui tenir.

Dès la fin du cours, sans que j'aie eu le temps d'amorcer la première phrase, il m'emmène dans le Donut. Nous le remontons à contre-courant de la bande de morfales qui se ruent vers la cafétéria. Arrivés devant les doubles portes donnant sur la cour, nous constatons qu'elle grouille de monde, comme chaque fois qu'il fait beau, et que tous les coins tranquilles ont été pris d'assaut.

Sans commentaire, nous rebroussons chemin. « Tu me suis ? » propose-t-il, comme si j'avais le choix. Nous slalomons entre les groupes de lycéens qui traînent encore dans le couloir, pour arriver devant un casier à l'autre extrémité du lycée : le numéro 422 – j'ignorais que c'était le sien. Il compose la combinaison du verrou métallique qui s'ouvre dans un clic. Contrairement au mien qui est tapissé de photos, de plannings, bourré de bouquins et de paquets de chewing-gums, son casier est vide et totalement impersonnel. Comme sa chambre chez Maggie, fonctionnelle et provisoire.

Il fourre nos deux sacs à l'intérieur et claque la porte. « Est-ce qu'on peut sortir de là ? » Il me prend les mains, inspecte les deux ailes du couloir pour s'assurer que nous sommes seuls, et je retrouve cette sensation, presque familière désormais, d'avoir les intestins pris dans une essoreuse. Sans ouvrir les yeux, je devine au parfum ambiant et aux piaillements des oiseaux que nous avons quitté le Donut.

J'ouvre les yeux.

Il est encore très tôt, mais il fait déjà chaud dans ce petit port de pêche. Je prends plaisir à le contempler : tout est jaune, rouge et bleu autour de moi, c'est un bouquet de couleurs primaires cerné de collines, une église surmontée d'une croix vert vif domine la mer immense. Les maisons aux couleurs pétantes, séparées par des volées de marches abruptes, sont bâties à flanc de colline. Hormis les quelques pêcheurs regroupés sur le port, nous sommes seuls. Les habitants dorment, ils ne sont pas encore descendus prendre leur café ou leur petit déjeuner au comptoir ou à la terrasse des bars.

Je souris, les yeux rivés au sol pour que Bennett ne puisse pas voir mon visage, car j'ai beau être éblouie, je trouve qu'il ne la joue pas hyper réglo avec moi. « D'accord, dis-je encore un peu amère, je donne ma langue au chat, j'ignore totalement où nous sommes.

– Dans un endroit paisible. »

Nous longeons le port, où sont amarrées quantité de barques de pêcheurs bariolées, et gagnons une crique après avoir franchi quelques rochers. Entre deux énormes roches érodées, il choisit une pierre blanche qui forme comme un banc juste assez large pour nous deux, tout près de l'eau. Il me regarde de biais, son visage frôlant le mien, et me décoche un sourire empli d'espoir. « Toujours furieuse ? »

Entre le prendre dans mes bras et le jeter en bas des rochers, mon cœur balance.

« Qu'est-ce que tu crois ? Qu'il suffit de m'emmener sur une île chaque fois que tu foires un truc ? Et encore sans me consulter ?

– Je cherchais juste un endroit pour discuter en paix. Et d'ailleurs, ça n'est pas une île. C'est un port de pêche, précise-t-il, l'air paradoxalement triste. C'est Vernazza. »

Je ferme les yeux, écoute le murmure des vagues qui s'écrasent sur les rochers plutôt que les battements de mon cœur qui font de même contre ma cage thoracique. Vernazza, en Italie !

« Je suis vraiment désolé. » J'ai perdu le compte du nombre de fois où il l'a répété. Il me tient doucement le menton et m'oblige à le regarder. « J'aurais dû te le dire.

— Ce n'est pas la question. » J'observe les galets et rassemble mes pensées. Je peux lui pardonner. Je comprends globalement pourquoi il ne me l'a pas dit. Mais il m'a volé mon libre arbitre, c'est le plus difficile à digérer.

« Qu'est-ce que c'est, alors ?

— Tu as le pouvoir de changer la vie des autres, Bennett. Je veux dire, *littéralement*. C'est ce que tu as fait avec moi ce soir-là, sans m'en donner le choix.

— Tu ne l'as pas non plus laissé à Emma ni à Justin, que je sache. Et si ma mémoire est bonne, nous avons aussi modifié leur vie sans leur demander leur avis.

— Ça n'a rien à voir.

— Un peu quand même. On ignore ce qu'ils ont partagé ce jour-là avant l'accident. Des choses très importantes, peut-être. On ne le saura jamais. Mais ça ne nous a pas empêchés d'intervenir et de changer la donne. Pourquoi ? Parce qu'en notre for intérieur on pensait faire au mieux, leur éviter des souffrances. Mon raisonnement n'était pas très éloigné l'autre soir.

— Mais il a fallu que je te supplie. Tu refusais de revenir sur cet accident, tu ne voulais rien changer. Ta règle d'or. Qu'en as-tu fait avec moi ? C'est à la tête du client ou quoi ?

— Je te protégeais.

— Tu ne peux pas le faire systématiquement.

– Mais si, au contraire, même si je dois te mentir pour y parvenir. »

Je concentre mon attention sur les vaguelettes qui se brisent inlassablement contre les rochers. « Je ne veux pas que tu me protèges, Bennett, pas comme *ça*. Tu n'as pas à choisir pour moi, à décider à ma place.

– Écoute, Anna, on n'en était pas au même point l'autre soir. J'essayais encore de rester aussi distant que possible. Je ne voulais pas de cette situation, même si je la désire profondément, maintenant », s'empresse-t-il d'ajouter pour balayer tout malentendu. Il reprend après un long silence. « Je ne l'ai pas refait depuis. Et je ne le referai plus jamais. »

Je lis dans son regard qu'il est sincère et cherche à sortir de cette impasse. Mais je reste persuadée qu'il ne mesure pas l'ampleur des dégâts ; il a franchi une frontière que je n'aurais jamais cru nécessaire de définir, surtout avec lui.

« Tu te souviens du jour où tu m'as demandé de faire un choix, une fois que tu m'aurais révélé tes secrets ? »

Il hoche la tête, le regard rivé sur l'horizon.

« C'était fondamental, pour moi. Voilà pourquoi j'ai d'autant plus de mal à accepter que tu aies choisi *à ma place* l'autre soir.

– J'ai fait une erreur.

– Et en plus… » Les mots s'étranglent dans ma gorge. « On a perdu trois semaines, on aurait pu être ensemble trois semaines plus tôt. »

Il pousse un soupir, et quand il me prend dans ses bras et me serre contre lui en guise d'ultime excuse, je sens ma rage se dissiper. « Ça ne se reproduira plus.

– J'ai accepté l'idée que tu pouvais agir sur le cours de ma vie… » Je lui adresse le premier sourire sincère depuis que j'ai découvert sa supercherie. « Mais c'est moi seule qui décide de ce qu'elle adviendra. Ça marche ?

– Ça marche, dit-il en tapant dans la main que je lui tends.

– Alors, on le visite, cet endroit ? »

Vernazza est exactement comme il me l'avait décrit. Nous nous éloignons du port pour gagner ce qui semble être le centre du village, *via* une série de ruelles pavées bordées de petites boutiques encore fermées. Bennett se dirige vers une porte surmontée d'un auvent orné d'un drapeau italien, et me la tient ouverte. Le carillon tinte et j'ai l'impression furtive d'entrer dans la librairie de mon père, jusqu'à ce que je sente l'odeur envahissante du pain chaud.

La femme derrière le comptoir se déplace d'un pas traînant. Elle vient disposer un énorme plateau de pains ronds torsadés derrière la vitrine, avant de nous saluer : « *Buon giorno.*

– *Buon giorno,* répond Bennett. *Cappuccini per favore.* » Il lève deux doigts, et elle va se poster derrière l'immense machine à café.

Je m'approche d'un présentoir de cartes postales installé près de la vitrine et commence à le faire tourner, en regardant les images colorées de Vernazza et des environs défiler sous mes yeux. Je sens le regard de Bennett posé sur moi et me retourne au moment où il désigne une jarre en verre sur le comptoir. La boulangère en extrait deux *biscotti* au chocolat qu'elle dépose sur des assiettes bleu turquoise. Bennett lui montre l'écriteau manuscrit au-dessus du tourniquet « 6 / 1 000 L » et lui demande « six cartes postales, *per favore.*

– Ça fera six mille lires, jeune homme.

– Est-ce que je peux les emprunter ? » l'entends-je demander sans savoir à quoi il se réfère. Les *biscotti* en équilibre sur nos tasses, Bennett va ouvrir la porte avec sa hanche, me laissant en plan à l'intérieur. « Choisis-en six. On se retrouve à la table. » Le carillon retentit tandis que la porte se referme derrière lui.

Je le rejoins à la table recouverte de céramique, où il savoure son cappuccino, bien calé dans son fauteuil sous un parasol jaune citron. Je m'installe à côté de lui. « Lesquelles as-tu choisies ? »

J'étale les cartes postales devant lui.

« Prends-en une !

– N'importe laquelle ?

– N'importe, confirme-t-il, choisis-en une et donne-la-moi ! »

Je choisis la carte où l'on voit le port avec les barques de pêcheurs, la vue que j'ai admirée dès mon arrivée. En échange, il me donne l'un des deux stylos qu'il a glissés sur les sous-tasses bleues.

« Prends-en une aussi. Comme ça, on pourra s'en écrire chacun une. » Il commence à rédiger, penché au-dessus de la sienne, par souci de confidentialité. Quant à moi, je regarde les petits bateaux ornant ma carte, et j'y repense soudain pour la première fois depuis des lustres : il ne restera pas. Un jour, très proche peut-être, nous ne pourrons plus être ensemble comme nous le sommes à l'instant. Alors, quand l'autre nous manquera trop, nous nous rabattrons sur nos cartes respectives. Je commence à ressentir la pression que représente une vie régie par des critères hautement romantiques et tente de rassembler mes idées avant d'écrire.

Cher Bennett,

Du plus loin qu'il m'en souvienne, j'ai rêvé de franchir les frontières du seul monde que je connaissais, celui de ma vie rassurante et formatée. Et me voilà dans un

village de pêcheurs, aussi loin de mon train-train quo-
tidien que j'aurais pu l'imaginer.

 Mais, aussi incroyable que cela puisse paraître, je sais que
rien de tout cela ne m'importerait si tu n'étais pas à mes
côtés. Tu peux m'emmener partout. Ou nulle part. Où
que tu sois dans ce monde, c'est là que je veux être aussi.

Je m'arrête, lui jette un regard à la dérobée, puis hésite sur la formule de fin. Peut-être que « Je t'aime » est trop fort, mais je sens le mot cogner contre ma poitrine, et faire une sorte de forcing pour figurer sur la carte.

 Je t'aime

Anna

Avant de pouvoir me rétracter, je lui glisse la carte sur la table. Puis le regarde compléter la sienne et me la donner. Nous lisons chacun la nôtre en même temps.

 Anna,
 Je suis tellement désolé de ne pas t'avoir prévenue.
Je te promets de ne jamais recommencer. Désormais, ton
avenir t'appartient intégralement.

 Je t'aime

Bennett

Au moins a-t-il employé le mot «Je t'aime», lui aussi. Je repose sa carte et m'efforce de sourire. « Merci. »

Conscient d'avoir raté un épisode, mais ne sachant pas lequel précisément, il me regarde, troublé, croquer dans mon *biscotti*.

« Qu'est-ce qu'il y a ?

— Rien.

— Mais si, tu as l'air déçue. »

Je hausse les épaules et avale mon bout de biscuit. « C'est juste… un peu bateau comme carte. » Je me fends d'un sourire indulgent. « Et par ailleurs, tu n'es pas obligé d'expier ta faute *ad vitam aeternam*. » Je pensais qu'il me connaîtrait mieux à ce stade : quand je prends une décision, je m'y tiens. « C'est vraiment ce que tu voulais me dire ?

— Non, rétorque-t-il. Je sais exactement ce que je voulais te dire, mais je n'ai pas besoin d'une carte postale pour ça.

— D'accord, je t'écoute.

— Bon, voilà. » Il inspire profondément comme s'il se préparait à un récit épique. « Je… tu, tu es géniale, Anna, et j'adore ta passion pour les voyages, mais je dois t'avouer que je ne te suis pas complètement. Quand j'observe la vie "normale" que tu mènes et dont tu as tellement envie de t'éloigner, je ne vois rien d'ennuyeux ni de prévisible. Je vois des amis qui t'aiment et une famille prête à tous les sacrifices pour ton bonheur. Je vois le genre de stabilité que je n'ai jamais connue mais toujours désespérément recherchée. Je t'ai peut-être ouvert les portes du monde que je connais le mieux, mais toi et ta famille m'en avaient offert un autre qu'on ne trouve sur aucune carte.

Quand je suis ici avec toi, nous avons tous les deux la vie que nous recherchons, toi ton aventure audacieuse et moi le *rien* parfaitement acceptable. Plus important encore, chacun de nous a l'autre.

 – La voilà, ta carte postale ! J'attends que tu m'écrives tout ça sur papier. » Je lui glisse une autre carte en souriant mais en ne plaisantant qu'à moitié.

Il poursuit comme si je ne l'avais pas interrompu. « Je ne pense pas pouvoir vivre sans toi, désormais. »

Je le regarde fixement, probablement livide. « Qu'est-ce que tu veux dire par là ?

 – Je veux dire… que je suis tombé éperdument amoureux de toi. Et que j'en suis à me demander ce qui se passerait si je ne repartais jamais. »

Il vient de prononcer les mots qui cognaient contre ma poitrine, il y a quelques secondes, et même si je désirais tellement les lire, j'imagine que je n'étais pas prête à les entendre. Il m'aime, il veut rester avec moi. Je n'arrive pas tout à fait à intégrer ces deux idées. Mais je me sens grisée par tout l'espoir qui coule dans mes veines. Et je dois sans doute continuer à le regarder, comme hypnotisée.

« Ça te convient ?

— Quoi ? »

Il me sourit. « Ben, la double déclaration, j'imagine.

— Carrément. » Je reste là à opiner du bonnet, ne sachant que répondre. Et au lieu de commencer à lui dire ce que je ressens, j'emprunte l'itinéraire le plus direct. « Tu vas rester combien de temps ?

— Jusqu'à l'examen. »

Je repense à ses paroles dans la librairie le soir où il m'a embrassée pour la première fois – *Je ne reste jamais* – et maintenant, je suis quasi certaine qu'il lit l'incrédulité dans mon regard. « Je t'en croyais incapable. »

Il hausse les épaules. « Moi aussi, mais tu vois, je suis resté jusque-là.

— Et Brooke ?

— Quand elle rentrera à la maison, je n'aurai plus d'excuse. Mais je n'aurai qu'à dire que Maggie a besoin de moi, que je veux rester avec elle. Et là, je leur parlerai de toi…

— Allez, et tu penses sérieusement qu'ils vont avaler ça ? Qu'ils ne vont pas tout faire pour t'en empêcher ? »

Il secoue la tête mais dit : « Absolument », en se fendant d'un immense sourire.

Je sens mon visage s'illuminer tandis que je me repasse ses paroles en boucle dans ma tête : *Je suis tombé éperdument amoureux. Et si je ne repartais jamais ?* Il a choisi de rester avec moi. « Ça va faire de nombreux dîners les mardis. Tu penses pouvoir le supporter ? » Il se penche sur les cartes restantes, écarte mon cappuccino du chemin, et prends mon visage entre ses mains. Enfouie profondément dans son baiser, se trouve la promesse d'un avenir commun, mais, en surface, tout ce que je parviens à sentir, me chatouillant et taquinant chacune de mes terminaisons nerveuses, c'est l'intensité de ce que nous partageons à l'instant présent.

Nous passons le reste de la journée dans les Cinque Terre[1].

Et nous y passons aussi la nuit.

---

1. Les « Cinque Terre », qui font partie de la Riviera italienne, en Ligurie, sont constituées de cinq villages dont Vernazza.

28

J'enfonce une épingle sur le village de Vernazza et me recule pour admirer la façon dont l'espace béant entre l'Asie du Sud-Est et l'État de l'Illinois se remplit tout doucement.

Grâce au don de Bennett, je suis rentrée à la maison sans que mes parents découvrent que j'avais découché. Sans cela, j'imagine à peu près ce qu'aurait été le déroulement de leur soirée. J'aurais séché mes cours, séché mon travail à la librairie et séché le dîner à la maison. À un certain point, ils auraient sérieusement paniqué. Peut-être auraient-ils appelé la police. Rameuté les voisins qui auraient arpenté les rues munis de torches, tandis que des affichettes à mon effigie auraient sans doute été placardées sur les cabines téléphoniques.

Mais vingt-deux heures plus tard, quand Bennett m'a raccompagnée à son casier – notre point de décollage –, moins d'une minute s'était écoulée et mon absence n'avait causé de tort à personne.

Même si je peux imaginer la journée détestable que les gens que j'aime auraient pu passer par ma faute, je ne peux me résoudre à la regretter. Durant ces vingt-deux heures, Bennett et moi avons grimpé les escaliers à flanc de colline, emprunté le sentier le plus escarpé des cinq villages, reliant Vernazza à Monterosso, longé des vignes et traversé des oliveraies pour parvenir à un point de vue époustouflant en surplomb de la Méditerranée.

Après notre après-midi dans le très prisé Monterosso, nous aspirions à retrouver la paix de Vernazza où un petit bateau nous a ramenés. Tandis qu'il fendait la houle, sautant et rebondissant sur les vagues, je regardais le ciel, langoureusement appuyée sur Bennett. Juste avant d'arriver au port, il m'a prise dans ses bras et m'a murmuré à l'oreille : « Passe la nuit avec moi. » Je n'ai pas hésité une seconde, pas plus que je n'ai pensé aux coups de fil paniqués, aux affichettes, à la police, ni aux recherches qui seraient menées tambour battant dans les rues de mon quartier. Égoïstement, je suis restée enveloppée dans les bras de Bennett, et j'ai regardé le soleil de Ligurie se lever sur la baie d'une petite *pensione* adossée à la colline.

29

Une série de sonneries aiguës et plaintives emplit la pièce. Avant que je puisse envisager mentalement la moindre action, ma paume s'abat brutalement sur le réveil numérique posé sur ma table de nuit, histoire de m'octroyer dix minutes de répit. À l'issue desquelles, la culpabilité aidant, j'accepte de laisser mes pieds atterrir lourdement sur le sol. Mue par un réel effort de volonté, je me dirige, bras tendus dans le noir par mesure de sécurité, jusqu'à la salle de bains.

Un quart d'heure plus tard, la musique pulse dans mes oreilles tandis que j'emprunte mon itinéraire habituel, salue l'homme au catogan poivre et sel et atteins la piste au sol spongieux où je cours, perdue dans mes pensées, entonnant à tue-tête le refrain du morceau que j'écoute, jusqu'à ce qu'un mouvement dans les gradins attire mon attention. Je tourne la tête et repère Bennett sur un banc métallique – exactement à l'endroit où il se trouvait la première fois, dans la même parka noire, avec le même petit sourire. Cette fois, je n'hésite pas. Je bifurque et traverse la pelouse sans cesser de courir en lui faisant de grands signes. « Tu vois, tu me faisais marcher ! J'en étais sûre », dis-je tout haletante dès que je sais qu'il pourra m'entendre.

De fait, il se lève, balaie la piste du regard et descend des gradins pour venir à ma rencontre.

« Salut ! Je t'embrasserais bien, mais je suis trempée. » Je soulève mon tee-shirt pour m'essuyer le front. « Qu'est-ce que tu fais là ? Avec ton gros manteau en plus, alors qu'il fait déjà vingt degrés dehors ?

– Oh, non, tu me reconnais. Anna, tu me reconnais ?

– Ouais, humm… pourquoi ? »

Les lèvres serrées, il se frotte les tempes du bout des doigts, et je me dis qu'il y a un truc qui cloche.

« J'ai essayé de retourner, fait-il d'une voix aiguë, les yeux écarquillés. Mais je n'y suis pas arrivé. On est quel jour ?

– Mardi… le 16 mai, je crois. » Je réfléchis un instant, avant d'ajouter ce qui serait une évidence pour tout le monde, mais peut-être pas pour lui : « 1995. Tu m'inquiètes, Bennett. Qu'est-ce qui ne va pas ?

– Oh, non, je suis encore là », marmonne-t-il d'abord dans sa barbe avant de le répéter à mon attention : « Je suis toujours là. »

Comme il est effectivement planté devant moi, je confirme et me recule d'un pas pour mieux le regarder. « Je suis vraiment désolé, Anna, j'essaie de te retrouver depuis… »

J'ai du mal à comprendre. « Quoi… depuis quand ?

– Anna, écoute-moi bien, c'est très important. Brooke est rentrée. Dis-le-lui, enfin à *moi*… que Brooke est rentrée. Et après dis-moi de te montrer… » Mais il se volatilise avant d'avoir pu terminer sa phrase.

« Quoi ? De me montrer quoi ? » Je le supplie dans le vide, tandis que je reste seule à me demander d'où et de quelle époque il a débarqué. Je scrute une dernière fois les gradins, mais je sais qu'il ne va pas revenir. Quand Bennett disparaît, il ne fait pas semblant.

Je retraverse le campus, remonte les rues à toute vitesse. *Brooke est rentrée.* Les arbres me paraissent flous tandis que je remonte les trottoirs comme une dératée, ne m'arrêtant qu'aux feux. J'essaie de chasser l'image de la disparition involontaire de Bennett. Mon cœur bat si vite que j'ai l'impression qu'il va exploser. J'atteins le perron de Maggie et martèle la porte, à bout de souffle, attendant que Bennett vienne m'ouvrir.

« Anna ! » s'exclame Maggie, sur un ton laissant entendre qu'elle ne cautionne pas la visite si matinale d'une ado rouge tomate et ruisselante de sueur.

« Bonjour, Maggie, je suis désolée, je sais qu'il est encore tôt, mais Bennett est-il là ? »

Elle ouvre la porte en grand et m'invite à entrer. « Je ne pense pas qu'il soit déjà parti pour la fac, allez-y, montez.

— Merci, dis-je avant de grimper l'escalier comme une flèche et de m'engouffrer dans le couloir pour aller frapper à sa porte. La panique me gagne, aucun bruit ne me parvient de l'intérieur. Il m'a dit qu'il essayait de revenir. *Et s'il était déjà reparti ?* Bennett finit par m'ouvrir en bas de jogging, les cheveux mouillés et son sourire irrésistible aux lèvres.

Je me jette à son cou, soulagée de sentir son shampoing et la chaleur de sa peau encore humide. « Hé, qu'est-ce qui se passe ? » demande-t-il, sentant mon malaise à ma façon de m'agripper. « Tout va bien ?

— Pas vraiment. »

Il m'attire à l'intérieur et referme la porte derrière lui. Je ne suis pas revenue ici depuis la fois où je l'ai supplié d'intervenir pour Emma et Justin, il y a tout juste un mois, même si j'ai l'impression que cela fait des années.

« Je viens juste de te croiser sur la piste de course, au même endroit que la dernière fois, en mars dernier.

— Encore cette histoire ! Je n'arrête pas de te répéter que je n'y suis jamais...

— Bennett, je viens de voir... un autre... *toi.* » J'avais prévu d'y mettre la forme, mais au moins ai-je réussi à capter pleinement son attention. « Tu es revenu sur la piste, mais cette fois j'ai pu te parler, tu me connaissais. Et tu n'en revenais pas que je te reconnaisse aussi.

— Tu en es sûre ? » J'opine, en ouvrant de grands yeux. « Qu'est-ce que je t'ai dit précisément ? Quelles étaient mes paroles exactes ?

— Tu m'as demandé le jour qu'on était et ma réponse t'a parue incongrue. Ensuite, tu as réalisé que tu... enfin toi, dis-je, la main sur sa poitrine, *tu* étais encore là. » Il me regarde fixement, sourcils froncés, l'air très inquiet. « Tu m'as dit de te dire que Brooke était rentrée.

— Quoi ?

— C'est exactement ce que tu m'as dit. »

Il regarde sa montre, comme si connaître l'heure allait l'aider à reconstituer le puzzle. « Elle est rentrée ? »

J'acquiesce. « Et il y a autre chose. Tu m'as dit que tu avais essayé de revenir ici "depuis". Et aussi de te dire de me montrer... Je ne sais pas quoi, parce que tu as disparu sans finir ta phrase, comme malgré toi. » *Comme si tu ne contrôlais rien,* ai-je envie de préciser, mais je m'abstiens.

Il regarde autour de lui et par la fenêtre, sans jamais poser son regard sur moi. « Bennett, qu'est-ce qui se passe ? » J'attends qu'il me donne une explication, n'importe laquelle, qui m'apaiserait un tant soit peu.

« Je n'en sais rien. »

30

Mon père nous ramène à la maison après une compétition d'athlétisme où j'ai remporté le 3 200 mètres, m'assurant une place pour les finales de l'État. « Ça ne vous dérangerait pas de me déposer chez moi en chemin, monsieur Greene ? » demande Bennett, façon robot – il s'exprime ainsi depuis qu'il a dû encaisser le choc de ma rencontre avec son autre *lui*.

J'ignore ce qui se passe ; en revanche, je sais que Brooke est rentrée chez elle alors que lui est toujours là et doit me montrer quelque chose. Je sais aussi qu'il s'est contenté toute la semaine de répondre à mon flot de questions par des monosyllabes et des sourires forcés pour mieux se retrancher dans ses pensées. Et qu'il m'a posé deux lapins coup sur coup pour rester à ruminer dans son coin.

À ce rythme, je ne sais même pas si notre soirée ciné avec Justin et Emma tient encore.

« Je passe te prendre à dix-neuf heures », m'annonce-t-il sans me regarder. Je le vois sortir de la voiture puis disparaître derrière la porte de Maggie.

Au moins, maintenant, je sais quelque chose.

Le téléphone commence à sonner à la seconde où je franchis la porte, et j'ai à peine fini de dire « allô » que la voix d'Emma retentit dans le combiné. « Shopping dans le centre cet aprème, je passe te prendre à quatre heures et demie. »

Je lorgne mes baskets, le dossard encore épinglé sur ma poitrine. « Pas aujourd'hui, Em. Je viens juste de rentrer. » Par ailleurs, ai-je envie d'ajouter, j'ai d'autres projets – tenter de me reconnecter avec Bennett, par exemple.

Sans compter que les simples mots « en ville » et « je passe te prendre » me procurent d'horribles visions. Je la vois alitée dans une chambre lugubre, défigurée, avec des tuyaux et des aiguilles qui sortent de son corps comme des excroissances surnaturelles. Le tableau ne fait que me conforter dans ma décision, même si je peux presque l'entendre bouder à l'autre bout du fil. « Je ne viens pas faire de shopping avec toi, Emma.

– Anna Greene, la soirée de vente aux enchères a lieu ce week-end. Que comptes-tu porter ?

– Une tenue quelconque de ta garde-robe, comme d'hab'. »

Elle fait claquer sa langue, comme si elle se demandait pourquoi elle se retrouvait coincée avec moi en guise de meilleure amie. « Bon, d'accord. Viens, viens au moins m'aider à choisir ma robe. Il me faut un truc neuf, brillant et qui en jette.

– Je n'ai vraiment pas envie…

– Allez, gémit-elle. J'ai besoin de tes conseils. »

Du pur baratin. Je jette un œil à l'horloge et pousse un soupir.

« Merci, hurle-t-elle dans le téléphone. Je t'accorde quarante-cinq minutes ! » conclut-elle, raccrochant presque avant d'avoir terminé sa phrase.

« J'imagine que tu vas faire des emplettes avec Emma », dit mon père, dont je n'avais pas encore remarqué la présence. « Apparemment.

– Bon », dit-il en extirpant son portefeuille de sa poche pour me présenter sa carte de crédit. « Tiens ! Comme ça, tu n'auras pas besoin d'emprunter de robe. »

En chemin, Emma n'arrête pas de jacasser tandis que je m'agrippe à la poignée de la portière, sans prononcer une parole. Nous passons l'après-midi ensoleillée à faire les boutiques dans Michigan Avenue. Elle choisit une robe rouille ravissante qui sied à merveille à son teint mat. Et moi une robe fourreau noire beaucoup plus simple et beaucoup plus *moi* que toutes ses fringues réunies. En pivotant devant le miroir à trois pans, je m'imagine au bras de Bennett, passant devant les couples d'étudiants, de parents, d'employés du lycée alors que nous contournerions la plate-forme d'observation au quatre-vingt-dix-neuvième étage de la tour Sears. Mais une pensée funeste me serre le cœur : et s'il n'était pas là samedi ?

Il devra forcément rentrer chez lui à un moment donné, mais je sais qu'il reviendra, au moins jusqu'aux examens. *Non ?* Je veux croire ce qu'il m'a dit à Vernazza, il y a deux semaines : *Et si, finalement, je ne partais pas ?* Mais ça ne colle pas avec ce que j'ai entendu sur la piste de course il y a cinq jours : *J'ai essayé de revenir depuis.*

Deux sacs de shopping pleins à craquer et quatre heures plus tard, Emma décide qu'il est grand temps que nous rentrions avant qu'elle ne dépense un centime de plus.

« Oh, Anna ! s'exclame-t-elle soudain dans le parking, alors que nous retournons à la voiture. Viens chez moi, et je pourrai te pomponner pour notre soirée. Je vais choisir ta tenue, te coiffer et te maquiller ! Allez, viens, on va se marrer ! »

Se marrer ? J'ai déjà tenu le rôle de Barbie pour Emma, et je n'irais pas jusqu'à décrire l'expérience en ces termes-là.

Quand nous sommes bien installées dans la Saab, Emma se tourne subitement vers moi : « Je sais exactement ce qu'il te faut ! » crie-t-elle par-dessus la musique qui passe à fond, en agitant en l'air son ticket de parking.

Nous passons le reste de l'après-midi à nous faire belles. Elle m'habille, me déshabille, me pousse par-ci, me tire par-là, me ceinture, me tapote et me brosse. Pour finir par lever les bras en l'air et déclarer que son travail est terminé. Elle me fait pivoter par les épaules afin que je puisse en convenir moi-même dans le miroir en pied de sa chambre.

« Ta da ! » hurle-t-elle tandis que je me regarde fixement. D'accord, je dois reconnaître que j'ai fière allure. Elle a relevé mes boucles brunes dans une pince, n'en laissant retomber que quelques-unes pour la touche floue. Le maquillage me semble un peu soutenu, mais elle a fait un super boulot avec les couleurs et je n'ai pas l'impression d'être fardée comme un clown. Presque sur la pointe des pieds par la grâce d'imposants talons hauts, je regarde mes orteils et remonte jusqu'au collant noir et à la minijupe. Puis au tee-shirt moulant, bien plus échancré que ceux que je porte habituellement. Je croise aussitôt les bras sur ma poitrine, comme si j'avais besoin de me cacher.

« Arrête ton cirque ! » me réprimande Emma, en rabattant mes bras sur les côtés, m'obligeant à me regarder. « Tu es sublime ! »

Je pousse un soupir, parvenant à me détendre un peu. « Tu crois ?

– Sans l'ombre d'un doute. » Elle va se poster devant la fenêtre de sa chambre mansardée. « Mais qu'est-ce qu'ils fabriquent ? Ils ont vingt minutes de retard. »

Je reste devant le miroir, à paniquer. Et s'il ne venait pas ? Et s'il était déjà parti ?

« Sublime, répète Emma, oooohh, et devine qui va bientôt te le confirmer ? » Je me précipite à côté d'elle et, le nez écrabouillé contre la vitre, je vois Bennett et Justin sortir de la voiture et gagner la porte d'entrée. J'expire longuement, m'apercevant que j'avais retenu ma respiration tout ce temps. « Waouh… vise un peu, ils sont trop trognons tous les deux ! » Emma envoie un baiser à Justin avant de m'entraîner dans l'escalier. « Allez, viens ! »

Elle se précipite, prête à exploser de joie. Quand elle les invite à entrer, son accent british est si prononcé que je ne peux m'empêcher de sourire. À moins que ce ne soit parce que nos petits amis sont effectivement tous les deux hyper mignons. Ou encore parce que j'ai beau être juchée sur de très hauts talons, affublée d'une mini, plus mini que ma mère le tolérerait, et porter davantage d'eye-liner que Marilyn Manson en personne, il y a quelque chose qui me semble beaucoup plus naturel que tout ce que j'ai pu traverser cette dernière semaine.

Bennett doit le sentir aussi, qui me couvre de compliments et me serre fort dans ses bras. Preuve qu'il est là – et *bien là*. Depuis que nous avons appris le retour de Brooke, c'est la première fois que j'ai de nouveau le sentiment de compter plus que tout à ses yeux et qu'il n'y a nul autre endroit sur terre où il préférerait se trouver plutôt qu'ici, avec moi.

Au cinéma, nous entrons tous les quatre côte à côte, Bennett me tient par le cou, Justin et Emma se donnent la main. Pendant que nous faisons la queue pour le pop-corn, Justin me complimente d'une façon assez fraternelle. Emma me conseille d'arrêter d'essayer de lui piquer son chéri, tandis que Bennett la prend par le bras, se proposant de le remplacer le cas échéant, et la fait entrer dans la salle en riant, sa boîte de pop-corn géante coincée sous l'autre bras.

Voilà comment nous passons le restant de la soirée. À la fois réunis tous les quatre et séparés deux par deux. Tout semble très naturel, très normal, pas simplement sur le mode « faisons semblant que », mais d'une façon réellement agréable, qui me laisse espérer que Bennett a trouvé une issue à notre situation impossible. Et que cette vie rassurante, ennuyeuse et normale à souhait lui convient sincèrement.

Je me blottis dans le creux de son épaule, pioche une grosse poignée de pop-corn, et regarde l'écran, heureuse de faire comme si je n'avais jamais rencontré son double ni découvert que nous ne contrôlions pas franchement la situation. Comme si les sorties à quatre, le pop-corn caramélisé et les Twizzlers étaient tout ce qui importait.

Au retour, Bennett dépose Justin puis Emma. Quand il s'engage sur la route qui mène chez moi, j'ai un terrible pressentiment. Je ne veux pas mettre fin à ma soirée normale. Je ne veux pas penser à son départ ni à son retour éventuels, et je n'ai pas du tout envie qu'il se réveille demain si absorbé par ses pensées qu'il oubliera à quel point cette soirée banale a été super sympa. « Ça va ? me demande-t-il.

– Pas vraiment, dis-je en posant une main sur son bras. Je voudrais que tu me parles. »

Il dépasse encore quelques pâtés de maisons puis se gare dans le minuscule parking d'un immeuble de bureaux fermés. Nous restons un moment, moteur et phares éteints, sans parler, à regarder dans le vague devant nous.

Il finit par se tourner face à moi. « Je pensais à ce que je t'ai dit à Vernazza », entame-t-il posément, le regard triste et distant.

Le mot « mais » n'arrivant pas, je le prononce moi-même : « Mais tu ne penses pas pouvoir rester ?

– Je n'en sais rien, Anna, soupire-t-il. On est totalement hors piste, là. Je n'ai encore rien vécu de pareil.

– Qu'es-tu censé me montrer, Bennett ? »

Il secoue la tête. « J'ai essayé de le savoir, mais la seule chose à laquelle il aurait – *j'aurais* – pu faire allusion n'est pas quelque chose que je *peux* te montrer.

– Pourquoi pas ?

– Parce que… ça se trouve dans ma chambre. Ma *vraie* chambre, en 2012. Je doute que la rapporter ici soit une bonne idée. Et je suis certain, en revanche, que t'emmener dans l'avenir n'en est pas une.

– Sauf que *tu* m'en as parlé, sur la piste. Tu m'as dit qu'il fallait que je la voie. Je pense que tu es *censé* me la montrer, Bennett.

Il serre les lèvres. « Je préférerais t'en parler.

– Il faut que tu me la *montres*. C'est ce que tu m'as dit. » Je lui prends les mains par-dessus le levier de vitesse. « En plus, je meurs d'envie de voir ta chambre.

– Aucune chance. » Il les retire et s'agrippe à son volant. Puis il me regarde dans les yeux. « Je te l'ai dit, Anna, je t'emmènerai partout où tu souhaites aller dans le monde, mais jamais après ta vie. Tu ne peux pas voir ton propre avenir.

– Ça n'est pas le cas : je verrai ton présent. Je t'observerai comme tu le fais ici.

– Je ne suis pas censé t'emmener dans le futur.

– Qui le dit ?

— Moi.

— Et si tu te trompais ?

— Et si je ne me trompais pas ?

— Tu ne pensais pas que tu devais annuler un accident de voiture non plus, mais on s'en est plutôt bien tiré au bout du compte. Écoute, tu es censé me montrer quelque chose, et par ailleurs, si tu y vas, et si pour une raison ou une autre tu ne peux réellement plus... » Les mots s'étranglent dans ma gorge. « Il faut juste que je sache où tu seras. »

Il me regarde fixement un long moment sans que je puisse deviner ses pensées.

« S'il te plaît, quelques minutes seulement. Tu me montres juste ce que je dois voir et tu me ramènes aussi sec. »

Un lourd silence s'abat sur nous. Il finit par retirer les clés de contact et les fourre dans la poche de son jean.

Je lui présente mes mains et ferme les yeux tandis que je l'entends dire : « Cinq minutes. »

31

« On est arrivés. »

J'ouvre les yeux. Il fait sombre, nous sommes devant une baie vitrée avec vue plongeante sur la ville. Tout ce que je parviens à voir, ce sont les lumières qui scintillent au loin et s'étirent jusqu'à la ligne sombre de l'horizon. « Waouh, c'est ça, ta *chambre* ? » Je rechigne à m'éloigner du spectacle mais me retourne malgré tout pour observer la pièce.

Comme celle qu'il occupe chez Maggie, elle est propre et impersonnelle, à l'exception d'une toile sur un mur. Son lit est fait au cordeau et, sur l'immense bureau en verre et métal disposé dans un angle de la pièce, trône un écran noir et chrome et un réveil numérique qui affiche 11 : 06.

« On est quel jour ?

– Le 27 mai 2012. » Me voilà dix-sept ans plus tard dans la vraie chambre de Bennett. Je m'approche de son bureau et repère une seule photo dans un cadre : Bennett qui tient Maggie par le cou, tous les deux souriant à pleines dents. Le fait qu'il ait l'air plus jeune me déstabilise un instant, mais c'est l'aspect physique de Maggie qui m'interloque réellement. Elle a l'air tellement plus vieille, plus frêle et émaciée qu'en 1995. Bennett me prend la photo des mains et la repose à plat contre le bureau. Je devine à son air que Maggie a dû mourir peu de temps après ce cliché.

En comparaison de ma chambre aux murs tapissés de dossards et de photos, aux étagères bourrées de CD et de trophées, je réalise qu'il investit beaucoup moins de *lui* dans la sienne. Ensuite, je remarque l'immense saladier en verre sur sa table de nuit et je sais qu'il contient une part fondamentale de sa personnalité.

Je m'assois sur le bord de son lit et prends une poignée de souches de billets. U2 à Kansas City, 1997. Red Hot Chili Peppers, Lollapalooza, 1996. Les Pixies au UC-Davis, 2004. Lenny Kravitz au Paramount, à New York, 1998. Les Smashing Pumpkins à Osaka, 1996. Van Halen à L.A., 1994. Les Ramones, au Palace, à Hollywood, 1996. Eric Clapton, à Cleveland, 2000. J'en pioche d'autres dont je n'ai encore jamais entendu parler. Des groupes formés après 1995, forcément. Il y a des centaines de places de concert là-dedans.

Je lève les yeux et vois Bennett qui farfouille dans un tiroir de son bureau. Il en extrait une boîte en bois dont il soulève le couvercle, et se dirige vers moi, un morceau de papier à la main.

« Qu'est-ce que tu tiens ?

– Une lettre. »

Je laisse retomber les billets dans le saladier. « C'est une lettre que tu es censé me montrer ?

– Je crois que oui. » Il me regarde et inspire profondément, comme pour prendre du courage. « L'année dernière, je traînais dans le parc avec des amis quand une femme s'est approchée de moi. » Il hésite. Je continue de le regarder dans les yeux, et il se fend du beau sourire que je lui connais bien désormais. « Elle était magnifique, de grands yeux noisette, des cheveux bruns tout bouclés. Elle m'a demandé si elle pouvait me parler en privé, et ensuite, elle m'a donné cette lettre. » Il la déplie, la défroisse et me la tend.

« Qu'est-ce qu'elle dit ?

– Il faut que tu la lises toi-même.

– Je ne veux pas. » Je la repousse et détourne la tête. Je l'ai supplié de m'emmener jusqu'ici, de me montrer ce qu'il avait à me montrer, mais maintenant que je suis là, je préférerais rentrer à Evanston. Recommencer à faire comme si tout était normal.

Il me tend de nouveau la lettre. « J'ai besoin que tu saches tout désormais. »

Je sens mon visage se contracter. « Je croyais que c'était déjà le cas, Bennett.

— Pas tout à fait. S'il te plaît. »

Je baisse les yeux et commence à lire.

Le 4 octobre 2011

Cher Bennett,

Je crains de trop en dire et d'enfreindre les règles que tu m'as apprises autrefois. J'espère avoir choisi assez soigneusement mes mots. Un jour, ma visite et cette lettre auront beaucoup plus de sens pour toi. Pour l'instant, tu dois simplement me faire confiance.

Ces dernières dix-sept années m'ont procuré une bonne vie stable. Ça n'a pas été l'aventure audacieuse que j'espérais, mais j'ai été heureuse. Je n'ai jamais oublié cependant qu'un jour tu m'avais donné le choix entre deux voies et que d'une certaine façon, contre ma volonté et sans doute aussi la tienne, je suis restée coincée dans la mauvaise. Celle que je n'avais pas choisie. Te remettre cette lettre est la chose la plus risquée et la plus effrayante que j'aie entreprise de toute ma vie, mais il faut que je sache où la voie de mon choix initial m'aurait menée.

Dans quelques jours, nous nous retrouverons, et ensuite tu repartiras pour de bon. Mais je pense que je peux arranger les choses — il faut juste que je prenne une autre décision cette fois.

Dis-moi de vivre ma vie pour moi, et non pour toi. Dis-moi de ne pas attendre ton retour. Je pense que cela pourrait tout changer.

Je t'aime,

Anna

J'ai toujours écrit mon prénom avec un A majuscule qui ressemble davantage à une minuscule, un a arrondi plutôt que pointu. Apparemment, je continue en 2011.

« Elle est de… moi ? »

Il opine.

« Tu veux dire, de moi dans le futur ? » Ces paroles paraîtraient bizarres aux oreilles de n'importe qui. Pas à celles de Bennett Cooper. Il hoche simplement la tête, comme si elles étaient parfaitement sensées.

« Ça fait combien de temps que tu l'as ? » lui demandé-je, pensant soudain à inspirer.

Il indique la date du doigt. « Octobre dernier. » Au moins un accent de culpabilité perce-t-il dans sa voix. Je repense à ce premier jour à la cafétéria, quand mon prénom avait semblé le plonger dans un profond désarroi. Il me connaissait. Il m'avait déjà rencontrée. Cinq mois plus tôt. Seize ans plus tard.

Il m'attrape les bras des deux mains, ce qui est une bonne chose, vu que je ne me sens pas très stable. « Il faut que tu comprennes, Anna. Je suis allé à Evanston pour chercher Brooke. Honnête-ment. Je pensais la retrouver et rentrer à la maison au bout de quelques jours. Je ne suis allé à West-lake que parce que je l'avais promis. Est-ce que tu peux imaginer ce que j'ai ressenti le jour où Emma nous a présentés ? Entendre ton prénom, voir tes yeux, tes cheveux… *savoir*… que c'était toi ? Que tu étais Anna. » Il me montre la lettre. « Cette Anna-là que j'avais rencontrée cinq mois plus tôt, par hasard, dans un parc en 2011 ? Et que tu étais là, dans la cafétéria de mon lycée, en 1995. Dans une ville où je n'avais aucune envie de me trouver pour com-mencer ? » Sa voix se brise.

« Au départ, j'ai essayé de t'éviter. J'aurais sans doute dû continuer à le faire. Les premières semaines, je n'arrêtais pas de me réciter tes mots dans ma tête, sans savoir comment réagir. Je ne vou-lais pas t'entraîner là-dedans, ajoute-t-il en baissant les yeux vers la lettre, je ne voulais pas te blesser. »

Et là, je prends conscience — même si cela me paraît tardif tant la chose me crève désormais les yeux — qu'il ne reviendra pas. Il ne restera pas. Nous allons nous séparer pendant dix-sept ans, ou plus, à jamais peut-être.

Dans quelques jours, nous nous retrouverons, et ensuite tu repartiras pour de bon.

Et il le savait depuis le début.

« Comment as-tu pu me le cacher ? »

Il regarde la moquette sans rien dire. « J'en sais rien. Je pensais pouvoir modifier l'issue, finit-il par articuler. Je n'arrêtais pas d'être ramené ici et de revenir à Evanston, j'avais l'impression que je prenais des forces, que je m'apprenais moi-même à prolonger mes séjours. La lettre ne dit pas combien de temps je suis resté – elle dit simplement que je *suis parti pour de bon.* J'ai imaginé que si je revenais et que je restais... » Sa voix se brise, il me regarde, les yeux remplis de remords. « C'est quand tu as rencontré *l'autre* sur la piste la semaine dernière que j'ai compris à quel point j'étais loin d'avoir résolu le problème.

– Tu aurais dû me le dire. » Je peux à peine prononcer ces mots.

Il continue d'avoir trop confiance en ses propres capacités, il me ment encore en pensant m'empêcher de souffrir. Mais il ne peut pas me protéger. Pas quand je suis celle qui doit prendre une autre décision et désamorcer la situation. « Sur quelle décision dois-je revenir ? » J'attends qu'il me réponde, qu'il me révèle d'autres points importants du voyage dans le temps qui m'auraient échappé. Qu'il me dise exactement ce qui se passera ensuite et me rassure sur le fait que tout va pour le mieux dans le meilleur des mondes.

Mais il regarde de nouveau la moquette et dit : « Je n'en sais rien. »

La dernière fois qu'il m'a laissée tomber, il m'a fallu rassembler toutes mes forces pour ne pas éclater en sanglots. Cette fois, peu m'importe. Cette fois, je ne peux rien retenir du tout. Je laisse libre cours au flot de larmes rageuses et brûlantes qui m'assaille.

Je pleure parce qu'il a vraiment perdu le contrôle et qu'il est en train de le reconnaître, parce qu'il trimballe ce courrier avec lui depuis le début et que, pour me protéger, il a continué à avoir des secrets pour moi tout en me jurant le contraire. Je pleure surtout pour elle, cette femme de trente-trois ans qui a passé presque deux décennies à chercher un garçon aux cheveux en pétard et aux yeux bleu fumée qui a changé le cours de sa vie un soir neigeux à Evanston, Illinois.

Comment a-t-il pu ne pas me parler d'une lettre qui scellait nos deux destinées ? Qui disait si clairement qu'il ne pouvait rester ? « Comment as-tu pu… » Impossible de terminer ma phrase. Pourtant, il le faut, car autrement je sais exactement ce qu'il va penser. Qu'il a foutu ma vie en l'air. Qu'il aurait dû partir tant qu'il était encore temps. Qu'il devrait effacer tous ces derniers mois. Et je l'aime bien trop profondément pour le laisser penser tout cela.

J'essuie mes larmes et, avant que nous puissions échanger quelques mots que ce soit, le mal de ventre me plie en deux. J'attrape sa couette des deux mains. J'ai l'impression que mes boyaux sont en feu. Je ne peux ni bouger ni parler, mais j'entends Bennett crier mon prénom et je le sens tendre ses mains vers moi, mais tout a l'air lointain et feutré. Quand je le regarde de nouveau, son visage est flou et déformé, comme si je regardais à travers la lentille d'un appareil photo mal réglé. Puis mon estomac se noue et se contracte de nouveau avec une violence qui m'oblige encore une fois à me plier en deux. Et je m'entends hurler. Très fort.

Ensuite, il fait noir et c'est silencieux.

32

J'ai le visage mouillé, et la seule odeur que je sens est celle du cuir. Quand je déploie mes jambes et enfonce mes mains dans mon siège, pour me stabiliser, c'est du cuir encore que je perçois sur ma peau. J'ouvre les yeux.

Je suis sur le parking sombre, à Evanston, et complètement seule dans la Jeep de Bennett. « Non... » Comme je suis incapable de dire autre chose, je répète le seul mot qui me vienne à l'esprit. « Non. Non. Non. » Je regarde tout autour de moi et sens la panique me gagner. Je regarde fixement le siège du conducteur, attendant que Bennett apparaisse comme par enchantement, ainsi qu'il sait si bien le faire, mais il ne se matérialise à aucun moment, pas plus que les clés qui devraient se trouver sur le contact. Je le revois s'enfoncer dans son siège pour les fourrer dans la poche de son jean.

L'horloge numérique sur le tableau de bord indique 11 : 11. Je ne suis partie que cinq minutes, au bout du compte.

Maintenant, je sais exactement ce que Bennett éprouvait dans le parc l'autre soir. Revenir brutalement contre son gré n'a rien à voir avec voyager. Je n'arrive ni à me tenir droite ni à respirer. Tout ce que je parviens à faire, c'est haleter et tenter d'enrayer ma panique. Mon estomac se contracte de nouveau, encore plus violemment que tout à l'heure. Je ne trouve pas de récipient dans lequel vomir, même pas un simple gobelet de café, dans cette voiture beaucoup trop neuve. Je me cale dans mon siège, une main devant la bouche.

Respire.

Retiens-toi.

Respire.

Retiens-toi.

Je tente d'ouvrir la portière. Au moment où je tire la poignée vers moi, un point lumineux sur le tableau de bord attire mon regard. L'alarme est activée. Elle se déclenchera sitôt que j'ouvrirai la portière. Je sens de nouveau ce goût métallique dans ma bouche, tandis que mon estomac se contracte en une petite boule compacte. J'ouvre la porte en grand, l'alarme hurle, couvrant le bruit de mon vomissement.

Après avoir rendu tripes et boyaux, je m'essuie sur la manche de mon manteau et regarde autour de moi. Une lumière s'allume dans une maison, de l'autre côté de la rue. Je sais que j'ai intérêt à déguerpir avant que quelqu'un ne décide de prévenir la police. Je fouille la voiture une dernière fois, espérant qu'un double des clés apparaîtra comme par enchantement.

Je suis loin de chez moi, mais je me mets à courir aussi vite que je le peux. Si je pouvais adopter mon rythme de course habituel, je serais chez moi en un quart d'heure, mais avec la mini et les hauts talons que m'a prêtés Emma, cela me prendra sans doute plus que le double de temps. Surtout que je n'arrête pas de me retourner vers la Jeep. Une petite part de moi pense qu'il va venir se garer contre le trottoir d'une minute à l'autre et que nous resterons là à nous disputer dans le noir à propos de la lettre. Sachant que je finirais sûrement par lui pardonner, trop heureuse de l'avoir retrouvé. Mais la Jeep ne vient pas.

Quand j'arrive enfin à destination, je grimpe sans bruit les marches jusqu'au perron, espérant me faufiler dans la maison sans passer par la cuisine, mais mon père m'aperçoit.

« Comment était le film ? » me demande-t-il, avant de me regarder des pieds à la tête puis de jeter un œil par la fenêtre. Où est Bennett ? Pourquoi ne t'a-t-il pas ramenée à la maison ? »

Je ne peux même pas essayer d'imaginer à quoi je ressemble. Barbouillée et boursouflée pour avoir pleuré, transpirante et éreintée. « On était au café. »

Il affiche une expression dure que je ne lui connais pas et plisse les yeux pour mieux m'observer. « Tu es dans un piteux état, Anna. Que s'est-il passé ? Tu as intérêt à me dire la vérité. »

La vérité. J'étais au cinéma. Puis je suis allée à San Francisco où j'ai regardé des billets de concert, heureuse un bref instant, furieuse celui d'après. J'ai vomi dans un parking et me voilà. Je dis le premier truc qui me passe par la tête. « On s'est disputés. Bennett ne sait pas où je suis. Je suis désolée, la soirée s'est vraiment très mal passée. » Je sens les larmes recommencer à rouler sur mes joues.

« Tu te sens bien ? » Le visage de mon père se radoucit et j'essaie de dire non, mais rien ne sort. Il m'attire contre lui, et je sanglote sur son épaule, avant de parvenir à me calmer. « La prochaine fois, passe à la librairie et demande-moi de te ramener, d'accord ?

— D'accord, je suis désolée.

— T'inquiète pas. Je suis sûr que tout ira mieux demain matin. » Il me tapote le dos et je me dirige vers l'escalier. « Annie. » Je me retourne. « Si ça n'est pas le cas, viens me voir, d'accord ? »

Je lui souris et grimpe lourdement les marches. Ma chambre n'a pas vraiment bougé. Une pile de linge sale que j'étais censée laver le jour où je suis allée faire du shopping. Des manuels et des cahiers posés en vrac sur mon bureau. Mon lit toujours défait.

Je dois rêver. Je vais à la fenêtre, espérant voir Bennett se garer dans l'allée. Je peux seulement l'imaginer tel que je l'ai quitté : assis sur son lit, la lettre dans ses mains et l'air ébahi de celui qui, pour la première fois de sa vie, voit disparaître quelqu'un sous *ses* propres yeux.

La lettre.

Le jour où il a entendu mon prénom dans la cafétéria, il savait exactement qui j'étais. Il savait que nous avions eu une relation. Et qu'il repartirait pour ne jamais revenir. Il savait tout cela, et moi je l'ignorais.

Et soudain, tout ce qui s'est passé le premier mois s'éclaire. Il ne voulait rencontrer personne parce qu'il n'avait pas prévu de rester et il ne voulait pas faire ma connaissance car il savait que nous finirions par être séparés. Mais il m'a laissé le choix. Je me souviens exactement de ses paroles au sommet du rocher que nous venions d'escalader. « Tu existes en 2012, comme je le fais, dans un avenir qui ne m'inclut pas. Le simple fait de me connaître... va bouleverser ta vie. » Il ne me laissait pas seulement choisir entre avoir une relation avec lui le temps de son escale à Evanston ou non. Il me laissait décider si je voulais être cette Anna-là. La fille à qui il a brisé le cœur quand elle avait seize ans, et qui avait mûri sans jamais l'oublier.

Je me souviens aussi de ses mots à elle. Les miens.

Je suis restée coincée dans la mauvaise voie.

Tu vas partir pour de bon.

Il faut juste que je prenne la bonne décision cette fois.

Je pense que cela pourra tout changer.

Je n'y comprends rien du tout. Quelle autre décision suis-je censée prendre ? Qu'est-ce qui est censé changer ?

La rue est tranquille et sombre, mais éclairée par la pleine lune et un ciel étoilé. Je me plante devant mon planisphère et trace une ligne imaginaire entre Evanston, Illinois, et San Francisco, Californie. Si au moins nous n'étions séparés que par cette distance. Malheureusement, nous le sommes aussi par le temps : dix-sept années, exactement.

Je prends une épingle dans ma boîte et la regarde fixement. Je la fais tourner entre mes doigts et continue d'observer. Peut-être que si j'arrive à visualiser sa ville, sa chambre, sa fenêtre et le panorama en contrebas, le saladier rempli de billets de concert, le bureau et le lit, je parviendrai moi aussi à voyager. Je ferme les yeux encore plus fort, m'imprégnant de cette image tandis que je chuchote. « 21 mai 2012 », « 21 mai 2012 », encore et encore.

Quand je les rouvre, je suis toujours là, devant mon planisphère, ma ridicule petite épingle entre les doigts, et des larmes coulent le long de mes joues. Je regarde le point qui signale San Francisco. L'épingle fait un triste petit bruit quand elle transperce la surface.

33

Je me redresse d'un bond, empoigne le réveil sur ma table de chevet : dix heures vingt-deux. Du *matin* ? À quelle heure me suis-je couchée ? Comment ai-je pu m'endormir ? Puis tout me revient à l'esprit. J'ai été brutalement réexpédiée et Bennett, lui, est resté là-bas.

J'enfile mon jogging et fonce à la porte, ignorant les remontrances de ma mère qui me reproche d'avoir trop dormi, rien avalé avant de sortir et de m'entraîner même le dimanche. Sauf que là, je ne m'entraîne pas. Je cours.

Quand j'arrive chez Maggie, quatre pâtés de maisons plus loin, je remarque immédiatement que la voiture de Bennett n'est pas dans l'allée. Mon estomac s'alourdit tellement que l'envie de vomir me reprend. Je grimpe sur le perron et sonne à la porte.

Pas de réponse.

Je sonne de nouveau et attends.

Je jette un œil à travers les voilages mais ne vois aucun signe de vie. Rien. Pas un mouvement. Pas de bruit. Où est-il ? Où est Maggie ? Je m'adosse à la fenêtre, le visage enfoui dans mes mains. Que faire ?

Mon cerveau ne répondant pas, j'obéis à mes pieds qui me commandent clairement de retourner sur le parking de l'immeuble de bureaux – le dernier endroit où Bennett était censé se trouver, ou plutôt ne pas se trouver, mais où je voulais qu'il soit : ici, dans ma ville.

Mes mollets sont raides, ma foulée est bizarre, mes pieds martèlent le béton. Le paysage défile de façon floue, mais ce qu'enregistrent mes yeux est foncièrement étrange. La lumière chaude du soleil qui inonde chaque maison se reflète sur les parterres de rosiers et de tulipes qui délimitent les allées de brique rouge et les pelouses d'un vert étincelant. Contrairement au froid qui attaque les poumons, l'air moite me donne l'impression d'inhaler dans un oreiller et me fait suffoquer.

Trois kilomètres plus loin, j'arrive devant l'immeuble de bureaux où je m'arrête enfin. La voiture de Bennett n'est plus là. L'espace de quelques secondes, je me pince, pensant avoir rêvé toute la scène. Mais le pâté informe de vomi que je repère suffit à confirmer la réalité des faits.

Je refoule mes larmes et rebrousse chemin. Il n'y a pas d'autre endroit où aller, je repars en courant chez Maggie, la seule personne qui puisse savoir où il se trouve. Ou du moins où sa voiture est passée.

Je retraverse le quartier en sens inverse, longe les mêmes maisons, les mêmes voitures stationnées le long du trottoir. Quand j'atteins le panneau Greenwood, je retrouve mon rythme de course habituel. C'est là que je vois la Jeep de Bennett venir vers moi, un clignotant activé, puis bifurquer et disparaître.

Je prends le virage à toute allure et arrive au moment où la voiture s'engage dans sa propre allée. Il est rentré. Je sens mes pieds adopter un tempo inédit. Je savais qu'il le ferait. « Bennett ! » Je plaque mes paumes contre son pare-brise arrière et me précipite jusqu'à la vitre du conducteur. « Bennett ! »

La portière de la Jeep s'ouvre lentement, et c'est Maggie qui en sort puis pose précautionneusement un pied dans l'allée. « J'ai bien peur que non », dit-elle d'une voix douce et contrôlée. Je lui barre le passage tandis que je me penche pour inspecter les sièges. Vides.

« Où est-il, Maggie ? Où est Bennett ? »

Elle referme sa portière. Ses cheveux argentés brillent dans la lumière du soleil. Elle a les traits tirés, et ses yeux, ceux de Bennett, semblent scruter les miens pour y lire quelque chose qu'elle ne peut pas tout à fait définir. « Tu ne sais vraiment pas où il est, n'est-ce pas ? »

Je secoue la tête, même si ce n'est pas totalement vrai. Je sais où il est. Je pourrais le lui dire, mais elle ne me croirait jamais.

Elle passe un bras autour de mes épaules. « Allons discuter un peu. » Tremblante sur mes jambes, je me laisse guider jusqu'au perron et la suis à l'intérieur. Elle commence par ranger manteau et sac à main dans sa penderie, avant de gagner la cuisine. Un silence inconfortable s'installe, le temps qu'elle prenne deux tasses dans le placard et branche la bouilloire électrique.

Elle se retourne et me voit appuyée au chambranle, l'air très agitée. « Détends-toi, va t'asseoir, Anna. » Maggie désigne la table d'un geste de la main, avant de reporter son attention sur les sachets de thé. Je m'empresse de m'exécuter.

Je devrais penser à ce que je vais lui dire, mais je me contente de contempler la pièce. Les placards d'un blanc étincelant, la surface du comptoir en granit foncé, le vase sur le rebord de la fenêtre. Je repère un vitrail représentant la montagne, fixé à la fenêtre par une ventouse et un crochet. Je suis des yeux le rayon de soleil qui filtre à travers et se transforme en stries orange, bleues et vertes dans la pièce et sur la table blanche.

« C'est ma fille qui l'avait fait pour moi au lycée », m'informe Maggie de l'autre bout de la pièce, sans attendre de commentaire. Ce qui m'arrange car je n'en ai aucun à faire. « J'adore la façon dont la lumière traverse cette vitre. Ces couleurs sont époustouflantes. » Puis elle pose la tasse de thé devant moi et le rai bleu rebondit contre la céramique.

« J'arrive du poste de police, m'apprend-elle de but en blanc, en s'asseyant à la table. « Ils ont trouvé la voiture de Bennett dans un parking désert la nuit dernière. L'alarme s'était déclenchée ; un voisin a fini par alerter le commissariat. » Elle avale une gorgée de thé.

« Ah bon, vraiment ? »

Maggie me décoche un regard suspicieux par-dessus le rebord de sa tasse. « N'étais-tu pas avec lui, hier soir ? »

Je vais pour prendre ma tasse, mais mes mains tremblent tellement que je me contente de faire glisser la sous-tasse vers moi. « Nous étions ensemble, oui, nous sommes allés au cinéma avec des amis. Et nous nous sommes garés dans ce parking. » Je lève les yeux vers elle. « Mais nous nous sommes disputés, je suis rentrée chez moi à pied, et je ne l'ai pas revu depuis. » J'ai l'impression d'être cohérente, mais j'espère intercaler assez de bribes de vérité pour chasser ses soupçons.

« Et tu ne sais pas où il a pu aller de son côté ? »

Je secoue la tête. Je le sais mais, encore une fois, elle ne me croirait pas.

« Eh bien, je n'ai aucune raison de passer mon temps à chercher un étudiant qui loue simplement une chambre chez moi. Pourquoi me donner tout ce mal pour un parfait inconnu, peux-tu me le dire ? » Il y a un mélange d'amertume et de bravade dans ses propos qui confirment ce que je sais déjà : elle aussi a fini par s'attacher à Bennett. Je joins mes mains sous la table pour tenter de les stabiliser. « Je trouve très intéressant que la police m'ait contactée, *moi,* quand ils ont découvert sa voiture. » L'inquiétude et le trouble semblent creuser ses rides. « Sais-tu pourquoi c'est moi qu'ils ont appelée ? »

Je sens mon visage se contracter. « Non.

– Tout d'abord, parce que je suis enregistrée en tant que *propriétaire* de ce véhicule. Et ensuite parce que d'après Westlake Academy, où il semble aller au lycée, je suis sa grand-mère. » Lentement, elle prend une autre gorgée de thé et pose ses coudes sur la table. « Je présume que tu savais que je le croyais étudiant à Northwestern ; mais aussi que tu sais que je ne suis *pas* sa grand-mère. »

J'essaie de nouveau de porter la tasse à mes lèvres, mais découvre que le thé est toujours aussi brûlant.

Indifférente à la température, Maggie avale une gorgée du sien. « As-tu la moindre idée de la raison pour laquelle il a menti à mon sujet, Anna ? » *Reste calme, respire, avale une gorgée de thé fumant.* « Pourquoi il a prétendu que j'étais sa grand-mère ? »

Parce que vous l'êtes est la seule réponse qui me vienne à l'esprit. Je voudrais tellement pouvoir lui raconter tout ce qui s'est passé ces trois derniers mois, depuis que Bennett a débarqué dans cette ville. Mais comment lui dire que le petit garçon sur les photos trônant sur la tablette de sa cheminée et le lycéen qui occupe l'une de ses chambres vacantes ne font qu'un ? « Je ne sais pas, Maggie. » Son expression ne change pas. « Je ne sais pas. » Je répète ces mots comme un mantra.

Elle me regarde fixement, et la culpabilité me tord l'estomac. Elle pousse un profond soupir. « Je suis un peu désemparée. La police me demande de déclarer sa disparition s'il n'a pas réapparu dans les vingt-quatre heures. Si tu as la moindre information, Anna, il faut absolument me la donner. Je t'en prie. »

Je regarde ma tasse et avale une gorgée de thé.

« Et dire que ce garçon que j'aimais bien m'a menti pendant tout ce temps. Et que je ne découvre que maintenant que j'ignore même qui il est. » Maggie plonge son regard dans le mien. « Quelque chose me dit que tu en sais un peu plus long que moi à son sujet. »

Je brûle d'envie de tout lui révéler, qu'elle découvre enfin qui est Bennett – je suis lasse d'être la seule à connaître son secret – et qu'elle continue d'éprouver de l'affection pour lui. Ce qui serait inévitablement le cas si elle découvrait le lien qui les unit.

Je voudrais aussi lui dire que dans quatre ans on lui diagnostiquera la maladie d'Alzheimer. Que le déclin sera lent jusqu'en 2000, puis plus rapide : dès 2001, elle commencera par oublier plus que des petits détails du quotidien ou des souvenirs mineurs. Elle négligera de payer ses factures, ne saura plus dans quelle banque est placé son argent. Jusqu'à perdre toute autonomie, en 2002, et ne plus identifier aucun membre de sa famille. Sa propre fille, la mère de Bennett, sera trop loin, à tous niveaux, pour arranger les choses. Et enfin qu'elle mourra quand Bennett aura huit ans.

Mais cinq ans plus tard, Bennett commencera à revenir en 1995. En 1996. En 2000. En 2003. Il finira par amener Brooke avec lui. Tous deux frapperont à la porte de Maggie, prétendant être des étudiants en quête de donations, juste pour entendre le son de sa voix. Quand elle sera vraiment malade, ils débarqueront au milieu de la nuit pour nettoyer sa cuisine et régler ses factures. Quand elle s'absentera pour un rendez-vous quelconque dans la journée, Bennett tondra sa pelouse et Brooke plantera des fleurs. Ils cacheront de l'argent dans sa maison, conscients que, même si cela risque de la troubler, elle le trouvera.

Pour finir, Bennett révélera son secret à Maggie, qui mourra sachant que les dernières années de sa vie auraient été très différentes sans le don particulier de son petit-fils.

« Anna ? » Maggie interrompt le fil de mes pensées.

« Ne laissez pas la police entamer des recherches. » Ma voix s'étrangle, et même si je veux en dire beaucoup plus, je m'abstiens.

Ses yeux s'agrandissent. « Pourquoi ? S'il te plaît, tu dois me dire ce que tu sais, Anna. »

Je soutiens un instant son regard, avant de baisser les yeux sur la table où dansent les rais de lumière multicolores. Ce que je *sais* ? Voilà une question à laquelle je peux répondre. Enfin, plus ou moins. J'effleure le rayon vert du bout du doigt. « Je ne sais vraiment pas où le trouver. Mais je sais qu'il est en sécurité, dis-je avant de poursuivre un ton plus bas. Je sais qu'il est rentré à San Francisco. Je sais qu'il ne voulait pas partir mais qu'il n'avait pas le choix. Je sais qu'il ne voulait pas vous mentir. Ni vous blesser.

– Qui est-il ?

– Je ne peux pas vous le dire, Maggie. Il a mis beaucoup de temps à me confier son secret, et j'ai promis de le garder. Ça me déchire de ne pas pouvoir le partager avec vous à l'instant, mais c'est à lui de vous le révéler. Sachez tout de même que c'est quelqu'un de bien. » Je voudrais ajouter *qui vous adore,* mais je m'abstiens pour ne pas trop en dire. « Il faudra juste qu'il vous parle à son retour. »

Elle se penche en avant. « Et ce sera quand ? »

Voilà encore une autre question à laquelle je ne peux pas vraiment répondre. « Je n'en ai aucune idée. Mais il m'a promis qu'il reviendrait, et que je devais le croire. »

Je reste là à la regarder, mal à l'aise.

« Que devrais-je dire à la police ? »

Je réfléchis rapidement. « Qu'il y a eu une urgence chez lui, un accident. Qu'un ami l'a emmené à l'aéroport et qu'il a laissé sa voiture dans le parking. Mais qu'il vous a appelée pour vous dire que tout allait bien, qu'il est... » J'inspire profondément pour pouvoir terminer ma phrase sans éclater en sanglots. « ... rentré à San Francisco dans sa famille.

– Je suis censée mentir ? À la police ?

– Ça n'est pas un mensonge. Il y est vraiment. Vous pouvez le leur dire ou ne rien dire du tout, le déclarer perdu et les laisser chercher. Mais ils ne le trouveront pas.

– S'il revient...

– Quand il reviendra... Quand il reviendra, je serai la première à le savoir, je veillerai à ce que vous soyez la deuxième. Mais aussi à ce qu'il vous dise tout. D'accord, Maggie ? »

Elle hoche plusieurs fois la tête tout en réfléchissant à ma proposition. « Que suis-je censée faire de ses affaires ? De sa voiture ? »

Il avait prétendu qu'elle était à elle et je ne comprends que maintenant pourquoi. « Je pense que Bennett l'a achetée pour vous. »

Elle fronce les sourcils et me regarde dans le fond des yeux. « Mon Dieu, mais pourquoi ferait-il une chose pareille ? Il ne me connaît tout de même pas suffisamment pour m'offrir une voiture neuve. »

Je lui souris et pousse un soupir. « Non, mais oui, en fait. Et je sais que tout cela paraît absurde… » Je m'interromps tandis que ces derniers mots résonnent dans ma tête. Puis je me retrouve en train de répéter ceux que j'ai lus hier soir, à San Francisco, et que j'écrirai à Bennett dans dix-sept ans. Ils ont œuvré auprès de lui. Peut-être œuvreront-ils auprès de sa grand-mère. « Un jour, dis-je, tout s'éclaircira. Pour l'instant, vous devez simplement avoir confiance en moi. »

34

Il y a une heure que je suis assise par terre, au pied de mon lit, dans le sweat-shirt extra large que Bennett avait porté à notre retour de Koh Tao, à contempler la robe noire que j'ai achetée pour la soirée des enchères qui a lieu ce soir. Le jour où je l'ai rapportée à la maison et suspendue dans ma penderie, elle m'a paru quasi magique, comme sortie d'un dessin animé où des oiseaux et des souris l'auraient confectionnée pendant mon sommeil.

Mais ce soir, une semaine après avoir été réexpédiée brutalement, elle me fait l'effet d'une simple pièce de musée, au même titre que mon planisphère, mon sachet de sable, mes six cartes postales et mes quatre nouvelles épingles. Toutes ces choses que je ne peux plus regarder sans penser à lui.

J'ai toujours les yeux fixés sur ma robe quand j'entends frapper à ma porte. Je m'y attendais, mais j'ignore lequel de mes parents a perdu à pile ou face.

« Entre », je marmonne.

Emma ?

Je la regarde fixement sans bouger de mon petit carré, par terre. Elle arbore la tenue que je l'ai aidée à choisir, la longue robe rouille sans bretelles qui lui sied à ravir, et une sorte de chignon d'où s'échappent quelques mèches floues qui lui encadrent le visage. « Waouh, tu es sublime !

– Merci. » Elle s'assoit par terre à côté de moi et me prend la main.

Je la regarde en coin. « Ta robe va être toute froissée.

– Pas de problème. » Elle m'observe de la tête aux pieds : ma tignasse emmêlée, mes yeux injectés de sang, des jambières minables et – à son grand désarroi, j'imagine – le vernis écaillé sur mes ongles de pieds.

« Qu'est-ce que tu fais là, Em ? »

Elle presse brièvement ma main. « Désolée, je sais que tu veux rester seule, mais ta mère m'a demandé d'intervenir. » Je lève les yeux au ciel. Ma mère et mon père ont passé la semaine à me casser les pieds avec cette stupide soirée. Et je leur ai dit on ne peut plus clairement qu'il n'était pas question que j'y mette les pieds. Mais de là à envoyer Emma en renfort ? C'est carrément de l'acharnement.

« Et je voulais aussi m'assurer que tu allais bien.

– Très bien. »

Elle me regarde sans y croire puis lève les yeux vers la robe. « Ce serait vraiment dommage que je sois la seule à t'avoir vue dedans. Tu étais tellement belle. »

Je regarde ma robe de soirée, écœurée. « Merci. »

Nous restons silencieuses quelques minutes. « Je ne vais pas changer d'avis, finis-je par dire.

– Je sais, mais il faut que je reste au moins un quart d'heure pour que ta mère pense que j'ai vraiment essayé. » Elle me sourit et me flanque un coup d'épaule. « D'accord ? »

Je lui rends un sourire triste. « Merci. » Emma comprend. Elle a tout de suite compris. Dimanche dernier, en partant de chez Maggie, j'ai couru jusqu'à chez elle, et je me suis effondrée sur son perron. Nous sommes allées dans sa chambre où elle m'a donné des mouchoirs en papier, et m'a laissée déballer mon histoire pendant des heures sans jamais douter de sa véracité. Quelqu'un est tombé gravement malade chez lui. Il a dû rentrer d'urgence à San Francisco peu après le ciné. Il ne savait pas quand il reviendrait, ni s'il allait revenir, et il regrettait de ne pas avoir pu dire au revoir. Nous allions tous lui manquer.

Le lendemain, j'ai raconté la même histoire à deux ou trois autres personnes et attendu qu'elle fasse le tour du Donut. En quelques heures, tout le monde savait que Bennett était rentré chez lui, mais j'étais la seule à savoir ce que ce départ imprévu cachait.

Je regarde ma meilleure amie, toute pomponnée, ravie de se rendre enfin à la soirée qu'elle attend depuis six mois, et je sais que je devrais y participer aussi. Voir comment Emma et Danielle ont contribué aux préparatifs de cette fête, et mes parents danser, et Justin en smoking. Mais je ne peux pas y assister en faisant semblant de m'amuser. Pas sans Bennett. Pas encore.

« Tu es furieuse contre moi ? »

Elle secoue la tête. « Non. Je suis juste... » Je la regarde fixement, en attendant qu'elle poursuive. Mais elle baisse les yeux par terre et entortille un fil qui dépasse du tapis autour de son doigt.

« Qu'est-ce qu'il y a ?

– Rien.

– Allez ! »

Elle inspire profondément, pousse un grand soupir. « Tu vas juste me manquer, c'est tout. Lui aussi, mais... toi, tu vas vraiment beaucoup me manquer. »

Je pars d'un petit rire forcé. « Je suis là.

– Non, tu n'y es pas. »

Je la regarde et sais qu'elle a raison. Du jour où j'ai rencontré l'autre Bennett sur la piste, où il m'a révélé qu'il avait tenté de revenir, j'ai fait exactement le contraire de lui : j'ai disparu peu à peu.

Elle arrête de jouer avec le tapis et me regarde dans les yeux. « Écoute, Anna, tu es ma meilleure amie, et j'aime toutes les facettes de ta personnalité. J'aime ton humour, ta passion pour la musique et les livres, ton désir de parcourir le monde, et l'énergie que tu investis dans la course… Mais tu sais ce que j'aime le plus chez toi ? Ce que j'ai aimé depuis la première minute où nous sommes devenues amies ? »

Je la regarde en attendant la suite.

« Tu es la personne la plus forte que je connaisse. Tu es indépendante et tu te moques de ce que pensent les autres, tu te fies à ton instinct… et tu te bats. Je t'ai toujours envié cette qualité. Si Justin quittait la ville, me laissait seule ici, je serais là à chialer comme une madeleine. Mais… » Ses paroles restent suspendues dans l'air, comme si elle ne voulait pas les prononcer. *Mais quoi ?* Elle attendait plus de moi. Elle ne m'imaginait pas si vulnérable ?

« Où est passée ta combativité ? » Elle me regarde fixement un instant, me reprend la main. « Écoute, je sais que ça ne fait qu'une semaine, c'est juste… » Elle pose un baiser sur le dos de ma main. « … que je voudrais retrouver mon amie. »

Je regrette de ne pas pouvoir tout lui raconter. Je voudrais moi aussi la retrouver, ainsi que ma vie ordinaire – ma mère et mon père, les livres de voyages –, mais retrouver ma combativité, avec tous ces secrets qui pèsent sur moi, est une autre paire de manches.

Emma ne me lâche pas la main. Nous restons un moment comme ça, attendant que le quart d'heure de rigueur se soit écoulé. « Je ferais mieux d'y aller, c'est moi qui accueille les VIP. » Emma se lève, lisse sa robe, vérifie sa coiffure dans mon miroir et tapote ses paupières du bout des doigts.

« Je suis désolée, Emma. »

La main sur la poignée, elle se retourne, me lance un baiser et sort en refermant la porte derrière elle.

Je ne les entends pas, mais j'imagine Emma en bas de l'escalier, en train de discuter avec Justin et mes parents à voix basse. Je vais à la fenêtre, et vois mes deux amis se diriger vers leur voiture. Juste avant d'ouvrir sa portière, Justin lève les yeux vers moi et m'adresse un petit signe triste de la main. Les voilà partis.

Bientôt, ma mère et mon père s'en vont aussi, non sans m'avoir bassinée avec leurs tu-es-sûre-que-tout-va-bien à répétition. Je regarde le trottoir, l'endroit où Bennett m'a embrassée la première fois – même si je ne m'en souviens pas. Je regarde les arbres de l'autre côté de la rue, où sa voiture a fait marche arrière, puis a calé parce qu'il n'avait pas programmé notre « retour » avec assez de minutie. Même s'il lui arrivait d'être à côté de la plaque de temps en temps, il a toujours gardé le contrôle en toute situation. S'il pouvait revenir, il le ferait. J'en suis convaincue.

Bennett s'illusionnait, alors que la lettre s'en tenait aux faits. Il ne reviendra pas. Il est coincé dans le temps, contre sa volonté et la mienne, évidemment. À moins que je prenne une autre décision. Mais laquelle ? À quel sujet ?

Je laisse ma fenêtre ouverte et m'approche du planisphère que j'étudie un instant. Puis je me mets à tracer des lignes invisibles entre les huit petites épingles à tête rouge, à dessiner des schémas qui les connectent entre elles. Ainsi qu'un minuscule cercle autour de mes quatre premières épingles : Springfield. Minnesota. Michigan. Indiana. J'agrandis le cercle jusqu'à San Francisco, Koh Tao, Vernazza, repassant sur le Wisconsin, puis de nouveau San Francisco.

Je devrais avoir plus d'épingles. Je suis censée en avoir plus.

J'en prends une dans la boîte en acrylique, réfléchis quelques secondes et la plante sur Paris. J'en prends une autre que je plante sur Madrid, m'éloigne pour observer mon nouveau dispositif et plonge encore une fois la main dans la boîte poussiéreuse. Encore une sur Sydney. Et voilà que je renverse toute la boîte d'épingles dans ma main, dont quelques-unes me piquent la paume au passage.

J'épingle Tokyo.

Le Tibet.

Auckland.

Dublin.

Le Costa Rica.

São Paulo.

Prague.

Los Angeles.

Je continue encore et encore, jusqu'à ce que le planisphère en soit recouvert et que la boîte transparente soit aussi vide que je le suis.

Juin

35

La semaine dernière, j'étais triste. Celle-ci, je suis juste en colère. En colère contre lui parce qu'il ne m'a pas parlé de la lettre, en colère contre mes amis qui se comportent comme s'il n'avait jamais existé. En colère contre moi-même d'avoir laissé tomber mes défenses à ce point-là et accepté toute cette histoire comme si elle allait de soi.

« *Practiquemos la conversación !* » annonce *señor* Argotta. Je serre les poings tandis qu'il désigne les binômes et distribue les fiches. Il pointe l'index sur moi puis sur Alex, et je tourne mon bureau en face du sien à contrecœur.

« *¡ Hola !* » dit Alex en m'adressant un sourire. « Hé, t'étais passée où samedi ? Tu nous as manqué. » J'ignore pourquoi il a attendu jeudi pour me le demander.

« Je m'entraîne pour les finales de l'État.

— Le samedi soir ?

— Non, Alex, tous les matins. Je cours *tous* les matins en ce moment. Même le dimanche. » J'ai honte de la façon dont je lui parle, mais je ne m'excuse pas. Au contraire, je continue de m'adresser à lui sur ce ton exaspéré. Parce que le voir mal à l'aise, pour une fois, me fait me sentir mieux. « Tu as la fiche ? »

Il marmonne quelque chose dans sa barbe, en la parcourant des yeux. « Oh, elle est pas mal, celle-là ! » Il la lit tout haut : « Partenaire numéro un : vous passez un entretien d'embauche pour un job de serveur/serveuse dans un restaurant huppé de Madrid. Partenaire numéro deux : vous êtes le/la patron(ne) de l'établissement. »

Je cherche à flanquer un coup de poing dans quelque chose.

« Pas mal, hein ? » décide Alex sans me regarder ni remarquer que je m'agrippe nerveusement aux rebords de mon bureau. « Patronne ou serveuse ?

— Aucune des deux. » J'éloigne ma chaise et cours jusqu'à la porte, laissant mon sac à dos par terre et mon manuel sur le bureau. Laissant Alex et sa fiche de conversation ridicule. Laissant *señor* Argotta m'appeler, d'abord inquiet, puis frustré. Mais je ne m'arrête pas. Je ne me retourne pas. Je cours dans le Donut, longe les casiers et bouscule Danielle qui va s'écraser contre une autre rangée de casiers, laissant tomber son passe pour les toilettes par terre. « Qu'est-ce que… ! »

J'essuie mes larmes et l'aide à se relever. « Je suis vraiment désolée, Danielle. »

Elle va pour répliquer puis réalise que je pleure. « Anna, tout va bien ?

– Il faut que je sorte de là.

– Anna ! » s'écrie-t-elle, mais je suis déjà partie. J'ai franchi les doubles portes et cours vers le seul lieu capable de m'apaiser.

Il y est.

Pas comme j'aimerais qu'il y soit, mais de la seule façon possible désormais : en photos de lui bébé, encadrées et exposées sur la tablette de la cheminée, et dans les yeux de sa grand-mère qui me prépare du thé et ne me demande même pas pourquoi je suis assise dans sa cuisine à onze heures vingt, un jour de lycée. Nous dégustons notre breuvage, tentant en vain de trouver quelques sujets de conversation. Elle a des tas de questions à poser, et moi des tas de réponses à donner, mais elle ne peut exprimer les siennes parce qu'elle sait que je ne partagerai pas les miennes. Nous restons donc là, enveloppées d'un épais silence, interrompu toutes les quelques minutes par le bruit des tasses en porcelaine heurtant leurs sous-tasses.

Maggie finit par rompre le silence. « J'ai commencé à nettoyer sa chambre la semaine dernière.

Je pensais mettre ses affaires au grenier en attendant... » Elle s'interrompt et je lui adresse un pâle
sourire ; j'aime bien l'idée qu'elle envisage son
retour. « Est-ce que... » commence-t-elle, avant
de me regarder comme si la suite de son discours
dépendait de mon expression. « Est-ce que tu veux
en garder quelques-unes jusqu'à ce qu'il revienne ? »

Je hoche la tête et, comme nous avons fait le
tour de la question, nous montons à l'étage avec
nos tasses, traversons le couloir tapissé de photos de
la mère de Bennett enfant et de Maggie en jeune
maman, pour arriver dans une chambre meublée à
l'ancienne qu'il considérait comme la sienne.

« Je vais te chercher une autre tasse de thé », me
souffle Maggie, s'emparant de la mienne, pourtant
presque pleine, avant de quitter la pièce et de refermer la porte derrière elle.

Il y a quelques boîtes empilées contre le mur
sous les fenêtres, mais sinon, rien de nouveau. Je
fais coulisser les portes de la penderie et regarde à
l'intérieur. Son uniforme est là ainsi que quelques
vêtements dans lesquels je n'ai pas eu l'occasion de
le voir. Je décroche son manteau en laine d'un cintre
et, même s'il fait trente degrés dehors, je l'enfile, en
rabats le col contre mon nez et inhale son parfum.

Je referme la porte de la penderie, me dirige
vers son bureau où rien ne dépasse, pas même un
stylo ni la moindre photo, m'installe sur sa chaise

en bois et ouvre le tiroir du haut pour y trouver enfin un peu de lui. Je prends un objet après l'autre que je pose devant moi : sa carte d'étudiant de Westlake. L'une de mes épingles à tête rouge. Une carte postale non écrite de Koh Tao. Celle que je lui ai donnée à Vernazza. Un gros crayon jaune. Un mousqueton. Une clé.

Je pousse toutes ces choses sur le côté, prends la clé et me dirige vers l'armoire. Rapidement, j'empile les albums photos et les vieux annuaires universitaires, jusqu'à ce que je repère une petite serrure dorée au fond de l'armoire. Je fais tourner la clé et tire sur la petite porte du coffre où se trouvent des tas de liasses de billets de vingt et de cent dollars.

Et un carnet, placé au-dessus, celui dont il s'est servi pour planifier le retour dans le temps qui a sans doute sauvé Emma. Je le feuillette. Toutes les pages sont couvertes de calculs, de dates, d'équations, de noms d'entreprises suivis du symbole du dollar. Je finis par retomber sur la page qu'il m'avait montrée – où il avait effectué la conversion de temps qui nous a permis d'atterrir dans mon allée.

Dès les premières pages, je repère autre chose qui me paraît tout aussi familier. Mes propres mots, écrits par ses soins toutefois :

Un jour, d'ici peu, nous nous retrouverons. Et ensuite, tu t'en iras pour de bon. Mais je pense que je peux arranger ça – il faudra juste que je prenne une autre décision, cette fois. Dis-moi de vivre ma vie pour moi et non pas pour toi. Dis-moi de ne pas attendre ton retour. Je pense que cela pourrait tout changer.

Les mots « pour de bon », « partir », « arranger » et « tout changer » sont encerclés. Il a annoté le texte de points d'interrogation ou d'exclamation comme s'il l'avait décortiqué pour le décrypter. Sans succès pourtant, même au bout de plusieurs mois. Et maintenant, c'est trop tard. Il est parti pour de bon. Pourquoi *ne m'en a-t-il pas parlé* ? Lui qui était censé tout me dire.

Je vérifie que Maggie n'ouvre pas la porte, replace le carnet rouge au-dessus, referme le coffre et replace albums photos et annuaires scolaires. Une fois que tout paraît bien rangé, je retourne à son bureau.

Je range la clé dans le tiroir, contemple les autres objets que je prends dans mes mains un par un, en commençant par la carte postale de Koh Tao. Je me souviens du jour où il m'a donné la mienne sur la pelouse du lycée. Je ne pouvais pas croire qu'il y était retourné pour ça. « J'en ai pris une pour moi aussi… pour me souvenir de cette journée », m'avait-il confié.

« Tiens », murmure Maggie. Je me retourne en sursaut. Elle a échangé nos tasses de thé contre un petit sac en plastique qu'elle me donne.

« Merci. »

Elle regarde le tas d'objets sur le bureau de Bennett et pose sa main sur mon épaule. « Tu vas bien, ma petite ? » Je hoche tristement la tête. « C'est un garçon tellement adorable, j'espère qu'il reviendra. »

J'approche le sac du bureau et laisse tomber tous ses grigris à l'intérieur. Puis je me lève, embrasse Maggie et la remercie de me laisser emporter toutes ces petites choses. Elle me serre fort contre elle.

« Vous devriez aller faire un tour en Californie, lui dis-je en m'écartant d'elle, faire la connaissance de votre petit-fils, je parie que votre fille en serait touchée.

– Je ne sais pas. Ma fille et moi ne sommes plus très proches ces temps-ci. »

Je la fixe dans les yeux, et bien que ce soient les mêmes que ceux de son petit fils, ce n'est pas du tout lui que je vois. Je la vois, elle. « Vous devriez y aller malgré tout.

– Je vais peut-être m'y résoudre. »

Je lui souris, l'embrasse sur les joues, et referme le tiroir en laissant la clé à l'intérieur.

Je suis de retour sur le campus une demi-heure après la dernière sonnerie. J'entends résonner mes pas dans les couloirs vides et le Donut. J'espère que ma classe n'est pas fermée à clé, que mon sac y est toujours et qu'Argotta est reparti pour la journée.

Les probabilités que ces trois souhaits réunis soient exaucés sont extrêmement faibles.

Quand j'ouvre la porte, la première chose que je vois, c'est mon sac à dos posé contre le bureau de mon prof, puis lui penché sur ses copies.

« *Señor* Argotta ? » Quand il entend ma voix, il s'arrête d'écrire sans lever les yeux du devoir.

« *Señorita* Greene, comme c'est sympathique que vous soyez revenue.

– Je suis… vraiment désolée. C'est juste… » Maintenant, il me regarde, l'air curieux, tout d'abord, puis horrifié. Mon tee-shirt est trempé de sueur, mon visage tout boursouflé et rouge, et ma tignasse encore plus ébouriffée que d'habitude à cause de l'humidité. Argotta cligne des yeux deux ou trois fois sans poser de questions.

« Pas besoin d'expliquer. Votre ami, *señor* Camarian, m'a informé de… l'impact… qu'a eu le départ de *señor* Cooper sur vous. » Je ne suis pas sûre qu'Alex possède toutes les informations nécessaires pour comprendre cet « impact », mais si le Donut est aussi omniscient que Danielle le prétend, peut-être les a-t-il. Et voilà que la culpabilité me gagne. Comment ai-je pu être aussi horrible avec lui aujourd'hui ?

Argotta se penche pour soulever mon sac à dos comme s'il allait me le donner, mais quand il le soupèse, il se ravise et le fait plus ou moins glisser dans ma direction à la place. « Merci. » Je le hisse sur mon épaule et me retourne pour partir.

Je suis presque à la porte quand je l'entends s'éclaircir la gorge. « Êtes-vous consciente de la date, *señorita* Greene ? »

Je m'arrête. « On est le premier juin, *señor*.

– *Exactamente.* » Je lève les yeux au ciel, pas vraiment d'humeur à supporter ce genre de blabla.

« Ce qui fait qu'hier nous étions le dernier jour de mai. » Je me retourne encore une fois vers lui. « J'espérais vraiment que vous profiteriez de cette occasion pour aller au Mexique, *señorita*. Peut-être que, maintenant que vos projets d'été sont altérés… »

Je le revois soudain me remettre un dossier jaune fluo et réalise que je ne me suis même pas donné la peine de l'ouvrir. Je devrais sans doute en connaître tous les détails. Mais ce n'est pas le cas. « Oh, c'est vrai, c'était à quel endroit déjà ?

– Je pense que vous l'aviez choisi comme escale dans votre itinéraire de voyage. Non ? Une ville magnifique qui s'appelle La Paz. Elle devient très populaire depuis quelque temps. C'est vraiment le moment d'y aller.

– La Paz ?

– *Sí.* » Il m'observe tandis que j'essaie de dissimuler mon trouble. « La Paz, oui. Vous avez le bon d'échange et vous seriez dans une excellente famille d'accueil. Le voyage est quasi gratuit. Je suis sûr que vos plans pour l'été sont bouclés, mais ce serait vraiment une occasion à ne pas rater si vous étiez toujours intéressée. Je pourrais encore me débrouiller pour faire passer votre dossier. »

Argotta me regarde en attendant ma réponse. Comme elle ne vient pas, il croise les bras sur sa poitrine. J'aimerais bien y aller mais ne pense pas en être capable. Et si Bennett revenait ? Je ne peux pas partir comme ça. Je dois l'attendre ici. Mais soudain, je me sens prise de tremblements. Les mots que je viens de lire dans son carnet me reviennent à l'esprit. Ceux que je lui aurais écrits dans dix-sept ans : *Dis-moi de ne pas t'attendre.*

« Tout va bien, *señorita* ? »

Je pense que cela pourrait tout changer.

J'opine en me sentant à des kilomètres de là et quand je me remets à parler, je ne reconnais pas ma voix. « C'est une occasion à saisir, non ?

— ¡ *Exactamente !* » s'exclame-t-il, les bras en l'air, me faisant sursauter. « Allez, allez, rien ne vous retient. Allez voir le monde, *señorita* ! »

Il me sourit, et je me sens en faire autant. Parce que le voilà, le moment en question.

Je ne sais pas comment ça s'est passé la dernière fois. Peut-être Argotta n'en a plus jamais reparlé. Peut-être que toutes les familles d'accueil étaient prises depuis le début. Ou peut-être que tout était exactement pareil, mais qu'Anna a décidé de passer l'été, à bouder et à attendre le retour de Bennett. Je la vois plantée devant Argotta, le remercier poliment et refuser sa proposition. Mais ce n'est pas ce que je vais faire.

« Avez-vous toujours le dossier de candidature ? » me demande-t-il. Je hoche la tête sans trop savoir ce que j'en ai fait, mais persuadée que je vais le trouver. Je ne peux pas attendre de rentrer chez moi pour passer mon bureau au peigne fin.

« Je vous donne jusqu'à lundi, faites-moi savoir quels sont vos projets. »

Mes parents ont peut-être besoin de réfléchir jusqu'à lundi, mais pas moi. Je me jette au cou de *señor* Argotta. « Un grand merci, *señor* ! » Il a l'air un peu abasourdi, mais soudain il comprend que ça veut dire « oui » et son visage s'illumine. « Vous prenez la bonne décision, *señorita*. »

Je l'espère. Je n'en suis pas certaine, mais je sais au moins que c'est une *autre* décision.

Et soudain je percute : je suis en train de remonter le temps.

36

Décor idéal pour un mariage ou pour le tournage d'un film d'horreur, Schiller Woods peut-être, selon la saison, magnifique ou dérangeant. Mon père franchit le portail et je découvre que la couche de bouillasse grisâtre qui recouvrait le sol s'est transformée en verte prairie. Je sors de la voiture et inspire à pleins poumons la fraîcheur du parc.

« Ça m'a manqué, dis-je en refermant ma portière, me sentant réellement heureuse pour la première fois depuis des semaines. Mon père paraît s'en étonner, mais c'est plus fort que moi : j'adore cet événement. À l'origine, les coachs de cross-country ont créé cette course non-compétitive-mais-obligatoire pour s'assurer que six mois à courir sur une piste spongieuse, jalonnée de haies métalliques, plutôt que dans la boue gluante, parsemée de troncs d'arbres abattus, n'avaient pas eu raison de notre véritable motivation. J'ai participé assez souvent à cette rencontre pour connaître la nature du terrain, pièges et obstacles inclus, sur les cinq premiers kilomètres, au moins.

Mes coéquipières et moi nous rassemblons autour d'une table de pique-nique, à quelques mètres de la ligne de départ. Nous nous échauffons sans perdre nos rivales les plus redoutables de vue, pendant que mon père va chercher du café. Il revient quelques minutes plus tard, avec un gobelet en carton et une carte.

« Comment te sens-tu ? me demande-t-il, penché au-dessus de la carte qu'il vient de déployer sur la table.

« Bien. » Il lève les yeux vers moi, s'attendant à ce que je développe un tant soit peu, mais je n'en fais rien. À vrai dire, depuis que j'ai pris la décision d'aller à La Paz, avant-hier, je me suis sentie de mieux en mieux dans mes baskets. Il ne me reste plus qu'à trouver la bonne façon d'en informer mes parents.

« Où est-elle passée ? » marmonne mon père dans sa barbe.

Les bras en l'air, je la cherche des yeux. « Là-bas, lui dis-je en la désignant du menton. Dossard trente-deux, le maillot bleu. » Je continue de m'étirer, lui laissant le temps de la repérer. Et de la jauger.

« Humm. » Il l'observe attentivement, sans que je puisse déterminer à quel niveau exactement. « OK, souviens-toi de garder le rythme. N'attends pas la fin pour la dépasser. Maintiens la pression tout le long, reste en tête sans jamais perdre ce maillot bleu de vue, et tu mets la gomme à partir de ton dernier repère. Il continue d'examiner mes rivales, mais il ne devrait pas s'en faire autant : je ne cours pas pour une bourse d'études cette fois.

« Entendu.

— Où il est, ton repère ? » s'enquiert-il en me montrant la carte. Je pose l'index sur un point : « Cette pompe à eau, à deux cents mètres de l'arrivée environ. »

Il étudie les autres options et finit par abonder dans mon sens. « Ouais, bien vu. Je pense que tu fais le bon choix. Bon, je vais rejoindre le lot des parents stressés. » Il me tapote le dos. « Évite les fractures.

— T'inquiète. » J'inspire profondément, me fends de quelques étirements supplémentaires, lorgne de haut en bas le dossard 54 épinglé sur ma poitrine, et entends mes coéquipières et les autres coureuses se rapprocher de moi. Je secoue bras et jambes et vais prendre mes marques.

Nous sommes côte à côte sur la ligne du départ. Il n'est que sept heures du matin, mais nous sommes déjà toutes en nage dans cette chaleur humide,

tandis que nous continuons à nous échauffer che-
villes et mollets en visualisant mentalement le parcours. Au coup de pistolet, nous entamons la course
à un train de sénateur. Passé le terrain vague, nous
nous enfonçons dans la forêt. La boue et la neige
fondue me manquent déjà. Nous franchissons une
colline escarpée jonchée de branches et de feuilles
calcinées qui débouche sur un autre bois au sol
plus traître encore.

Nous restons groupées sur les deux premiers
kilomètres, nous faufilant les unes devant les autres
quand les arbres sont trop rapprochés, traversons
un ruisseau peu profond et enjambons une série de
rondins. Je vais de l'avant, franchis les obstacles et
commence à sentir les autres coureuses disparaître
au fil des kilomètres tandis que je les dépasse les
unes après les autres, me démarquant du groupe.

C'est beaucoup mieux. Je ne me sens pas aussi
légère que d'habitude, mais au moins, pendant que
je cours entre ciel et forêt, ai-je l'impression de
recommencer à y voir clair, de contrôler la situation.
Je suis en terrain connu, même si je vois bien que
je ne fournis pas autant d'efforts que je le devrais
si je voulais gagner cette course.

Je ressens à la fois le martèlement de mes baskets sur le chemin et les battements rapides de mon
cœur contre ma poitrine. Les yeux rivés sur les
filles qui me précèdent, j'aperçois dès la sortie d'un

virage, alors que nous amorçons une descente sur un chemin étroit, la pompe à eau, mon repère, loin devant la première. Je me mets à accélérer sensiblement pour ne pas avoir l'air d'une menace pour les cinq filles qui courent devant moi. J'en dépasse une rapidement, puis une autre. Et me retrouve troisième. Dès lors, je ne lâche plus le maillot bleu des yeux, tentant de le rattraper avec toute l'énergie qu'il me reste, et retrouve momentanément une sensation familière. Mes pieds gagnent en vitesse. *Où est passée ta combativité ?* entends-je Emma me demander.

Juste là. Je réponds sans me soucier de savoir si quelqu'un m'entend parler seule, accélérant encore d'un cran. Quelque chose a changé cependant. Quelque chose me semble différent aujourd'hui. Les mots de la lettre – *Je pense que je peux tout arranger* – résonnent dans mes oreilles et je ne lâche plus mes rivales des yeux.

Elles franchissent le dernier obstacle. À mon tour d'enjamber l'arbre couché. Ma détente est excellente, mais je heurte une racine à la réception, perds l'équilibre, allonge ma foulée pour éviter la chute et vois les filles que je venais de dépasser me repasser devant.

Je me stabilise, inspire profondément et me force à me projeter de nouveau vers l'avant. Je grimpe la colline au maximum de ma puissance, les jambes en feu, j'en redépasse deux puis trois. Mais le maillot bleu est beaucoup plus près que moi de la ligne d'arrivée, que j'aperçois désormais. Je passe à la vitesse supérieure, les yeux rivés sur la queue-de-cheval blonde qui se balance devant moi, et fournis un ultime effort.

Mais c'est elle qui va couper le ruban de l'arrivée, bien que je sois dans sa foulée. Et voilà la course terminée. Penchée en avant, j'inspire plusieurs fois de suite, essuyant la sueur de mon visage, souriant à la terre.

« Bonne course ! » entends-je dire. Je me retourne et vois cette fille que je bats toujours sur le fil aux finales de l'État. Pliée en deux elle aussi, respirant aussi bruyamment que moi, elle me tend la main. Tant pis si je suis deuxième, je la lui serre sincèrement et parviens à souffler « Merci » entre deux inspirations. « Tu m'as obligée à me dépasser. » Elle fronce les sourcils, l'air dubitative, mais je n'éprouve pas le besoin de lui fournir de plus amples explications. J'ai beau avoir perdu un trophée de championne, j'ai retrouvé ce que j'avais perdu.

Arrivée chez moi, je grimpe l'escalier quatre à quatre jusqu'à ma chambre, et me rue sur mon sac à dos pour prendre le dossier jaune que j'ai fini par retrouver dans le fouillis de mon bureau, jeudi dernier. Je relis pour la centième fois la lettre de la famille d'accueil, puis regarde attentivement leur photo. Les parents et leurs quatre enfants qui posent devant leur maison. Une fille de mon âge environ. Un garçon qui paraît un peu plus vieux. Et deux gamines en robe fleurie qui se ressemblent comme deux gouttes d'eau.

Je jette un œil critique sur mon planisphère. J'aimerais que la photo reflète la réalité désormais. Je retire l'épingle de Prague qui fait *plink* quand elle retombe dans la boîte en plastique. Puis je retire celles de Paris, du Caire, d'Amsterdam, de Berlin, de Québec. Toutes ces villes que j'ai signalées comme si j'y avais séjourné alors que je n'y ai jamais mis les pieds. Au bout de quelques minutes, les fausses épingles ont regagné la boîte qu'elles n'auraient jamais dû quitter.

Il n'en reste que huit :

Springfield, Illinois.

Ely, Minnesota.

Grand Rapids, Michigan.

South Bend, Indiana.

Koh Tao, Thaïlande.

Devil's Lake State Park, Wisconsin.

Vernazza, Italie.

San Francisco, Californie.

Huit épingles, ça ne suffit pas tout à fait, mais au moins elles sont vraies.

La neuvième le sera aussi.

37

Tout le monde est bien disposé pendant le dîner, peut-être parce que je souris enfin et que j'arrête d'envoyer de mauvaises ondes pendant les repas. Mais je sens que l'humeur risque de basculer.

« J'aimerais vous parler de mes projets pour cet été », dis-je à brûle-pourpoint.

Sans cesser de mâcher, ma mère lève les yeux vers moi alors que mon père garde les siens rivés sur le morceau de poulet qu'il est en train de couper dans son assiette. « Bien sûr. Quels sont-ils ? » me demande-t-il.

J'inspire profondément. « J'ai discuté avec mon professeur d'espagnol du programme d'échange avec le Mexique. C'est lui qui organise les voyages et qui choisit les étudiants, et il vient de m'apprendre qu'il restait une super famille qui pourrait m'accueillir.

À La Paz. » Je n'avais pas prévu de tout déballer d'une traite. Mes paroles planent au-dessus de la tablée maintenant, et mes parents échangent un regard interloqué.

« Ça vous paraît peut-être un peu soudain, mais j'y ai beaucoup réfléchi. J'ai toujours eu envie de voyager et vous savez que j'ai besoin d'aller prendre un peu… l'air. » En l'absence de réaction, je continue d'argumenter. « Ça ne vous coûtera rien. J'ai gagné le billet d'avion dans le cours de *señor* Argotta, et je serai logée dans une super famille. Le voyage et le séjour seront presque gratuits. » Je m'entends rabâcher les paroles exactes de mon prof et j'ai l'impression qu'il est à mes côtés pour m'encourager.

« La Paz ? » Ma mère ne peut dissimuler son inquiétude.

« Mais oui, c'est dans la péninsule de Basse-Californie. Sur la mer de Cortez, au Mexique. » Autant être précise, au cas où elle n'aurait pas tout à fait percuté.

« C'est très loin. »

Je lui souris en haussant les épaules : « Ben, c'est plus ou moins l'idée, maman.

– Pas question. » Elle pousse un soupir et commence à s'agiter sur sa chaise. « D'abord, que sais-tu sur cette famille d'accueil ? »

Je vais chercher le dossier que j'avais posé sur le comptoir de la cuisine, et j'étale photos et courriers sous leur nez. « Le père est businessman, la mère, photographe naturaliste. Ils ont une fille de mon âge. » J'extrais un formulaire du dossier, complété par mes soins, et le dépose à côté des photos.

« Il ne manque plus que votre signature. »

Ma mère étudie le document un moment avant de le reposer. « Quand partirais-tu ?

– Dans deux semaines !

– Un peu précipité, non ? »

Mon père garde le silence, ne sachant de quel côté de la balance pencher. Je le supplie du regard pour que ce soit du mien.

« Combien de temps partirais-tu ? » me demande-t-il.

Ce point n'est pas forcément le plus digeste.

« Dix semaines.

– Dix semaines ? Mais c'est tout l'été, ça ! » Ma mère se lève de table. Je continue de supplier mon père du regard.

« S'il te plaît, papa ! » chuchoté-je pendant qu'on entend l'eau couler dans la cuisine.

« C'est long », dit mon père, assez haut pour que ma mère l'entende. Je l'imagine penchée au-dessus de l'évier, opinant rageusement du bonnet. « Néanmoins…, poursuit-il, ça m'a tout l'air d'une occasion en or. » Ma mère revient à table, son air affolé cède la place à une expression de colère, comme si elle ne pouvait pas croire qu'il ait énoncé son opinion sans lui avoir demandé son avis. Mon père reste ferme. « Elle veut voyager depuis qu'elle est gosse. C'est une bonne façon de voir le monde et de découvrir une nouvelle culture. » Je mime le mot *merci* dès qu'elle a tourné la tête. Elle repose son verre avec un brin trop d'énergie avant de le fusiller du regard. « Tu envisages sérieusement de laisser partir notre fille de seize ans dans un pays étranger, pendant deux mois, chez des gens que tu ne *connais* ni d'Ève ni d'Adam ?

– Argotta m'assure que ça m'aidera beaucoup à l'oral. Que je pourrais affiner mon oreille et que, sans parler couramment à mon retour, j'aurais fait de sérieux progrès.

– Je ne sais pas. » Ma mère nous dévisage à tour de rôle tandis que le regard de mon père navigue entre elle et moi. Nous sommes dans l'impasse.

« C'est un immense honneur d'être sélectionnée. » Inutile de lui préciser que personne d'autre n'a choisi cette destination précise. Je m'étonne moi-même d'argumenter avec autant de passion, alors que j'étais restée indifférente à la réception du dossier. Mais Bennett était encore là, et on ne me réclamait aucune autorisation signée pour les voyages à l'étranger. « C'est une expérience à vivre, maman. C'est important pour moi. »

Elle n'adresse de regard ni à l'un ni à l'autre, et nous restons là à jouer avec les morceaux de nourriture dans nos assiettes sans prononcer une parole, essayant d'ignorer les photos de la famille heureuse étalées sous nos yeux.

« Dépose-moi ici, tu veux bien ? demandé-je à Emma, alors que nous sommes encore à deux pâtés de maisons de la librairie.

« Pour quoi faire ? » s'enquiert-elle en se serrant contre le trottoir. Je pointe l'index sur le store bleu vif de l'agence de voyages Going Going Gone.

– Oh ! fait-elle tristement. Attends. Je me gare, je viens avec toi. »

Je commence à argumenter, puis me ravise, songeant qu'être témoin de mon achat de billet et comprendre que ce voyage va effectivement se réaliser pourrait lui faire le plus grand bien. Elle ne semble pas avoir intégré le fait que nous allons être séparées tout l'été pour la première fois depuis trois ans.

Nous poussons la porte vitrée et sommes accueillies avec le même carillon que celui de la librairie. Emma et moi occupons les deux sièges de l'agence tandis qu'une jeune femme affublée de doubles foyers et d'une sorte de choucroute démodée s'installe en face de nous avant de disparaître en partie derrière son écran géant.

« Bonjour ! Il me faudrait un billet aller-retour pour La Paz, au Mexique, s'il vous plaît. » Je sors mon exemplaire du *Let's go, Mexico* qui commence à être sérieusement corné, et l'ouvre à la page La Paz, où j'ai glissé le bon d'échange en guise de marque-page.

« J'aimerais utiliser ceci. » En le posant sur le comptoir, je revois le visage d'Argotta s'illuminer le matin où je lui ai rendu mon formulaire dûment complété et signé par mes parents.

« Bien sûr ! confirme-t-elle après avoir examiné le bon recto verso. Quand souhaitez-vous voyager ? » Elle en fait un peu trop dans le guilleret et, dès qu'elle reporte son attention sur son écran, Emma lève les yeux au ciel en se tournant vers moi.

« Le 20 juin, s'il vous plaît. C'est un mardi. » Elle effleure les touches de son clavier, s'arrête toutes les quelques minutes pour consulter l'écran, et se remet à pianoter.

« Passe, laisse-moi regarder », m'intime Emma qui se met aussitôt à feuilleter mon *Let's go, Mexico*. Elle s'arrête de temps à autre pour me montrer des photos de plage, de couchers de soleil, d'escales, de plongées géniales ou de mets délicieux.

« Regarde-moi ça ! » Elle pivote dans son siège, me flanquant le livre sous les yeux. « Vise un peu ces marchés, ces étals de poteries et de fruits ! C'est injuste, t'es même pas branchée shopping. »

L'employée s'éclaircit la gorge et me propose une liste de vols envisageables ce jour-là.

« — C'est moi qui t'emmène à l'aéroport, carillonne Emma. Prends celui de midi.

— Tu es sûre ?

— Certaine », confirme-t-elle, sans lever les yeux du guide.

« Je prendrai le vol de midi quinze », dis-je à l'agent qui recommence à pianoter sur son clavier.

Emma revient à la photo du marché. « Regarde-moi ces chapeaux ! Ils disent qu'ils sont tissés si serré qu'ils peuvent contenir de l'eau. À part ça, on s'en fout un peu. Qui va aller remplir son chapeau de flotte ? » Elle lève les yeux et hausse les épaules. « N'importe quoi, n'empêche que je me disais dernièrement qu'il me fallait de nouveaux chapeaux. Qu'est-ce que tu en penses ? Tu trouves que j'ai une tête à chapeau ? » Je retiens mon souffle. Même si elle est entière, à côté de moi, je ne peux m'empêcher de la revoir allongée sous un drap blanc, livide, couverte de balafres, avec des tubes partout. L'imprimante qui démarre en ronronnant produit des bruits métalliques derrière le comptoir et me fait sursauter.

« À chapeau ? »

— Ouais, des chapeaux. Tu sais, ces machins que les gens se mettent sur la tête pour se protéger du soleil ou planquer leurs cheveux mal coiffés. Des cha-peaux, quoi ! » Elle me regarde en écarquillant les yeux. « Qu'est-ce que tu en dis ? Tu trouves que ça me va bien ? Y a des gens qui ont l'air d'avoir des pots de chambre sur la tête, tu sais ? Je crois que je m'en tire plutôt bien. »

Je me contente de la regarder fixement et finis par retrouver ma voix. « Ouais, super bien. » Je me sens pâlir. *Tu as vraiment une tête à chapeau.* Je me souviens de le lui avoir déjà dit, en lui tenant la main au bord de son lit, et en lui parlant de la péninsule du Yucatán et de mon voyage hypothétique au Mexique. Ensuite, j'avais fondu en larmes et lui avais demandé de tenir bon.

« Et voilà ! » annonce l'agent de voyages, un grand sourire aux lèvres, tandis qu'elle me remet une mince enveloppe décorée de poissons colorés. « Passez un excellent séjour ! Et revenez nous voir, mademoiselle Greene ! »

Emma me prend par le bras et nous sortons de l'agence. « Maintenant que nous nous sommes occupées de tes affaires, à mon tour. Allons voir Justin ! » propose-t-elle, m'emmenant au magasin de disques, un pâté de maisons plus loin.

38

Le lycée se termine par une journée chaude et poisseuse. Tout le monde part pique-niquer au bord du lac avec des couvertures et de la musique. Je passe l'après-midi à faire la queue dans un bureau bondé qui délivre les passeports à Chicago. Quatre heures plus tard, mon document en poche, je descends du L à la station Evanston et marche jusqu'à chez moi d'un pas lourd. Bientôt, j'aperçois l'enseigne du magasin de disques au bout de la rue.

Cela fait plus d'une semaine qu'Emma et moi avons fait irruption dans le magasin de Justin, après l'achat de mon billet d'avion, pour l'informer de mon escapade au Mexique. Emma venait d'imiter l'employée enjouée. Il l'avait prise dans ses bras, l'avait charriée sur le fait de se retrouver coincée avec elle tout l'été, et m'avait proposé de repasser prendre le lot de CD qu'il me préparerait la semaine suivante.

« Ah, te voilà ! Je croyais que tu m'avais zappé. »
Justin me gratifie d'un immense sourire sitôt que je
pousse la porte du magasin vide où, comme d'habitude, la musique passe à fond.

Je hausse les épaules. « Comment veux-tu que
j'oublie des CD cadeaux ?

— Et moi qui croyais que tu passais pour mes
beaux yeux, feint-il de se plaindre.

— Pas du tout, je passais juste pour la musique,
dis-je avec un grand sourire.

— Tu es dure », conclut-il en me prenant les
mains, exactement comme Bennett le faisait avant
nos décollages surréalistes. « Tu es contente ?

— Trop.

— Tu vas nous manquer.

— Vous me manquerez aussi. » Je balaie le magasin du regard. « Mais ça me fera du bien de changer de décor.

— Je sais. » Justin, qui m'a écoutée fantasmer sur
les voyages à l'étranger pendant dix ans, semble sincèrement heureux pour moi. « Bon, ben puisque tu
n'es là que pour me soutirer de la musique, allons-
y ! » Il me guide à travers les allées minuscules du
magasin en me tenant par la main et s'arrête devant
le rayon Nouveautés.

« Tiens, c'est sorti cette semaine. » Je retourne
le CD pour lire la liste des morceaux. « Elle est

super, une rebelle canadienne. C'est parfait pour les séparations.

— On n'est pas séparés.

— Bien sûr, mais tu sais... »

Je fais semblant de le fusiller du regard, et la pièce tombe dans le silence une fraction de seconde avant le début de l'autre morceau. Nous repartons fouiner dans le magasin, Justin s'arrête devant la section rock et sort un CD d'un bac. « Je voulais te parler de ce groupe de Chicago qui passe au coffee house la semaine prochaine. » J'essaie de suivre ce qu'il me dit mais je suis captivée par la mélodie diffusée au-dessus de nos têtes. J'ai l'impression de la connaître et quand les paroles démarrent, je tends l'oreille et cesse un instant d'entendre Justin défendre le groupe en question.

Take me to another place, she said.
Take me to another time...

(Emmène-moi dans un autre endroit, dit-elle.
Emmène-moi dans un autre temps.)

Je sens de nouveau ce trou au fond de mon estomac tandis que j'écoute. « Tiens », dit Justin en me remettant le disque. « Le batteur est trop...

Take me where the whispering breezes...
Can lift me up and spin me around

(Emmène-moi où les vents qui chuchotent
Peuvent me soulever et me faire virevolter)

Je crains de vaciller si je lâche le bac en bois,
fascinée par les paroles de cette chanson, tandis que
Justin continue de me faire l'article sur le CD qu'il
a toujours dans la main.

If I could I would, but don't know how.

(Si je pouvais, je le ferais, mais je ne sais pas comment.)

« Anna, ça va ? » me demande Justin au bout d'un
moment.

J'avais arrêté de penser à ce que j'avais fait de
travers et arrêté d'en vouloir à Bennett pour ce
qu'il avait raté de son côté. J'avais fini par retrouver ma combativité et pris une décision qui risquait de tout changer. Mais voilà que, soudain,
la tristesse et la colère me submergeaient de nouveau. Et avant que j'aie pu envisager de les retenir, mes larmes forment de petites flaques sur les
boîtiers en plastique.

« Reste là ! »

Je le regarde s'éloigner. Il verrouille la porte d'entrée d'une main en accrochant l'écriteau « De retour dans dix minutes » de l'autre et, tandis que je lâche le bac, je me mets à vaciller et me retrouve par terre, adossée aux rayons, genoux repliés contre ma poitrine, à écouter la chanson.

I'm melting into nothing...

(Je fonds dans le rien...)

Tout d'abord, je sens Justin qui me surplombe, puis il est par terre en face de moi et me prend dans ses bras. Je m'abandonne dès que je sens sa chaleur. Sa proximité et notre position elle-même me paraissent trop intimes et je sais que je devrais m'éloigner, mais j'ai besoin de cette connexion. Pour arriver à pleurer et à respirer, il me faut le contact de sa main sur mon dos. Nous sommes amis depuis toujours, et il est devenu le petit ami de ma meilleure amie depuis peu. Autrement dit, nous ne devrions pas être par terre, comme nous le sommes, à écouter de la musique, enlacés.

Je vais pour le lui dire au moment même où il pose son menton sur mes genoux. Quand nous nous retrouvons les yeux dans les yeux, il semble très différent, avec ses taches de rousseur atténuées par son hâle, son sourire si doux et attentif, si...

Justin. Il doit voir un changement dans mon regard parce que soudain il ferme les yeux et s'approche plus près qu'il ne le devrait. Je devine ce qui va se passer. Je ne le souhaite pas, mais, coincée entre sa bouche et le bac à CD, je ne sais pas trop comment l'éviter.

Je tourne ma tête tellement vite que nos lèvres se frôlent étrangement, presque par accident. « Justin... » Mon ton accusateur le décontenance. Pour rompre la tension, je m'écroule sur son épaule, étouffe un gloussement et lui flanque une petite tape dans le dos. « Qu'est-ce que tu fais, idiot ? »

Si c'était possible, son rire paraîtrait encore plus nerveux que le mien. « Waouh, dit-il en regardant le sol. Je suppose que j'ai mal compris, désolé. » Il ne peut même pas me regarder.

« Je ne ferais jamais ça à Emma, Justin. Et je ne t'en croyais pas capable non plus.

– Je n'ai rien en fait... Je ne sais pas. Écoute, je me suis juste égaré... un instant, c'est tout. »

Il s'éloigne de moi, et je sens qu'il faudrait que je dise quelque chose pour alléger sa culpabilité. « T'inquiète pas, il ne s'est rien passé. En plus, dis-je d'un ton faussement désinvolte, c'est assez chouette de réaliser qu'en fin de compte je n'hallucinais pas. Jusqu'à ce que tu sortes avec Emma, j'avais toujours pensé que tu avais un faible pour moi. »

Justin plonge son regard dans le mien. « Évidemment que j'avais un faible pour toi.

– Tais-toi ! » Je lui flanque un autre petit coup dans le bras.

Il secoue la tête. « Ça crevait les yeux, non ? » À court de repartie, je me contente de le regarder. « Tu te souviens de ce jour où j'ai débarqué chez toi ? On était en sixième. Nos parents jouaient aux cartes dans le salon, et on avait passé la soirée dans ta chambre. Tu n'arrêtais pas de me dire que tu avais une surprise pour moi. » Je lui souris mais ne me souviens de rien.

« Quand la nuit est tombée, tu m'as proposé de m'allonger sur le tapis, tu as éteint la lumière et tu es venue t'allonger à côté de moi. On a passé l'heure suivante à regarder les étoiles fluo collées à ton plafond, en inventant des constellations, et à rire comme des baleines. Tu m'as raconté comment tu regardais les étoiles la nuit, en t'imaginant sous d'autres cieux, jusqu'à ce que tu t'endormes. Ensuite, tu m'as parlé de tous tes projets de voyage. Tu m'as dit que tu voulais être journaliste ou photographe – un métier qui nécessiterait de parcourir le monde –, mais tu voulais d'abord t'installer à Paris, après ton examen final, et commencer par apprendre le français là-bas.

– Ça me ressemble assez. » Même après qu'il m'a tout raconté, les détails qui sont si clairs dans son esprit restent troubles dans le mien. « Comment fais-tu pour te souvenir de tout ça ? »

Il étouffe un rire. « C'est le soir où j'ai cessé de te considérer comme ma meilleure amie… ou du moins, seulement ma meilleure amie. » Je sens mes yeux se plisser et j'inspire vivement. Je le regarde, attendant qu'il me dise qu'il me fait marcher, mais il me sourit et hausse les épaules, l'air de dire qu'il n'y peut rien.

« Pourquoi ne m'en as-tu jamais parlé ?

— Je ne voulais pas gâcher notre amitié. Et je me disais que si ça devait arriver un jour, ça arriverait. » Il hausse de nouveau les épaules et me regarde tendrement.

« Où veux-tu en venir, au fond ? Et Emma ? »

Il me sourit sincèrement. « Emma est incroyable. Elle est ravissante, et marrante, et vraiment étonnante. Mais elle n'est pas toi. Elle n'est pas ma meilleure amie.

— C'est injuste. Tu ne la connais que depuis quelques mois, alors que tu me connais depuis toujours. Donne-lui sa chance.

— Je sais. Et je le fais. C'est juste que, la plupart du temps, je ne peux même pas croire qu'on est ensemble. Quand je lui ai proposé de prendre un café avec moi la première fois, je n'ai honnêtement pas pensé qu'elle accepterait. Peut-être que je cherchais en partie à te rendre jalouse. En acceptant, elle m'a totalement déstabilisé et, bizarrement… elle avait l'air très éprise de moi.

– Elle l'était. Elle l'est. » Et jusqu'à cet instant, j'avais cru qu'il l'était aussi. Je repense au jour où nous étions dans la cafétéria de l'hôpital, où il m'a appris qu'il sortait avec elle et qu'elle l'avait étonné. Je le revois penché sur le corps brisé d'Emma, lui caressant les cheveux et lui murmurant des blagues à l'oreille, n'ayant d'yeux que pour elle. Comment ai-je pu me tromper ?

Puis je me rappelle que le passage à l'hôpital n'a jamais existé. En dehors de Bennett, je suis la seule à savoir qu'il y a eu deux versions de la même journée : la première qui s'est terminée par un terrible accident, et la seconde par une séance de cinéma, agrémentée de pop-corn. Lui et Emma arborant de grands sourires plutôt que des ecchymoses et des points de suture.

Ils avaient sûrement partagé quelque chose d'important avant le mauvais timing de l'intersection. À moins que ce soit l'accident lui-même qui ait été déterminant. Quoi qu'il en soit, en effaçant définitivement cette journée pour la recommencer, nous l'avons modifiée. Bennett avait sûrement raison quand il évoquait les conséquences inhérentes au fait de jouer aux apprentis sorciers.

39

Il est six heures et demie, et il fait déjà trente degrés dehors. J'enfile un short léger, ma casquette rose et les Oakley noires que je me suis offertes pour le voyage.

Quand je croise le gars avec le catogan poivre et sel, je lui fais signe et lui lance un « salut ! » plus enthousiaste que jamais. Il m'a vue tous les lundis, mercredis et vendredis pendant trois ans. L'espace d'un instant, j'aimerais le prévenir que je vais passer ces deux prochains mois à courir sur le sable mouillé, qu'il ne s'inquiète pas de ne plus me voir.

La boucle de cinq kilomètres terminée, je m'étire sur mon perron, façon coureur contre la rampe, en regardant autour de moi. Je me demande si cet endroit me paraîtra différent à mon retour. Si les arbres auront poussé de façon visible ou s'il y aura d'autres crevasses dans l'allée, ou encore si mon père aura ravalé la façade...

J'entre chez moi et reste figée. Une valise noire, avec l'inscription Travelpro incrustée en lettres argentées et un énorme ruban rouge attaché à la poignée rétractable, trône au pied de l'escalier.

Mes parents sortent de la cuisine. Ma mère encore en peignoir et mon père qui la tire par la main comme si elle risquait de se rétracter et de repartir en courant.

« Je n'ai encore jamais eu de bagage à moi. Trop sympa, merci beaucoup. » Ma mère me décoche un sourire triste et me prend brusquement dans ses bras.

« Hmm, arrête, je suis trempée de sueur.

— Ça m'est égal. » Elle me serre plus fort encore et je sens ses larmes chaudes atterrir sur mon épaule nue. « Je suis tellement fière de toi, murmure-t-elle dans mon oreille.

— Merci, maman. » Je lui plante un gros bisou sur la joue. « Ne le sois pas, je serai de retour avant que tu aies pu commencer à respirer.

— Je sais. » Elle essuie ses larmes et me regarde droit dans les yeux. « Mais tu es tellement plus courageuse que moi. »

Je prends son visage dans mes mains. « C'est faux. Regarde comme tu l'es à l'instant. » Je lui souris et la serre fort à mon tour.

« Annie, ton amie est là ! » s'écrie mon père du jardin.

Je balaie une dernière fois ma chambre du regard et boucle ma valise. Je voyage léger : quelques affaires pour courir, mon baladeur, des piles, une série de CD, quelques robes d'été, des tongs, un peu de maquillage et des pinces pour mes cheveux.

Je fais rouler ma valise jusqu'à la porte puis me tiens devant mon planisphère. Les minuscules points rouges qui en saupoudrent la surface me rappellent la sensation de douceur que j'ai éprouvée sur le sable à Koh Tao, et l'odeur de la pierre calcaire de Devil's Lake, et le carmin du lever de soleil sur Vernazza. J'embrasse le bout de mon index et le pose sur la toute dernière épingle, plantée sur San Francisco. Je referme la porte et me dirige vers l'escalier en traînant mon bagage tout neuf derrière moi.

Quand j'arrive sur le porche, Emma est en train de confier ses plans pour l'été avec Justin à ma mère.

« Tu es sûre qu'on ne peut pas t'accompagner à l'aéroport ? » insiste mon père, planté dans l'allée, un sourire crispé aux lèvres.

— Emma a vraiment envie de m'y emmener.

— Nous aussi.

— D'accord, mais Emma n'a pas de librairie à ouvrir ni de service à assurer à l'hôpital.

— Si tu y tiens. » Il me serre fort dans ses bras un bref instant, me prend la valise des mains pour la porter lui-même jusqu'au coffre ouvert de la Saab.

Le toit en partie décapotable est également ouvert pour célébrer cette torride journée d'été.

Je prends une dernière fois mes parents dans mes bras, leur redis au revoir et leur promets d'écrire. Puis j'ouvre ma portière et trouve une boîte enveloppée dans du papier cadeau sur le siège.

« Qu'est-ce que c'est ?

— Ouvre », m'encourage Emma qui manœuvre en appuyant comme une dingue sur le Klaxon. La petite boîte dans une main, j'adresse de grands signes à mes parents de l'autre. J'ouvre le paquet et soulève le couvercle d'un boîtier en cuir noir.

« Em, je n'ai pas besoin d'une montre, j'en ai déjà une, dis-je en enroulant aussitôt la lanière de cuir autour de mon poignet.

— Tu as une montre pour courir. Ça, c'est une montre habillée. Au cas où tu rencontrerais un beau garçon qui t'inviterait à dîner. » Je me surprends à me fendre d'un grand sourire.

« Pour que je sache à quel moment rentrer avant de me changer en citrouille ? » J'effleure le cadran du bout des doigts et lève les yeux vers Emma. « Elle est vraiment très belle. Tu n'aurais pas dû.

— Je sais. Je voulais juste que tu te souviennes en permanence que je suis là à compter les minutes jusqu'à ton retour. Ha, ha, ha ! »

Je ris avec elle. « Sérieusement, Em, merci du fond du cœur, je l'adore. » Nous gardons le silence, le temps que j'attache ma nouvelle montre à mon poignet.

« Et je ne peux pas croire que tu vas rater Pearl Jam au Soldier Field. Ça faisait plus d'un an qu'on attendait l'événement.

– Tout va bien, tu iras avec Justin. » Je sens une pointe de tristesse quand je prononce son prénom. Je ne voudrais pas revenir sur ce que Bennett et moi avons fait pour elle, mais j'aimerais ne pas me sentir aussi responsable du glissement subtil des sentiments de Justin. Je la regarde en me demandant ce qui va se passer entre eux cet été, espérant qu'il lui laissera sa chance comme il me l'a promis.

Elle pousse un soupir. « Justin trouve Eddie Vedder "banal", tu te rends compte ? C'est son mot, "banal", pour un gars carrément génial. » Emma allume le lecteur. « Écoute ! La preuve… »

Elle augmente le volume et le premier accord de guitare de *Corduroy* vrombit dans toute la voiture. Comme toujours, nous chantons à tue-tête et faux. Les autres conducteurs affichent des mines affligées quand ils nous voient faire notre show. Soudain, je m'arrête pour me concentrer sur ce que dit le refrain, alors qu'Emma continue de chanter en battant le rythme à fond sur son volant.

Everything has chains…
Absolutely nothing's changed.

(Tout a des chaînes…

Absolument rien n'a changé.)

Est-ce que quelque chose a changé ? Bennett a débarqué dans nos vies puis s'en est allé et si, en surface, il semble n'avoir laissé aucune trace, je sais pertinemment que ce n'est pas le cas. Il en a laissé partout en moi. Me retrouver seule dans cette ville a beau être douloureux, si j'avais le loisir de revivre ces trois derniers mois, je choisirais de nouveau, et sans hésiter une seule seconde, de le faire. Même si les dernières paroles de la chanson me tuent : *I'll end up alone like I began.* (Je finirai seule comme j'ai commencé.)

Emma s'engage dans le terminal des départs internationaux et freine en faisant crisser ses pneus. Elle met le point mort à l'arrache et se retourne vers moi.

« Envoie-moi des cartes, ma chérie.

Des cartes postales…

« Je le ferai, promis juré. » Je la serre fort dans mes bras. « Passe un super été, on se retrouve en août ! »

Je relâche mon étreinte, mais ses bras restent fermement serrés autour de moi, et quand elle essaie de dire quelque chose, je l'entends s'étrangler. « Em… » Je la serre de nouveau. « Arrête, tu vas me faire pleurer. »

Elle me laisse aller. « Tu as raison. C'est un moment heureux. Pas de larmes. » Elle se dépêche d'essuyer les siennes et nous nous plantons de gros bisous sur les joues. « On se voit en août, me souffle-t-elle.

– Évidemment ! » Je la prends de nouveau rapidement dans mes bras et m'éclipse de la voiture avant d'être contaminée par ses larmes. Je sors ma valise du coffre et entre dans l'aéroport après lui avoir adressé un dernier signe de la main.

L'hôtesse me tend ma carte d'embarquement et je gagne la file d'attente pour le contrôle de sûreté, les jambes flageolantes. Je ne me suis jamais sentie aussi seule de ma vie. D'un autre côté, je ne pense pas avoir déjà été aussi courageuse.

Je me comporte comme si je savais exactement comment on embarque dans un avion. Et quand je trouve mon siège, le 14A, j'ai l'impression que mon cœur va éclater.

Sitôt installée, ma ceinture attachée, je sors mon petit paquet de cartes postales de mon bagage à main bourré de magazines, de guides de voyages et des huit objets dont je n'aurais pu me séparer. Je contemple les cartes une à une. Celles que nous nous sommes écrites disent en substance la même chose : nous comptions l'un pour l'autre. Nous ne voulions pas que cette relation se termine.

L'avion roule sur la piste et nous décollons. Finalement, j'ai une sensation qui ressemble à celle que j'éprouvais quand je voyageais avec Bennett. Le petit nœud. La bulle d'air dans mon estomac. La montée incroyable d'adrénaline. Je ne peux m'empêcher de sourire quand je pense à ce qui m'attend. J'ajuste l'oreiller entre mon siège et la paroi de l'avion, mes cartes postales toujours serrées dans la main, et je pose ma tête contre le hublot en regardant l'Illinois défiler et rapetisser en contrebas.

40

Ceinture en Néoprène serrée autour de la taille, musique à fond dans les oreilles, je cours sur le sable mouillé où la semelle de mes baskets laisse de fines traces. Par-dessus mon épaule, je vois le soleil se lever à toute vitesse à l'horizon, et ne peux m'empêcher de tourner la tête pour suivre du regard la ligne qui divise la baie turquoise du ciel orange foncé. Je n'en reviens toujours pas d'être là.

J'aimerais tellement qu'il le soit aussi. Le changement de décor m'a aidée, mais Bennett me manque toujours autant, je le cherche sur les visages étrangers, dans les rues, et je pense à lui chaque fois que je passe devant l'un des nombreux tourniquets de cartes postales essaimés dans cette station balnéaire. Et même si c'est lui qui me manque par-dessus tout, je déteste aussi l'idée de ne plus jamais

ressentir cette spirale dans mon ventre, cette sensation nauséeuse mais si vivifiante qui précédait nos
petits décollages à deux.

J'aperçois les grands rochers et les falaises acciden-
tées au bout de la plage et je sens mes bras fournir
un effort supplémentaire. Je fixe mon regard sur le
rocher le plus proche de l'eau et sprinte avec toute
l'énergie qui me reste, ne m'arrêtant que lorsque je
le touche du bout des doigts.

Je secoue bras et jambes, marchant à reculons
puis face à la plage et me décontracte. Quand ma
respiration retrouve son rythme normal, je m'allonge un instant dans un coin frais, en appui sur
mes coudes pour m'imprégner du panorama. Puis
je retourne m'allonger au soleil, les yeux fermés,
sans plus penser à rien pendant un long moment,
sinon à la sensation des rayons sur mon visage et
au clapotis des vagues.

Je laisse paresseusement tomber ma tête sur le
côté en expirant, mais au lieu de voir les rochers
qui délimitent cette immense plage, je contemple
une photo de San Francisco. Mon cœur s'emballe
de nouveau, peut-être plus vite encore que lorsque
je courais. Je prends la carte posée sur le sable, et
la regarde fixement.

Je la retourne.

Tu n'as pas eu ta carte postale.

J'ai envie de regarder derrière moi. J'ai le sentiment qu'il est là, mais je ferme les yeux de toutes mes forces, incapable de me retourner et de faire face au néant. Pourtant la carte que je tiens entre les mains est bien réelle, tangible, et je m'oblige à le faire.

Bennett Cooper est assis sur le sable, à quelques centimètres de moi. J'enregistre son image, de sa tignasse ébouriffée jusqu'à ses tongs, en passant par son tee-shirt à l'effigie d'un groupe de rock et son jean délavé. Je le regarde comme hypnotisée, les lèvres serrées, en secouant lentement la tête d'avant en arrière. Je dois rêver.

« Salut ! »

Je sens les larmes rouler le long de mes joues, et pense avoir dit « salut » aussi, mais ça n'a pas d'importance parce qu'en quelques secondes il se trouve juste à côté de moi et tout ce que je sens, ce sont ses doigts contre ma nuque. Ses baisers atterrissent partout, sur mes joues mouillées, mon front, mes paupières, dans mon cou et enfin sur mes lèvres. Nous nous serrons l'un contre l'autre, ni lui ni moi ne tolérant qu'il y ait le moindre interstice entre nous. « Tu m'as tellement manqué », murmure-t-il dans mes cheveux. Je voudrais en dire autant mais je reste muette.

Il m'essuie les joues avec son pouce. « Tu es vraiment là », finis-je par bafouiller. Il hoche la tête et continue de m'embrasser.

« Ben oui, vraiment. »

Je ne peux m'empêcher de lui sourire. « Je n'aurais jamais pensé te voir… »

Mes mots restent coincés dans ma gorge, mais je n'ai aucune raison de terminer ma phrase… puisqu'il se trouve bel et bien à mes côtés. J'enfouis mon visage dans son cou tiédi par le soleil et salé par la chaleur et je reste là un moment, à respirer son odeur. « Tu m'as manqué. » Cette fois, je le dis tout haut et quand mes mains trouvent de nouveau ses cheveux, je laisse mes doigts se perdre à l'intérieur. Puis je m'écarte pour le regarder. Il est magnifique, tout bronzé et tellement… présent.

Il s'allonge à côté de moi, nous nous faisons face en appui sur nos coudes, et j'ai l'impression furtive que nous sommes retournés à la case Koh Tao : allongés sur la plage, désirant nous embrasser sans trop savoir quoi faire de nos mains. Sauf que, cette fois, nous le savons tous les deux, et quand il se remet à m'embrasser, la mienne se pose aussitôt sur le morceau de peau nue entre son tee-shirt et son jean. Je sens sa taille et la courbe de ses hanches sous mes doigts, et suis soulagée quand il me serre encore plus fort contre lui, parce que j'ai encore besoin de me convaincre qu'il est là auprès de moi, en chair et en os.

Nous finissons par nous éloigner un rien l'un de l'autre, j'enfouis mes doigts dans sa frange noire et emmêlée et regarde son visage, éclairé par le soleil matinal et totalement illuminé de l'intérieur.

« Tu as l'air étonnée de me voir. »

J'étouffe un rire. « Comment as-tu fait pour venir jusqu'ici, à cet instant précis ?

— Je t'avais dit que je n'arrêterais pas de te harceler jusqu'à ce que tu en aies marre de moi. »

Ses lèvres se retroussent en un demi-sourire. « Quoi ? Tu ne m'as pas cru ?

— Non. » Je secoue de nouveau la tête. « Je ne savais plus trop ce que je devais croire ou pas. »

Et je ne le sais toujours pas, mais je voudrais juste m'assurer qu'il ne se volatilisera pas d'une seconde à l'autre. J'appuie mon front contre le sien. « Tu es revenu pour de bon ?

— Ouais, dit-il avec une lueur encore différente dans les yeux. Pour de bon.

— Comment sais-tu que tu ne vas pas... »

Bennett me regarde, soudain sérieux. « J'étais là hier. » Il se tourne vers la clairière qui surplombe la plage, derrière nous. « Je voulais m'assurer que je contrôlais de nouveau la situation avant... » Il pousse un grand soupir. « C'était tout ce que je pouvais faire pour rester éloigné, mais... Je te regardais et, l'espace d'une seconde, j'ai pensé que ce serait peut-être mieux si... Je ne sais pas... Tu avais l'air tellement heureuse.

— Je l'étais, mais je le suis infiniment plus aujourd'hui. »

Il sourit. « Tu en es sûre ?

— Certaine.

— La Paz alors, hein ?

— Où d'autre ? » Je visualise les circuits que nous avions choisis pour nos projets de voyage respectifs. Nos itinéraires ne se recoupaient qu'ici. Je repose ma main sur sa taille et trace de petits cercles invisibles sur sa peau. « Raconte-moi tout, dis-je. Où es-tu allé ? Qu'ai-je raté ? »

Il m'embrasse sur le bout du nez. « Pas grand-chose. J'ai passé le dernier mois et demi à te regarder.

— À me regarder ?

— Tu avais raison. J'étais sur la piste de Northwestern, ce matin-là. Mais c'est juste que je ne l'avais pas encore fait. » Il soulève une poignée de boucles de mon épaule et les enroule autour de son doigt. « Depuis la nuit où tu as été brutalement réexpédiée, je suis resté coincé à San Francisco. J'ai essayé de voyager, mais quelles que soient la date ou l'heure que je choisissais, j'arrivais au même endroit. Le lundi 6 mars 1995, à 6 h 44. Sur cette maudite piste. Seigneur, c'était comme d'être coincé dans *Un jour sans fin*[1]. Je ne pouvais rester qu'une minute environ, mais c'est le seul endroit où je pouvais me rendre, et c'est donc là que j'allais.

---

1. *Groundhog Day,* film de Harold Ramis dans lequel le héros (Bill Murray) se réveille toujours le même jour, le 2 février.

– Je *savais* que c'était toi. Je savais que je ne délirais pas. »

Il me décoche un petit sourire et continue de parler. « Quelque chose a changé au début du mois. Au lieu d'atterrir sur la piste le 6 mars, je suis arrivé un jour ensoleillé de mai, et tu me *connaissais*. Et depuis, tout est retourné lentement à la normale. J'ai pu voyager chaque jour un peu plus longtemps, mais je ne pouvais toujours pas te rejoindre, ni à Evanston ni ici, jusqu'à hier.

– Qu'est-ce qui a changé, alors ?

– Je n'en sais rien, mais je parie que tu dois le savoir. »

Je repense à ce que j'ai pu faire différemment en début de mois, et la question d'Argotta me revient d'un coup à l'esprit. *Êtes-vous consciente de la date, señorita Greene ? Le premier juin,* señor. C'est le jour où j'ai décidé de ne pas passer mon été à Evanston, à attendre le retour de Bennett, comme une âme en peine. Le jour où j'ai écouté les conseils d'Anna et opté pour l'autre voie, celle que j'avais choisi d'emprunter au départ.

« J'ai décidé de venir ici, dis-je. Tu n'étais pas revenu depuis qu'Argotta m'avait parlé de ce voyage, et j'ai su qu'il fallait que je le fasse.

– Sans moi », constate-t-il avec un petit sourire triste. J'acquiesce, et nous restons silencieux un long moment. « J'aurais dû te parler de cette lettre.

– En effet. » Je pose mes doigts sur ses joues et quand ses yeux croisent les miens, je lui adresse un sourire indulgent. Il me sourit à son tour, mais je devine que quelque chose le tracasse encore. Je me demande s'il aimerait tout recommencer, mais j'ai le sentiment qu'il applique de nouveau ses règles et que nous n'allons pas modifier notre histoire avant longtemps. « Est-ce que je sais tout, maintenant ? »

Il laisse échapper un petit rire et lève de nouveau les yeux vers moi. « Absolument, même si je n'ai pas la moindre idée de ce qui va se passer à partir de maintenant.

– Super ! » Je le regarde, sachant que mon avenir prend un nouveau tournant. Que j'aurai de nouveau la sensation de la spirale inconfortable, mais si vivifiante dans mon estomac, que je planterai d'autres petites épingles à tête rouge sur mon planisphère, et que je l'embrasserai encore dans de romantiques petits villages où nous boirons des *latte* dans des cafés cachés.

« Tu sais ce qu'il faudrait que tu découvres après ? » Je lui souris : « Paris. »

Je me souviens de notre excursion au lac du Diable, de son enthousiasme pour m'apprendre à escalader alors que je rêvais d'aller déguster un café crème au bord de la Seine. Il esquisse un sourire espiègle. « Tu es partante pour un petit déj' ?

– Un petit déj' ? » Je ris en regardant la plage déserte autour de moi. « Tout de suite ? » Il veut m'emmener prendre un petit déjeuner à Paris. Sur-le-champ. Je regarde mon jogging qui a séché sur moi, mais ça ne me semble pas très grave comparé aux délices que promet un petit déjeuner dans la Ville-lumière.

« Pourquoi pas ? » Il se lève et me tend la main pour m'aider à en faire autant.

Nous sommes seuls sur la plage, je place mes mains dans les siennes. Il sourit, et je vois à quel point il est excité de me montrer quelque chose de nouveau. « Tu es prête ? »

Je vais pour dire oui. Mais me ravise. Je regarde la mer, la falaise, les rochers et les montagnes qui nous entourent. Et soudain, je n'ai plus envie d'être à Paris. Je n'ai plus envie d'être ailleurs. Je lâche ses mains et me blottis dans ses bras contre son torse.

« Tu vois ce parasol jaune au bout de la plage ? » Je le lui montre du doigt.

Bennett plisse les yeux, avant de les baisser vers moi, l'air intrigué. « Ouais.

— Ils servent le meilleur café mexicain de la ville. »

Son sourire s'adoucit, tandis qu'il comprend le message. « À cette heure-ci ? »

Je hoche la tête façon experte de La Paz, ce que je suis par rapport à lui. « Absolument ! »

Bennett pose sa main sur mon visage et m'embrasse comme s'il ne pouvait se trouver en meilleure compagnie ni dans un endroit plus chouette sur terre.

Je noue mes doigts aux siens et ramasse ma carte postale de San Francisco qui est restée sur le sable. « Allons-y, dis-je alors que nous nous mettons en route vers le parasol, à mon tour de t'en offrir un ! »

Enlacés, nous marchons sur la plage, vers un lieu qu'il ne connaît pas.

Remerciements

De nombreuses personnes m'ont inspirée pour écrire cette histoire sur l'amour, l'amitié et la famille, trois domaines dans lesquels j'ai eu la chance d'être comblée.

Mon mari, Michael, est à la fois l'homme de ma vie et un soutien indéfectible. Notre histoire d'amour sera toujours ma préférée.

Mon fils, Aidan, et ma fille, Lauren, ont dû partager mon temps et mon attention avec plusieurs personnages imaginaires qui ont donné corps à ce livre, et tout ce qu'ils ont demandé en échange, c'est que je leur invente des histoires avant qu'ils s'endorment. Je leur suis si reconnaissante pour leur amour et leur soutien inconditionnels que j'espère les avoir rendus aussi fiers de moi que je le suis *toujours* d'eux.

Ce livre parle en substance de la possibilité que l'on a de choisir sa vie et de la façon de défendre ce choix avec ténacité. Mon père, Bill Ireland, m'a appris cela et je lui dois beaucoup. De même qu'à ma mère, Susan Cline, qui depuis toujours m'aime exactement pour ce que je suis. Peu de mères répondraient « Il était temps ! » quand leur fille leur annonce : « Tu sais quoi ? J'écris un livre. » Tout enfant mérite d'avoir des fans comme ces deux-là.

J'appartiens à une grande et merveilleuse famille, dont le soutien est inconditionnel jusqu'à l'absurde. Je remercie en particulier mes frères Ben et Jeff Ireland ; David et Kirsten Stone ; Randy, Sharon, Beandon et Sonya Cook ; Karen Clarke ; Joanna, Eric et Kristina Ireland. Mais aussi Jim et Becky pour leur affection et leurs encouragements concernant ce projet. Ainsi que ma grand-mère, Edith Ireland, qui aurait dû être là durant la réalisation de celui-ci.

Je serai toujours reconnaissante aux Delong qui, lorsque j'en ai eu le plus besoin, m'ont accueillie dans un monde qu'on ne trouve pas sur les cartes.

Je suis par ailleurs comblée par le soutien que m'ont également accordé mes amis. Mes premiers lecteurs, Heidi Temkin, Stacy Peña, Molly Davis, Sonia Painter, Elle Cosimano et Spencer Davis n'ont pas été avares de remarques et de conseils judicieux. Je remercie particulièrement mes associées, Molly et Stacy, qui m'ont soutenue de tout cœur dans cette entreprise sans jamais se demander si c'était raisonnable. Ce sont de vraies amies.

Trois filles extraordinaires ont particulièrement influencé ce récit : Hosanna et Sophie Fuller, mes sympathiques, brillantes et athlétiques héroïnes dans la vraie vie ; et Claire Peña, une lectrice exigeante dont la passion pour la fiction m'a incitée à destiner ce premier roman aux ados et jeunes adultes. Remerciements particuliers à Hosanna, passionnée par les voyages dans le temps et la musique, qui m'a laissée lui casser les oreilles sur ces deux sujets alors qu'elle avait sans doute mieux à faire.

Pour leurs conseils respectifs en matière de radio, cours d'espagnol, cross-country, escalade et médecine, je remercie infiniment également : DJ Tracy, Anita Van Tongerloo, Kate Wolf, Mark Holmstrom, et enfin le docteur Mike.

Et pour m'avoir permis d'utiliser leurs merveilleuses paroles, tous mes remerciements à Pearl Jam et Phish.

Enfin, il n'existe pas assez de mots pour exprimer ma reconnaissance envers Caryn Wiseman et Lisa Yoskowitz, deux femmes remarquables qui ont permis à ce livre d'exister.

La Martinière j.
FICTION

RÉALISATION : NORD COMPO À VILLENEUVE-D'ASCQ
IMPRESSION : NORMANDIE ROTO IMPRESSION S.A.S. À LONRAI
DÉPÔT LÉGAL : MARS 2013. N° 107791-1 (131116)
Imprimé en France